연산부터 문해력까지
풍산자 연산으로
초등 수학을 시작해요.

연구진

이상욱 풍산자수학연구소 책임연구원
김선화 풍산자수학연구소 선임연구원

검토진

강민성(경북), **고정숙**(서울), **고효기**(경북), **김경구**(경북), **김미란**(경북), **김수진**(서울), **김정화**(경북), **남협희**(경북), **민환기**(경북), **박성호**(경북), **박찬훈**(경북), **방윤희**(광주), **심평화**(서울), **심소연**(서울), **안승해**(경북), **유경혜**(경북), **유영혜**(경북), **이세령**(서울), **이재승**(경북), **조재흡**(경북), **주진아**(경북), **추형식**(경북), **홍선유**(광주)

풍산자 연산

초등 연산의 모든 것

초등 수학 6-2

구성과 특징

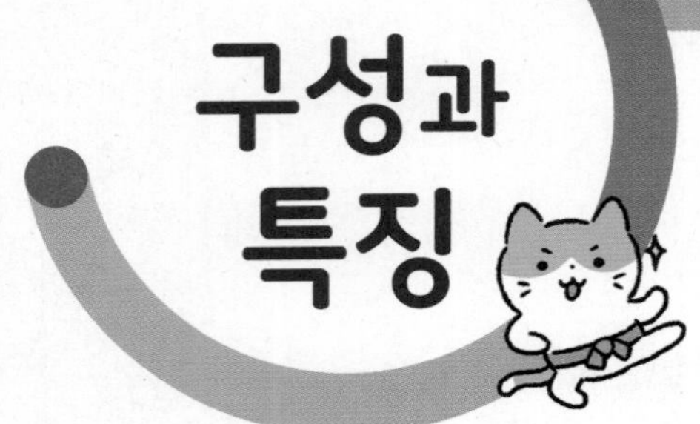

1일 차 학습 주제별 연산 문제를 풍부하게 제공합니다.

주제별 알아야 하는 개념을 살펴봐요.

많은 문제로 연산을 연습해요.

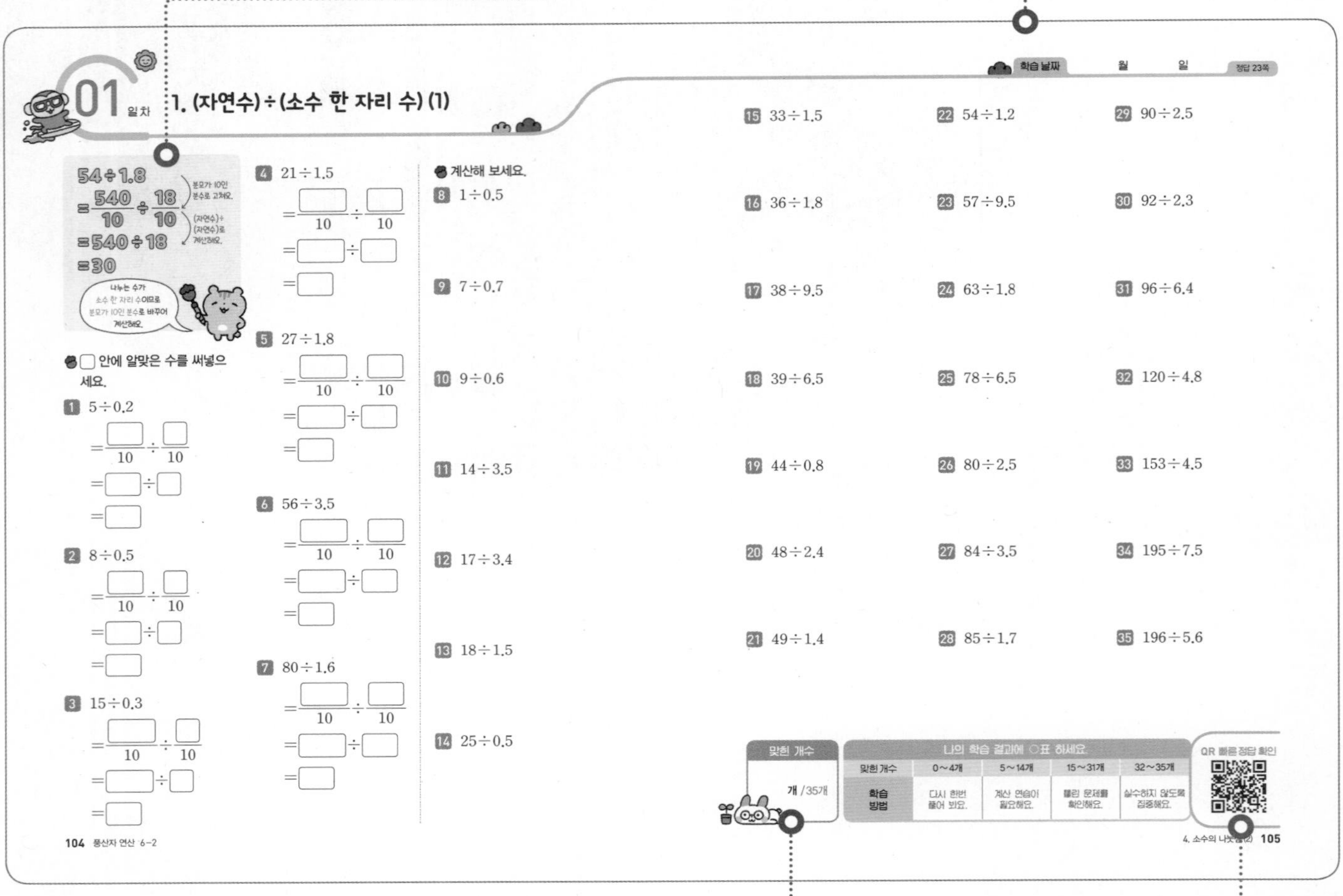

01 일차 1. (자연수)÷(소수 한 자리 수) (1)

학습 날짜 월 일 정답 23쪽

54÷1.8
= 540/10 ÷ 18/10 (분모가 10인 분수로 고쳐요.)
= 540÷18 ((자연수)÷(자연수)로 계산해요.)
= 30

나누는 수가 소수 한 자리 수이므로 분모가 10인 분수로 바꾸어 계산해요.

□ 안에 알맞은 수를 써넣으세요.

1 5÷0.2 = □/10 ÷ □/10 = □÷□ = □

2 8÷0.5 = □/10 ÷ □/10 = □÷□ = □

3 15÷0.3 = □/10 ÷ □/10 = □÷□ = □

4 21÷1.5 = □/10 ÷ □/10 = □÷□ = □

5 27÷1.8 = □/10 ÷ □/10 = □÷□ = □

6 56÷3.5 = □/10 ÷ □/10 = □÷□ = □

7 80÷1.6 = □/10 ÷ □/10 = □÷□ = □

계산해 보세요.

8 1÷0.5

9 7÷0.7

10 9÷0.6

11 14÷3.5

12 17÷3.4

13 18÷1.5

14 25÷0.5

15 33÷1.5

16 36÷1.8

17 38÷9.5

18 39÷6.5

19 44÷0.8

20 48÷2.4

21 49÷1.4

22 54÷1.2

23 57÷9.5

24 63÷1.8

25 78÷6.5

26 80÷2.5

27 84÷3.5

28 85÷1.7

29 90÷2.5

30 92÷2.3

31 96÷6.4

32 120÷4.8

33 153÷4.5

34 195÷7.5

35 196÷5.6

맞힌 개수: 개 /35개

나의 학습 결과에 ○표 하세요.

맞힌 개수	0~4개	5~14개	15~31개	32~35개
학습 방법	다시 한번 풀어 봐요.	계산 연습이 필요해요.	틀린 문제를 확인해요.	실수하지 않도록 집중해요.

QR 빠른 정답 확인

104 풍산자 연산 6-2

4. 소수의 나눗셈(2) 105

학습 결과를 스스로 확인해요.

QR로 간편하게 정답을 확인해요.

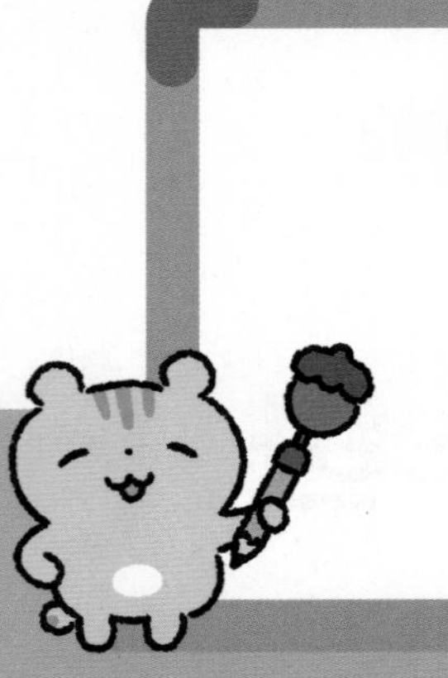

풍산자 연산은

1. 많은 문제로 연산 실력을 향상시킵니다.
2. 주제를 세분화하여 체계적으로 학습합니다.
3. 연산 in 문장제로 문해력을 향상시킵니다.

2일 차 연산을 반복 연습하고, 문장제에 적용하도록 구성했습니다.

반복 연습으로 연산 실력을 키워요.

문장제로 문해력과 연산 실력을 함께 키워요.

02 일차 **1. (자연수)÷(소수 한 자리 수) (1)**

학습 날짜 월 일 정답 23쪽

계산해 보세요.

1 3÷0.3
2 7÷3.5
3 8÷0.4
4 14÷0.7
5 15÷0.2
6 18÷4.5
7 20÷2.5
8 22÷5.5
9 29÷0.5
10 36÷7.2
11 39÷1.5
12 57÷1.9
13 60÷2.5
14 65÷1.3
15 72÷4.5
16 84÷5.6
17 90÷7.5
18 98÷3.5
19 99÷4.5
20 104÷6.5
21 126÷2.8

연산 in 문장제

별 모양 한 개를 만드는 데 색 테이프가 0.2 m 필요합니다. 색 테이프 9 m로 만들 수 있는 별 모양은 몇 개인지 구해 보세요.

$9 \div 0.2 = \frac{90}{10} \div \frac{2}{10} = 90 \div 2 = 45$(개)

전체 색 테이프의 길이 / 별 모양 한 개를 만드는 데 필요한 색 테이프의 길이 / 만들 수 있는 별 모양의 수

소수	9	÷	0.2
분수	$\frac{90}{10}$	÷	$\frac{2}{10}$
자연수	90	÷	2

22 딸기 7 kg을 상자 한 개에 0.5 kg씩 나누어 담으려고 합니다. 필요한 상자는 몇 개인지 구해 보세요.

답 ____

소수		÷	
분수		÷	
자연수		÷	

23 사과주스 한 병을 만드는 데 물이 0.8 L 필요합니다. 물 12 L로 만들 수 있는 사과주스는 몇 병인지 구해 보세요.

답 ____

소수		÷	
분수		÷	
자연수		÷	

24 빵 한 개를 만드는 데 소금이 2.5 g 필요합니다. 소금 40 g으로 만들 수 있는 빵은 몇 개인지 구해 보세요.

답 ____

소수		÷	
분수		÷	
자연수		÷	

25 1분에 1.4 km를 가는 자동차가 있습니다. 같은 빠르기로 42 km를 가는 데 걸리는 시간은 몇 분인지 구해 보세요.

답 ____

소수		÷	
분수		÷	
자연수		÷	

맞힌 개수 개 /25개

나의 학습 결과에 ○표 하세요.				
맞힌 개수	0~3개	4~9개	10~22개	23~25개
학습 방법	다시 한번 풀어 봐요.	계산 연습이 필요해요.	틀린 문제를 확인해요.	실수하지 않도록 집중해요.

QR 빠른 정답 확인

106 풍산자 연산 6-2 | 4. 소수의 나눗셈 (2) 107

연산 도구로 문장제 속 연산을 정확하게 해결해요.

연산&문장제 마무리

이번 단원에서 배운 내용을 점검해요.

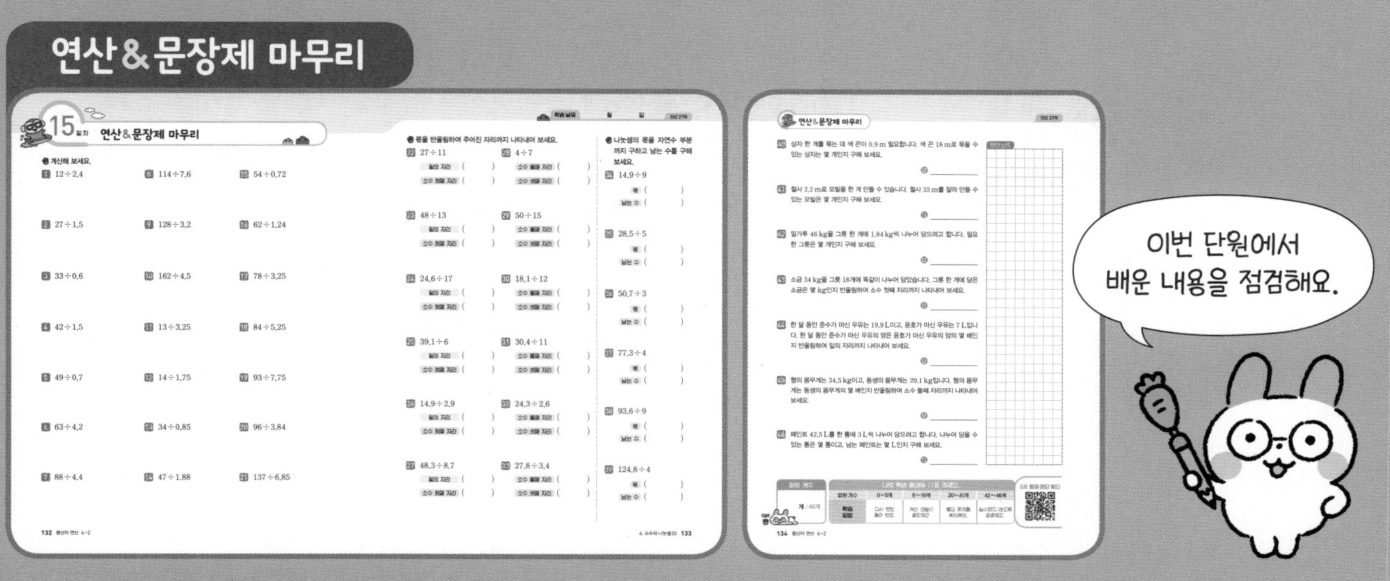

차례

1 분수의 나눗셈 (1)

2 분수의 나눗셈 (2)

3 소수의 나눗셈 (1)

함께 공부할 친구들

난 공부도 운동도 모두 즐기는 고양이야.
냥냥

난 모든 일에 끈기있는 모범생 곰이야.
꼬미

난 무엇이든 잘하는 원숭이야.
몽이

총총이
난 선생님이 되고 싶은 토끼야.

난 호기심이 많고 활동적인 강아지야.
뭉치

난 가르치기 좋아하는 똑똑한 다람쥐야.
란란

1

분수의 나눗셈 (1)

학습 주제	학습 일차	맞힌 개수
1. 분자끼리 나누어떨어지고 분모가 같은 (진분수)÷(진분수)	01일차	/36
	02일차	/25
2. 분자끼리 나누어떨어지지 않고 분모가 같은 (진분수)÷(진분수)	03일차	/34
	04일차	/25
3. 통분을 이용한 분모가 다른 (진분수)÷(진분수)	05일차	/32
	06일차	/25
4. 분수의 곱셈을 이용한 분모가 다른 (진분수)÷(진분수)	07일차	/34
	08일차	/25
5. (자연수)÷(진분수)	09일차	/33
	10일차	/25
6. (자연수)÷(가분수)	11일차	/35
	12일차	/25
연산 & 문장제 마무리	13일차	/52

1. 분자끼리 나누어떨어지고 분모가 같은 (진분수)÷(진분수)

방법1 분자끼리 나누어 계산하기

$$\frac{8}{9}\div\frac{4}{9}=8\div4=2$$

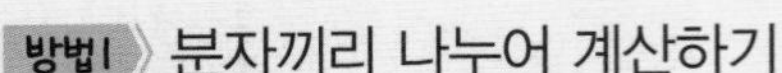

방법2 분수의 곱셈으로 나타내어 계산하기

$$\frac{8}{9}\div\frac{4}{9}=\frac{\overset{2}{\cancel{8}}}{\underset{1}{\cancel{9}}}\times\frac{\overset{1}{\cancel{9}}}{\underset{1}{\cancel{4}}}=2$$

□ 안에 알맞은 수를 써넣으세요.

1 $\frac{4}{5}\div\frac{1}{5}$
$=\square\div\square=\square$

2 $\frac{10}{13}\div\frac{2}{13}$
$=\square\div\square=\square$

3 $\frac{12}{17}\div\frac{4}{17}$
$=\square\div\square=\square$

4 $\frac{20}{23}\div\frac{10}{23}$
$=\square\div\square=\square$

5 $\frac{3}{4}\div\frac{1}{4}$
$=\frac{3}{4}\times\frac{\square}{\square}=\square$

6 $\frac{8}{11}\div\frac{4}{11}$
$=\frac{8}{11}\times\frac{\square}{\square}=\square$

7 $\frac{21}{23}\div\frac{7}{23}$
$=\frac{21}{23}\times\frac{\square}{\square}=\square$

8 $\frac{36}{55}\div\frac{9}{55}$
$=\frac{36}{55}\times\frac{\square}{\square}=\square$

계산해 보세요.

9 $\frac{6}{7}\div\frac{2}{7}$

10 $\frac{8}{11}\div\frac{2}{11}$

11 $\frac{11}{12}\div\frac{1}{12}$

12 $\frac{9}{14}\div\frac{1}{14}$

13 $\frac{14}{15}\div\frac{7}{15}$

14 $\frac{15}{16}\div\frac{3}{16}$

15 $\frac{12}{17}\div\frac{6}{17}$

16 $\frac{18}{19} \div \frac{3}{19}$

17 $\frac{20}{21} \div \frac{5}{21}$

18 $\frac{19}{24} \div \frac{1}{24}$

19 $\frac{16}{25} \div \frac{8}{25}$

20 $\frac{26}{27} \div \frac{2}{27}$

21 $\frac{28}{29} \div \frac{4}{29}$

22 $\frac{30}{31} \div \frac{6}{31}$

23 $\frac{15}{34} \div \frac{5}{34}$

24 $\frac{24}{35} \div \frac{4}{35}$

25 $\frac{35}{36} \div \frac{5}{36}$

26 $\frac{18}{37} \div \frac{2}{37}$

27 $\frac{39}{40} \div \frac{3}{40}$

28 $\frac{36}{41} \div \frac{12}{41}$

29 $\frac{21}{46} \div \frac{3}{46}$

30 $\frac{24}{49} \div \frac{12}{49}$

31 $\frac{28}{51} \div \frac{14}{51}$

32 $\frac{25}{52} \div \frac{5}{52}$

33 $\frac{40}{53} \div \frac{10}{53}$

34 $\frac{45}{56} \div \frac{5}{56}$

35 $\frac{49}{58} \div \frac{7}{58}$

36 $\frac{27}{61} \div \frac{9}{61}$

맞힌 개수

개 /36개

나의 학습 결과에 ○표 하세요.

맞힌 개수	0～4개	5～14개	15～32개	33～36개
학습 방법	다시 한번 풀어 봐요.	계산 연습이 필요해요.	틀린 문제를 확인해요.	실수하지 않도록 집중해요.

QR 빠른 정답 확인

1. 분자끼리 나누어떨어지고 분모가 같은 (진분수)÷(진분수)

계산해 보세요.

1 $\frac{7}{8} \div \frac{1}{8}$

2 $\frac{10}{11} \div \frac{5}{11}$

3 $\frac{12}{13} \div \frac{2}{13}$

4 $\frac{14}{19} \div \frac{2}{19}$

5 $\frac{9}{22} \div \frac{3}{22}$

6 $\frac{18}{23} \div \frac{9}{23}$

7 $\frac{16}{25} \div \frac{2}{25}$

8 $\frac{34}{35} \div \frac{17}{35}$

9 $\frac{33}{40} \div \frac{3}{40}$

10 $\frac{35}{44} \div \frac{7}{44}$

11 $\frac{32}{45} \div \frac{4}{45}$

12 $\frac{39}{49} \div \frac{13}{49}$

13 $\frac{27}{50} \div \frac{3}{50}$

14 $\frac{52}{55} \div \frac{4}{55}$

15 $\frac{40}{57} \div \frac{5}{57}$

16 $\frac{30}{59} \div \frac{15}{59}$

17 $\frac{57}{62} \div \frac{3}{62}$

18 $\frac{56}{65} \div \frac{14}{65}$

19 $\frac{42}{71} \div \frac{6}{71}$

20 $\frac{45}{74} \div \frac{9}{74}$

21 $\frac{64}{75} \div \frac{4}{75}$

연산 in 문장제

실 $\frac{30}{47}$ m를 $\frac{10}{47}$ m씩 잘랐습니다. 자른 실은 몇 도막인지 구해 보세요.

방법1 $\frac{30}{47} \div \frac{10}{47} = 30 \div 10 = 3$(도막)

($\frac{30}{47}$: 실 전체의 길이, $\frac{10}{47}$: 실 한 도막의 길이, 3: 자른 실의 수)

방법2 $\frac{30}{47} \div \frac{10}{47} = \frac{\overset{3}{\cancel{30}}}{\underset{1}{\cancel{47}}} \times \frac{\overset{1}{\cancel{47}}}{\underset{1}{\cancel{10}}} = 3$(도막)

22 우유 $\frac{4}{7}$ L를 컵 한 개에 $\frac{2}{7}$ L씩 나누어 담으려고 합니다. 필요한 컵은 몇 개인지 구해 보세요.

답 ______________

23 색 테이프를 준수는 $\frac{5}{18}$ m, 정희는 $\frac{1}{18}$ m 가지고 있습니다. 준수가 가지고 있는 색 테이프의 길이는 정희가 가지고 있는 색 테이프의 길이의 몇 배인지 구해 보세요.

답 ______________

24 감자 $\frac{24}{29}$ kg을 바구니 한 개에 $\frac{6}{29}$ kg씩 나누어 담으려고 합니다. 필요한 바구니는 몇 개인지 구해 보세요.

답 ______________

25 유리네 집에서 학교까지의 거리는 $\frac{52}{67}$ km이고, 유리네 집에서 도서관까지의 거리는 $\frac{13}{67}$ km입니다. 유리네 집에서 학교까지의 거리는 유리네 집에서 도서관까지의 거리의 몇 배인지 구해 보세요.

답 ______________

맞힌 개수

개 /25개

나의 학습 결과에 ○표 하세요.

맞힌 개수	0~3개	4~9개	10~22개	23~25개
학습 방법	다시 한번 풀어 봐요.	계산 연습이 필요해요.	틀린 문제를 확인해요.	실수하지 않도록 집중해요.

QR 빠른 정답 확인

03 일차 2. 분자끼리 나누어떨어지지 않고 분모가 같은 (진분수)÷(진분수)

방법1 분자끼리 나누어 계산하기

$$\frac{3}{5}\div\frac{2}{5}=3\div2=\frac{3}{2}=1\frac{1}{2}$$

방법2 분수의 곱셈으로 나타내어 계산하기

$$\frac{3}{5}\div\frac{2}{5}=\frac{3}{\cancel{5}_1}\times\frac{\cancel{5}^1}{2}=\frac{3}{2}=1\frac{1}{2}$$

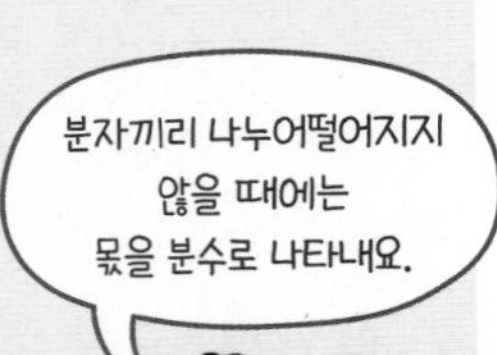

□ 안에 알맞은 수를 써넣으세요.

1 $\frac{5}{7}\div\frac{2}{7}$

$=\square\div\square$

$=\frac{\square}{2}=\square\frac{\square}{2}$

2 $\frac{9}{13}\div\frac{12}{13}$

$=\square\div\square$

$=\frac{\square}{12}=\frac{\square}{4}$

3 $\frac{7}{23}\div\frac{14}{23}$

$=\square\div\square$

$=\frac{\square}{14}=\frac{1}{\square}$

4 $\frac{4}{5}\div\frac{3}{5}$

$=\frac{4}{5}\times\frac{\square}{\square}$

$=\frac{\square}{3}=\square\frac{\square}{3}$

5 $\frac{2}{13}\div\frac{8}{13}$

$=\frac{2}{13}\times\frac{\square}{\square}$

$=\frac{\square}{4}$

6 $\frac{16}{27}\div\frac{14}{27}$

$=\frac{16}{27}\times\frac{\square}{\square}$

$=\frac{\square}{7}=\square\frac{\square}{7}$

계산을 하여 기약분수로 나타내어 보세요.

7 $\frac{1}{5}\div\frac{4}{5}$

8 $\frac{4}{7}\div\frac{6}{7}$

9 $\frac{5}{8}\div\frac{3}{8}$

10 $\frac{7}{9}\div\frac{5}{9}$

11 $\frac{9}{11}\div\frac{6}{11}$

12 $\frac{8}{13}\div\frac{10}{13}$

13 $\frac{9}{16}\div\frac{15}{16}$

14 $\frac{5}{17} \div \frac{6}{17}$

15 $\frac{2}{19} \div \frac{10}{19}$

16 $\frac{17}{20} \div \frac{7}{20}$

17 $\frac{15}{23} \div \frac{12}{23}$

18 $\frac{6}{25} \div \frac{19}{25}$

19 $\frac{15}{26} \div \frac{11}{26}$

20 $\frac{7}{29} \div \frac{21}{29}$

21 $\frac{14}{31} \div \frac{18}{31}$

22 $\frac{10}{37} \div \frac{9}{37}$

23 $\frac{13}{40} \div \frac{17}{40}$

24 $\frac{3}{41} \div \frac{9}{41}$

25 $\frac{11}{42} \div \frac{5}{42}$

26 $\frac{13}{45} \div \frac{7}{45}$

27 $\frac{8}{47} \div \frac{16}{47}$

28 $\frac{16}{53} \div \frac{3}{53}$

29 $\frac{9}{58} \div \frac{5}{58}$

30 $\frac{35}{64} \div \frac{21}{64}$

31 $\frac{8}{65} \div \frac{22}{65}$

32 $\frac{10}{69} \div \frac{60}{69}$

33 $\frac{27}{70} \div \frac{13}{70}$

34 $\frac{35}{72} \div \frac{49}{72}$

맞힌 개수

개 /34개

나의 학습 결과에 ○표 하세요.

맞힌 개수	0~3개	4~13개	14~31개	32~34개
학습 방법	다시 한번 풀어 봐요.	계산 연습이 필요해요.	틀린 문제를 확인해요.	실수하지 않도록 집중해요.

QR 빠른 정답 확인

2. 분자끼리 나누어떨어지지 않고 분모가 같은 (진분수)÷(진분수)

계산을 하여 기약분수로 나타내어 보세요.

1 $\frac{5}{9} \div \frac{4}{9}$

2 $\frac{7}{11} \div \frac{10}{11}$

3 $\frac{8}{15} \div \frac{14}{15}$

4 $\frac{10}{17} \div \frac{3}{17}$

5 $\frac{14}{19} \div \frac{15}{19}$

6 $\frac{6}{23} \div \frac{9}{23}$

7 $\frac{12}{25} \div \frac{7}{25}$

8 $\frac{24}{29} \div \frac{20}{29}$

9 $\frac{11}{31} \div \frac{15}{31}$

10 $\frac{15}{32} \div \frac{7}{32}$

11 $\frac{20}{37} \div \frac{25}{37}$

12 $\frac{27}{41} \div \frac{20}{41}$

13 $\frac{17}{42} \div \frac{19}{42}$

14 $\frac{26}{49} \div \frac{36}{49}$

15 $\frac{8}{55} \div \frac{32}{55}$

16 $\frac{45}{56} \div \frac{25}{56}$

17 $\frac{22}{57} \div \frac{13}{57}$

18 $\frac{28}{59} \div \frac{9}{59}$

19 $\frac{23}{61} \div \frac{6}{61}$

20 $\frac{30}{67} \div \frac{37}{67}$

21 $\frac{24}{71} \div \frac{18}{71}$

연산 in 문장제

유미네 반 학생들이 갯벌 체험에서 조개 $\frac{29}{30}$ kg을 캐는 데 $\frac{7}{30}$ 시간이 걸렸습니다. 같은 빠르기로 캔다면 유미네 반 학생들이 1시간 동안 캘 수 있는 조개의 무게는 몇 kg인지 구해 보세요.

방법1 $\frac{29}{30} \div \frac{7}{30} = 29 \div 7 = \frac{29}{7} = 4\frac{1}{7}$ (kg)

($\frac{29}{30}$: 캔 조개의 무게, $\frac{7}{30}$: 조개를 캔 시간, $4\frac{1}{7}$: 1시간 동안 캘 수 있는 조개의 무게)

방법2 $\frac{29}{30} \div \frac{7}{30} = \frac{29}{\cancel{30}_1} \times \frac{\cancel{30}^1}{7} = \frac{29}{7} = 4\frac{1}{7}$ (kg)

22 과학 시간에 소금물을 윤주는 $\frac{4}{11}$ L 만들었고, 유미는 $\frac{9}{11}$ L 만들었습니다. 윤주가 만든 소금물의 양은 유미가 만든 소금물의 양의 몇 배인지 구해 보세요.

답 ______________

23 민수네 반 교실에 걸려 있는 직사각형 모양 액자의 넓이는 $\frac{13}{28}$ m^2입니다. 액자의 가로가 $\frac{11}{28}$ m일 때, 세로는 몇 m인지 구해 보세요.

답 ______________

24 무를 심은 밭의 넓이는 $\frac{18}{35}$ m^2, 당근을 심은 밭의 넓이는 $\frac{12}{35}$ m^2입니다. 무를 심은 밭의 넓이는 당근을 심은 밭의 넓이의 몇 배인지 구해 보세요.

답 ______________

25 달팽이가 $\frac{3}{8}$ cm를 기어가는 데 $\frac{7}{8}$초가 걸렸습니다. 달팽이가 같은 빠르기로 기어간다면 1초 동안 갈 수 있는 거리는 몇 cm인지 구해 보세요.

답 ______________

맞힌 개수: 개 /25개

나의 학습 결과에 ○표 하세요.

맞힌 개수	0~3개	4~9개	10~22개	23~25개
학습 방법	다시 한번 풀어 봐요.	계산 연습이 필요해요.	틀린 문제를 확인해요.	실수하지 않도록 집중해요.

QR 빠른 정답 확인

3. 통분을 이용한 분모가 다른 (진분수) ÷ (진분수)

$$\frac{3}{4} \div \frac{2}{3} = \frac{3 \times 3}{4 \times 3} \div \frac{2 \times 4}{3 \times 4}$$

4와 3의 최소공배수로 통분해요.

$$= \frac{9}{12} \div \frac{8}{12} = 9 \div 8$$

$$= \frac{9}{8} = 1\frac{1}{8}$$

분모의 공배수를 공통분모로 통분하여 분모가 같은 분수의 나눗셈으로 계산해요.

□ 안에 알맞은 수를 써넣으세요.

1 $\frac{2}{5} \div \frac{4}{7}$

$= \frac{\square}{35} \div \frac{\square}{35}$

$= \square \div \square$

$= \frac{\square}{20} = \frac{\square}{10}$

2 $\frac{8}{9} \div \frac{3}{4}$

$= \frac{\square}{36} \div \frac{\square}{36}$

$= \square \div \square$

$= \frac{\square}{\square} = \square\frac{\square}{\square}$

3 $\frac{1}{6} \div \frac{5}{8}$

$= \frac{\square}{24} \div \frac{\square}{24}$

$= \square \div \square$

$= \frac{\square}{\square}$

4 $\frac{7}{30} \div \frac{14}{15}$

$= \frac{\square}{30} \div \frac{\square}{30}$

$= \square \div 28$

$= \frac{\square}{28} = \frac{\square}{4}$

계산을 하여 기약분수로 나타내어 보세요.

5 $\frac{1}{2} \div \frac{7}{8}$

6 $\frac{2}{3} \div \frac{5}{18}$

7 $\frac{3}{4} \div \frac{2}{5}$

8 $\frac{5}{6} \div \frac{9}{14}$

9 $\frac{2}{7} \div \frac{3}{10}$

10 $\frac{1}{8} \div \frac{5}{7}$

11 $\frac{8}{9} \div \frac{9}{11}$

12 $\frac{3}{10} \div \frac{11}{12}$

13 $\frac{2}{11} \div \frac{4}{9}$

14 $\frac{5}{12} \div \frac{4}{5}$

15 $\frac{1}{13} \div \frac{3}{8}$

16 $\frac{2}{15} \div \frac{16}{25}$

17 $\frac{10}{17} \div \frac{5}{6}$

18 $\frac{7}{18} \div \frac{4}{13}$

19 $\frac{13}{20} \div \frac{9}{10}$

20 $\frac{2}{21} \div \frac{1}{6}$

21 $\frac{13}{24} \div \frac{13}{18}$

22 $\frac{4}{25} \div \frac{10}{27}$

23 $\frac{9}{26} \div \frac{12}{13}$

24 $\frac{19}{27} \div \frac{11}{18}$

25 $\frac{8}{31} \div \frac{6}{29}$

26 $\frac{15}{32} \div \frac{15}{17}$

27 $\frac{20}{33} \div \frac{10}{11}$

28 $\frac{1}{35} \div \frac{3}{7}$

29 $\frac{33}{40} \div \frac{19}{24}$

30 $\frac{4}{41} \div \frac{8}{9}$

31 $\frac{14}{45} \div \frac{21}{40}$

32 $\frac{10}{51} \div \frac{6}{17}$

맞힌 개수

개 /32개

나의 학습 결과에 ○표 하세요.

맞힌 개수	0～3개	4～12개	13～29개	30～32개
학습 방법	다시 한번 풀어 봐요.	계산 연습이 필요해요.	틀린 문제를 확인해요.	실수하지 않도록 집중해요.

QR 빠른 정답 확인

3. 통분을 이용한 분모가 다른 (진분수)÷(진분수)

계산을 하여 기약분수로 나타내어 보세요.

1 $\frac{1}{2}\div\frac{5}{8}$

2 $\frac{2}{3}\div\frac{8}{15}$

3 $\frac{3}{5}\div\frac{4}{11}$

4 $\frac{5}{7}\div\frac{4}{9}$

5 $\frac{3}{8}\div\frac{2}{5}$

6 $\frac{2}{9}\div\frac{5}{6}$

7 $\frac{7}{10}\div\frac{15}{16}$

8 $\frac{6}{11}\div\frac{2}{3}$

9 $\frac{5}{12}\div\frac{3}{4}$

10 $\frac{8}{13}\div\frac{5}{7}$

11 $\frac{9}{14}\div\frac{3}{8}$

12 $\frac{14}{15}\div\frac{7}{30}$

13 $\frac{9}{16}\div\frac{25}{48}$

14 $\frac{9}{17}\div\frac{3}{5}$

15 $\frac{7}{18}\div\frac{7}{16}$

16 $\frac{16}{19}\div\frac{5}{17}$

17 $\frac{17}{20}\div\frac{12}{25}$

18 $\frac{5}{21}\div\frac{9}{14}$

19 $\frac{21}{25}\div\frac{27}{35}$

20 $\frac{11}{40}\div\frac{7}{10}$

21 $\frac{25}{54}\div\frac{5}{9}$

연산 in 문장제

태우가 일정한 빠르기로 $\frac{15}{22}$ km를 걸어가는 데 $\frac{2}{11}$시간이 걸렸습니다. 태우가 같은 빠르기로 걷는다면 1시간 동안 갈 수 있는 거리는 몇 km인지 구해 보세요.

$$\frac{15}{22} \div \frac{2}{11} = \frac{15\times1}{22\times1} \div \frac{2\times2}{11\times2} = \frac{15}{22} \div \frac{4}{22} = 15 \div 4 = \frac{15}{4} = 3\frac{3}{4}\,(\text{km})$$

걸어간 거리 ($\frac{15}{22}$), 걸은 시간 ($\frac{2}{11}$), 1시간 동안 갈 수 있는 거리 ($3\frac{3}{4}$)

22 피자 한 판 중 미영이는 $\frac{5}{8}$를 먹었고, 민혁이는 $\frac{2}{7}$를 먹었습니다. 미영이가 먹은 피자의 양은 민혁이가 먹은 피자의 양의 몇 배인지 구해 보세요.

답 ______________

23 우유 $\frac{11}{18}$ L를 하루에 $\frac{11}{36}$ L씩 마신다면 며칠 동안 마실 수 있는지 구해 보세요.

답 ______________

24 민수가 가진 동화책의 무게는 $\frac{18}{25}$ kg이고, 윤희가 가진 동화책의 무게는 $\frac{7}{20}$ kg입니다. 민수가 가진 동화책의 무게는 윤희가 가진 동화책의 무게의 몇 배인지 구해 보세요.

답 ______________

25 영주가 물 $\frac{10}{13}$ L를 빈 통에 담아 보니 통의 $\frac{1}{5}$이 찼습니다. 한 통을 가득 채울 때 필요한 물은 몇 L인지 구해 보세요.

답 ______________

맞힌 개수: 개 /25개

나의 학습 결과에 ○표 하세요.

맞힌 개수	0~3개	4~9개	10~22개	23~25개
학습 방법	다시 한번 풀어 봐요.	계산 연습이 필요해요.	틀린 문제를 확인해요.	실수하지 않도록 집중해요.

QR 빠른정답 확인

4. 분수의 곱셈을 이용한 분모가 다른 (진분수)÷(진분수)

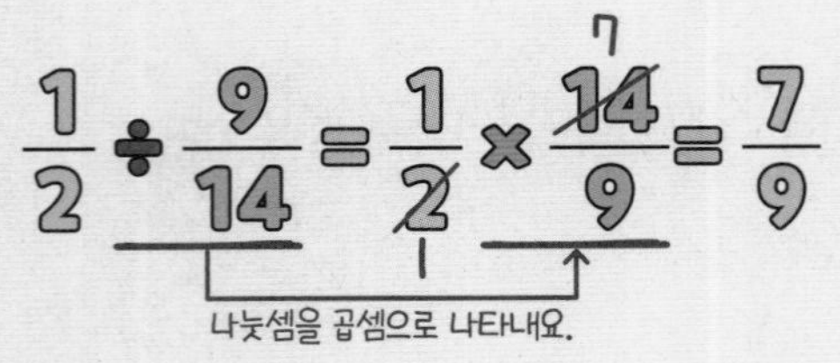

□ 안에 알맞은 수를 써넣으세요.

1 $\frac{2}{5} \div \frac{3}{4} = \frac{2}{5} \times \frac{\square}{\square}$

$= \frac{\square}{\square}$

2 $\frac{4}{7} \div \frac{2}{11}$

$= \frac{4}{7} \times \frac{\square}{\square}$

$= \frac{\square}{7} = \square\frac{\square}{7}$

3 $\frac{7}{9} \div \frac{7}{12}$

$= \frac{7}{9} \times \frac{\square}{\square}$

$= \frac{\square}{3} = \square\frac{\square}{3}$

4 $\frac{11}{16} \div \frac{9}{32}$

$= \frac{11}{16} \times \frac{\square}{\square}$

$= \frac{\square}{9} = \square\frac{\square}{9}$

5 $\frac{13}{18} \div \frac{5}{8}$

$= \frac{13}{18} \times \frac{\square}{\square}$

$= \frac{\square}{45} = \square\frac{\square}{45}$

6 $\frac{25}{27} \div \frac{5}{9}$

$= \frac{25}{27} \times \frac{\square}{\square}$

$= \frac{\square}{3} = \square\frac{\square}{3}$

계산을 하여 기약분수로 나타내어 보세요.

7 $\frac{2}{3} \div \frac{3}{7}$

8 $\frac{4}{5} \div \frac{8}{11}$

9 $\frac{6}{7} \div \frac{2}{5}$

10 $\frac{7}{8} \div \frac{1}{4}$

11 $\frac{5}{9} \div \frac{3}{5}$

12 $\frac{7}{12} \div \frac{9}{16}$

13 $\frac{10}{13} \div \frac{8}{15}$

14 $\frac{5}{14} \div \frac{6}{7}$

15 $\frac{14}{15} \div \frac{1}{12}$

16 $\frac{11}{17} \div \frac{4}{7}$

17 $\frac{3}{19} \div \frac{2}{3}$

18 $\frac{9}{20} \div \frac{3}{8}$

19 $\frac{16}{21} \div \frac{1}{3}$

20 $\frac{5}{22} \div \frac{4}{11}$

21 $\frac{18}{23} \div \frac{8}{9}$

22 $\frac{23}{24} \div \frac{7}{16}$

23 $\frac{9}{25} \div \frac{12}{13}$

24 $\frac{21}{29} \div \frac{1}{2}$

25 $\frac{23}{30} \div \frac{4}{9}$

26 $\frac{20}{31} \div \frac{5}{7}$

27 $\frac{17}{32} \div \frac{3}{16}$

28 $\frac{3}{35} \div \frac{7}{25}$

29 $\frac{35}{36} \div \frac{7}{11}$

30 $\frac{1}{48} \div \frac{15}{16}$

31 $\frac{7}{51} \div \frac{16}{17}$

32 $\frac{15}{52} \div \frac{7}{13}$

33 $\frac{7}{62} \div \frac{14}{31}$

34 $\frac{34}{63} \div \frac{17}{35}$

맞힌 개수

개 /34개

나의 학습 결과에 ○표 하세요.

맞힌 개수	0~3개	4~13개	14~31개	32~34개
학습 방법	다시 한번 풀어 봐요.	계산 연습이 필요해요.	틀린 문제를 확인해요.	실수하지 않도록 집중해요.

QR 빠른 정답 확인

4. 분수의 곱셈을 이용한 분모가 다른 (진분수)÷(진분수)

계산을 하여 기약분수로 나타내어 보세요.

1 $\frac{1}{2} \div \frac{1}{10}$

2 $\frac{2}{5} \div \frac{8}{15}$

3 $\frac{5}{6} \div \frac{9}{20}$

4 $\frac{4}{7} \div \frac{5}{9}$

5 $\frac{7}{9} \div \frac{3}{16}$

6 $\frac{3}{10} \div \frac{3}{4}$

7 $\frac{8}{11} \div \frac{2}{5}$

8 $\frac{12}{13} \div \frac{9}{17}$

9 $\frac{5}{14} \div \frac{10}{21}$

10 $\frac{5}{16} \div \frac{1}{4}$

11 $\frac{10}{17} \div \frac{3}{7}$

12 $\frac{13}{18} \div \frac{8}{9}$

13 $\frac{12}{19} \div \frac{16}{21}$

14 $\frac{16}{21} \div \frac{13}{15}$

15 $\frac{15}{22} \div \frac{9}{11}$

16 $\frac{7}{30} \div \frac{14}{25}$

17 $\frac{19}{32} \div \frac{13}{16}$

18 $\frac{25}{36} \div \frac{20}{27}$

19 $\frac{20}{37} \div \frac{10}{11}$

20 $\frac{15}{38} \div \frac{6}{19}$

21 $\frac{39}{40} \div \frac{17}{30}$

연산 in 문장제

초콜릿 $\frac{4}{7}$ kg, 버터 $\frac{5}{14}$ kg을 사용하여 초코칩 쿠키를 만들었습니다. 초코칩 쿠키를 만드는 데 사용한 초콜릿의 양은 버터의 양의 몇 배인지 구해 보세요.

$$\frac{4}{7} \div \frac{5}{14} = \frac{4}{\cancel{7}_1} \times \frac{\cancel{14}^2}{5} = \frac{8}{5} = 1\frac{3}{5}\text{(배)}$$

↑ 사용한 초콜릿의 양　↑ 사용한 버터의 양

22 냉장고 안에 사과주스가 $\frac{7}{12}$ L, 포도주스가 $\frac{14}{17}$ L 들어 있습니다. 사과주스의 양은 포도주스의 양의 몇 배인지 구해 보세요.

답 ______________

23 넓이가 $\frac{4}{15}$ m^2인 직사각형 모양의 옷감이 있습니다. 옷감의 세로가 $\frac{3}{5}$ m일 때, 가로는 몇 m인지 구해 보세요.

답 ______________

24 리본 $\frac{9}{56}$ m로 리본 고리를 한 개 만들 수 있습니다. 리본 $\frac{27}{28}$ m로 만들 수 있는 리본 고리는 몇 개인지 구해 보세요.

답 ______________

25 밤나무에서 형이 딴 밤의 무게는 $\frac{24}{35}$ kg, 동생이 딴 밤의 무게는 $\frac{9}{28}$ kg입니다. 형이 딴 밤의 무게는 동생이 딴 밤의 무게의 몇 배인지 구해 보세요.

답 ______________

맞힌 개수

개 /25개

나의 학습 결과에 ○표 하세요.

맞힌 개수	0~3개	4~9개	10~22개	23~25개
학습 방법	다시 한번 풀어 봐요.	계산 연습이 필요해요.	틀린 문제를 확인해요.	실수하지 않도록 집중해요.

QR 빠른 정답 확인

09 일차 5. (자연수) ÷ (진분수)

방법1 자연수를 분수의 분자로 나눈 몫에 분모를 곱하여 계산하기

$$12 \div \frac{6}{7} = (12 \div 6) \times 7$$

$$= 2 \times 7 = 14$$

방법2 분수의 곱셈으로 나타내어 계산하기

$$12 \div \frac{6}{7} = \overset{2}{\cancel{12}} \times \frac{7}{\underset{1}{\cancel{6}}} = 14$$

자연수를 분수의 분자로 나눈 값에 분모를 곱하여 계산하거나 나눗셈을 곱셈으로 나타내어 계산할 수 있어요.

□ 안에 알맞은 수를 써넣으세요.

1 $4 \div \frac{2}{9}$

$= (4 \div □) \times □$

$= □ \times □$

$= □$

2 $6 \div \frac{3}{4}$

$= (6 \div □) \times □$

$= □ \times □$

$= □$

3 $15 \div \frac{5}{6}$

$= (15 \div □) \times □$

$= □ \times □$

$= □$

4 $2 \div \frac{11}{24}$

$= 2 \times \frac{□}{□} = \frac{□}{11}$

$= □\frac{□}{11}$

자연수가 분자의 배수가 아닐 때에는 나누는 분수의 분모와 분자를 바꾸어 분수의 곱셈으로 나타내어 계산해요.

5 $9 \div \frac{21}{22}$

$= 9 \times \frac{□}{□} = \frac{□}{7}$

$= □\frac{□}{7}$

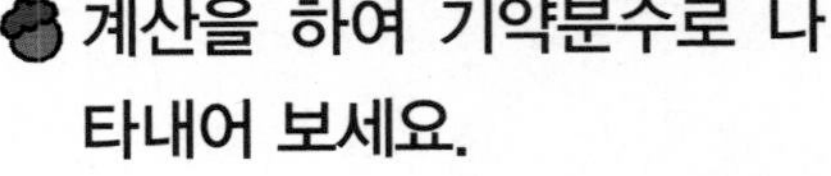

계산을 하여 기약분수로 나타내어 보세요.

6 $2 \div \frac{1}{8}$

7 $3 \div \frac{10}{27}$

8 $4 \div \frac{8}{13}$

9 $5 \div \frac{9}{10}$

10 $6 \div \frac{14}{15}$

11 $7 \div \frac{5}{8}$

12 $8 \div \frac{4}{7}$

13 $9 \div \frac{4}{15}$

14 $10 \div \frac{12}{13}$

15 $11 \div \frac{7}{16}$

16 $12 \div \frac{2}{7}$

17 $14 \div \frac{3}{5}$

18 $15 \div \frac{10}{31}$

19 $17 \div \frac{4}{5}$

20 $18 \div \frac{24}{25}$

21 $20 \div \frac{30}{37}$

22 $21 \div \frac{5}{9}$

23 $24 \div \frac{16}{19}$

24 $25 \div \frac{5}{11}$

25 $26 \div \frac{13}{14}$

26 $27 \div \frac{21}{25}$

27 $30 \div \frac{3}{7}$

28 $32 \div \frac{16}{27}$

29 $35 \div \frac{45}{46}$

30 $36 \div \frac{12}{19}$

31 $40 \div \frac{8}{9}$

32 $48 \div \frac{32}{35}$

33 $51 \div \frac{2}{3}$

맞힌 개수

개 /33개

나의 학습 결과에 ○표 하세요.

맞힌 개수	0~3개	4~13개	14~30개	31~33개
학습 방법	다시 한번 풀어 봐요.	계산 연습이 필요해요.	틀린 문제를 확인해요.	실수하지 않도록 집중해요.

QR 빠른 정답 확인

5. (자연수)÷(진분수)

계산을 하여 기약분수로 나타내어 보세요.

1 $2 \div \frac{3}{25}$

8 $9 \div \frac{4}{7}$

15 $22 \div \frac{33}{35}$

2 $3 \div \frac{9}{11}$

9 $10 \div \frac{8}{9}$

16 $24 \div \frac{15}{17}$

3 $4 \div \frac{5}{12}$

10 $11 \div \frac{7}{10}$

17 $25 \div \frac{13}{16}$

4 $5 \div \frac{8}{21}$

11 $12 \div \frac{4}{23}$

18 $32 \div \frac{20}{21}$

5 $6 \div \frac{1}{9}$

12 $15 \div \frac{25}{26}$

19 $36 \div \frac{27}{29}$

6 $7 \div \frac{9}{28}$

13 $16 \div \frac{18}{25}$

20 $51 \div \frac{17}{20}$

7 $8 \div \frac{2}{3}$

14 $20 \div \frac{10}{19}$

21 $56 \div \frac{7}{9}$

연산 in 문장제

들이가 $\frac{2}{5}$ L인 그릇에 물을 가득 담아 들이가 8 L인 빈 통에 부어서 물을 가득 채우려고 합니다. 그릇으로 몇 번 부어야 하는지 구해 보세요.

$$8 \div \frac{2}{5} = \overset{4}{\cancel{8}} \times \frac{5}{\underset{1}{\cancel{2}}} = 20(\text{번})$$

8: 통의 들이 / $\frac{2}{5}$: 그릇의 들이 / 20: 그릇으로 물을 붓는 횟수

22 쌀 21 kg을 봉지 한 장에 $\frac{7}{12}$ kg씩 나누어 담으려고 합니다. 필요한 봉지는 몇 장인지 구해 보세요.

답 ____________

23 채린이가 사과 9 kg을 따는 데 $\frac{3}{5}$시간이 걸렸습니다. 채린이가 같은 빠르기로 딴다면 한 시간 동안 딸 수 있는 사과의 무게는 몇 kg인지 구해 보세요.

답 ____________

24 희준이네 집에서 놀이 공원까지의 거리는 12 km, 희준이네 집에서 영화관까지의 거리는 $\frac{16}{17}$ km입니다. 희준이네 집에서 놀이 공원까지의 거리는 희준이네 집에서 영화관까지의 거리의 몇 배인지 구해 보세요.

답 ____________

25 영준이네 가족이 딸기 농장에서 1시간 동안 딴 딸기가 부모님은 45 kg, 영준이와 동생은 $\frac{18}{23}$ kg입니다. 부모님이 딴 딸기의 무게는 영준이와 동생이 딴 딸기의 무게의 몇 배인지 구해 보세요.

답 ____________

맞힌 개수
개 /25개

나의 학습 결과에 ○표 하세요.

맞힌 개수	0~3개	4~9개	10~22개	23~25개
학습 방법	다시 한번 풀어 봐요.	계산 연습이 필요해요.	틀린 문제를 확인해요.	실수하지 않도록 집중해요.

QR 빠른 정답 확인

11일차 6. (자연수) ÷ (가분수)

나눗셈을 곱셈으로 나타내요.

$8 \div \frac{6}{5} = \overset{4}{\cancel{8}} \times \frac{5}{\underset{3}{\cancel{6}}}$

$= \frac{20}{3} = 6\frac{2}{3}$

● □ 안에 알맞은 수를 써넣으세요.

1 $3 \div \frac{3}{2} = 3 \times \frac{\square}{\square}$

$= \square$

2 $4 \div \frac{26}{9}$

$= 4 \times \frac{\square}{\square} = \frac{\square}{13}$

$= \square\frac{\square}{13}$

3 $5 \div \frac{12}{7}$

$= 5 \times \frac{\square}{\square} = \frac{\square}{\square}$

$= \square\frac{\square}{\square}$

4 $9 \div \frac{33}{10}$

$= 9 \times \frac{\square}{\square}$

$= \frac{\square}{11} = \square\frac{\square}{11}$

5 $12 \div \frac{11}{4}$

$= 12 \times \frac{\square}{\square}$

$= \frac{\square}{11} = \square\frac{\square}{11}$

6 $16 \div \frac{8}{3} = 16 \times \frac{\square}{\square}$

$= \square$

7 $24 \div \frac{18}{5}$

$= 24 \times \frac{\square}{\square}$

$= \frac{\square}{3} = \square\frac{\square}{3}$

● 계산을 하여 기약분수로 나타내어 보세요.

8 $1 \div \frac{11}{5}$

9 $2 \div \frac{5}{4}$

10 $3 \div \frac{4}{3}$

11 $4 \div \frac{9}{7}$

12 $5 \div \frac{15}{2}$

13 $6 \div \frac{8}{7}$

14 $7 \div \frac{14}{9}$

15 $8 \div \frac{52}{35}$

16 $9 \div \frac{7}{2}$

17 $12 \div \frac{19}{3}$

18 $14 \div \frac{12}{5}$

19 $15 \div \frac{10}{7}$

20 $16 \div \frac{32}{9}$

21 $18 \div \frac{8}{5}$

22 $20 \div \frac{13}{8}$

23 $21 \div \frac{28}{3}$

24 $24 \div \frac{17}{9}$

25 $25 \div \frac{14}{11}$

26 $26 \div \frac{10}{3}$

27 $27 \div \frac{9}{5}$

28 $28 \div \frac{18}{7}$

29 $30 \div \frac{27}{4}$

30 $32 \div \frac{25}{17}$

31 $35 \div \frac{21}{5}$

32 $50 \div \frac{10}{9}$

33 $40 \div \frac{90}{23}$

34 $45 \div \frac{15}{14}$

35 $56 \div \frac{63}{8}$

맞힌 개수

개 /35개

나의 학습 결과에 ○표 하세요.

맞힌 개수	0~4개	5~14개	15~31개	32~35개
학습 방법	다시 한번 풀어 봐요.	계산 연습이 필요해요.	틀린 문제를 확인해요.	실수하지 않도록 집중해요.

QR 빠른 정답 확인

6. (자연수)÷(가분수)

계산을 하여 기약분수로 나타내어 보세요.

1 $1\div\frac{9}{4}$

8 $8\div\frac{10}{9}$

15 $18\div\frac{20}{9}$

2 $2\div\frac{8}{7}$

9 $9\div\frac{8}{3}$

16 $20\div\frac{10}{3}$

3 $3\div\frac{7}{3}$

10 $10\div\frac{11}{6}$

17 $24\div\frac{30}{13}$

4 $4\div\frac{18}{11}$

11 $12\div\frac{8}{5}$

18 $25\div\frac{9}{8}$

5 $5\div\frac{40}{21}$

12 $13\div\frac{52}{7}$

19 $28\div\frac{21}{20}$

6 $6\div\frac{24}{19}$

13 $15\div\frac{21}{11}$

20 $30\div\frac{15}{14}$

7 $7\div\frac{5}{2}$

14 $16\div\frac{17}{15}$

21 $35\div\frac{25}{18}$

연산 in 문장제

연석이가 가진 구슬의 무게는 3 kg이고, 준호가 가진 구슬의 무게는 $\frac{9}{5}$ kg입니다. 연석이가 가진 구슬의 무게는 준호가 가진 구슬의 무게의 몇 배인지 구해 보세요.

$$3 \div \frac{9}{5} = \overset{1}{\cancel{3}} \times \frac{5}{\underset{3}{\cancel{9}}} = \frac{5}{3} = 1\frac{2}{3}\text{(배)}$$

3: 연석이가 가진 구슬의 무게
$\frac{9}{5}$: 준호가 가진 구슬의 무게

22 장거리 육상선수가 18 km를 $\frac{27}{25}$시간에 완주했습니다. 이 선수가 같은 빠르기로 달린다면 1시간 동안 달릴 수 있는 거리는 몇 km인지 구해 보세요.

답 ____________

23 연수는 강낭콩을 기르고 있습니다. 싹이 날 때의 줄기의 길이는 $\frac{33}{20}$ cm이고, 현재의 줄기의 길이는 22 cm입니다. 강낭콩의 현재 줄기의 길이는 싹이 날 때의 줄기의 길이의 몇 배인지 구해 보세요.

답 ____________

24 휘발유 $\frac{7}{4}$ L로 21 km를 가는 자동차가 있습니다. 이 자동차가 휘발유 1 L로 갈 수 있는 거리는 몇 km인지 구해 보세요.

답 ____________

25 굵기가 일정한 나무 막대 $\frac{5}{3}$ m의 무게는 2 kg입니다. 이 나무 막대 1 m의 무게는 몇 kg인지 구해 보세요.

답 ____________

맞힌 개수: 개 /25개

나의 학습 결과에 ○표 하세요.

맞힌 개수	0~3개	4~9개	10~22개	23~25개
학습 방법	다시 한번 풀어 봐요.	계산 연습이 필요해요.	틀린 문제를 확인해요.	실수하지 않도록 집중해요.

QR 빠른 정답 확인

13 일차

연산&문장제 마무리

계산을 하여 기약분수로 나타내어 보세요.

1 $\frac{4}{9} \div \frac{2}{9}$

2 $\frac{6}{13} \div \frac{1}{13}$

3 $\frac{20}{23} \div \frac{2}{23}$

4 $\frac{24}{25} \div \frac{3}{25}$

5 $\frac{30}{31} \div \frac{5}{31}$

6 $\frac{16}{35} \div \frac{4}{35}$

7 $\frac{28}{37} \div \frac{7}{37}$

8 $\frac{14}{15} \div \frac{8}{15}$

9 $\frac{6}{19} \div \frac{13}{19}$

10 $\frac{10}{21} \div \frac{16}{21}$

11 $\frac{8}{23} \div \frac{20}{23}$

12 $\frac{12}{25} \div \frac{19}{25}$

13 $\frac{25}{26} \div \frac{15}{26}$

14 $\frac{15}{32} \div \frac{27}{32}$

15 $\frac{3}{4} \div \frac{15}{16}$

16 $\frac{2}{7} \div \frac{13}{14}$

17 $\frac{7}{8} \div \frac{5}{6}$

18 $\frac{1}{9} \div \frac{1}{7}$

19 $\frac{5}{11} \div \frac{12}{13}$

20 $\frac{11}{12} \div \frac{4}{9}$

21 $\frac{5}{14} \div \frac{5}{8}$

22 $\frac{14}{15} \div \frac{10}{27}$

23 $\frac{14}{19} \div \frac{7}{12}$

24 $\frac{9}{23} \div \frac{2}{7}$

25 $\frac{1}{24} \div \frac{5}{12}$

26 $\frac{9}{26} \div \frac{7}{8}$

27 $\frac{10}{27} \div \frac{8}{9}$

28 $\frac{15}{32} \div \frac{3}{4}$

29 $\frac{20}{33} \div \frac{5}{9}$

30 $3 \div \frac{3}{7}$

31 $7 \div \frac{14}{15}$

32 $9 \div \frac{5}{16}$

33 $10 \div \frac{25}{32}$

34 $16 \div \frac{3}{4}$

35 $28 \div \frac{9}{19}$

36 $30 \div \frac{20}{39}$

37 $42 \div \frac{28}{31}$

38 $4 \div \frac{7}{3}$

39 $8 \div \frac{16}{15}$

40 $9 \div \frac{10}{3}$

41 $12 \div \frac{16}{7}$

42 $14 \div \frac{24}{17}$

43 $15 \div \frac{45}{28}$

44 $25 \div \frac{15}{2}$

45 $48 \div \frac{32}{27}$

46 물 $\frac{20}{21}$ L를 컵 한 개에 $\frac{4}{21}$ L씩 나누어 담으려고 합니다. 필요한 컵은 몇 개인지 구해 보세요.

답 ________

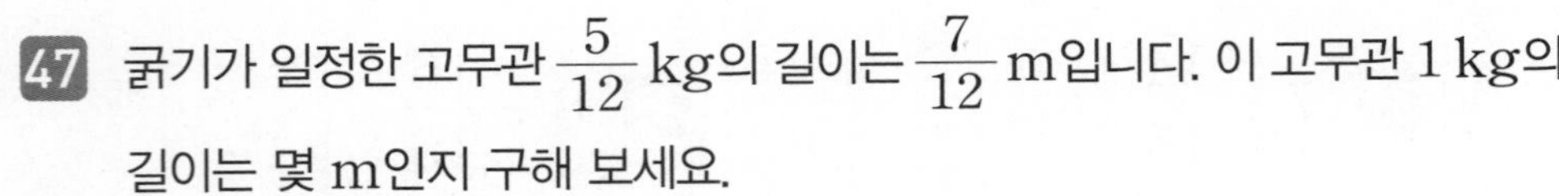

47 굵기가 일정한 고무관 $\frac{5}{12}$ kg의 길이는 $\frac{7}{12}$ m입니다. 이 고무관 1 kg의 길이는 몇 m인지 구해 보세요.

답 ________

48 철사를 주희는 $\frac{10}{13}$ m, 윤호는 $\frac{8}{13}$ m 가지고 있습니다. 주희가 가지고 있는 철사의 길이는 윤호가 가지고 있는 철사의 길이의 몇 배인지 구해 보세요.

답 ________

49 길이가 $\frac{2}{3}$ m인 털실을 $\frac{2}{9}$ m씩 자르려고 합니다. 자른 털실은 몇 도막인지 구해 보세요.

답 ________

50 소설책의 무게는 $\frac{9}{16}$ kg이고, 동화책의 무게는 $\frac{5}{8}$ kg입니다. 소설책의 무게는 동화책의 무게의 몇 배인지 구해 보세요.

답 ________

51 호떡 한 개를 만드는 데 밀가루가 $\frac{3}{4}$컵 필요합니다. 밀가루 15컵으로 만들 수 있는 호떡은 몇 개인지 구해 보세요.

답 ________

52 준석이가 자전거를 타고 24 km 가는 데 $\frac{16}{9}$시간이 걸렸습니다. 자전거를 타고 같은 빠르기로 간다면 한 시간 동안 갈 수 있는 거리는 몇 km인지 구해 보세요.

답 ________

연산 노트

맞힌 개수

개 /52개

나의 학습 결과에 ○표 하세요.

맞힌 개수	0~5개	6~21개	22~47개	48~52개
학습 방법	다시 한번 풀어 봐요.	계산 연습이 필요해요.	틀린 문제를 확인해요.	실수하지 않도록 집중해요.

QR 빠른 정답 확인

2

분수의 나눗셈 (2)

학습 주제	학습 일차	맞힌 개수
1. (진분수)÷(가분수)	01일차	/32
	02일차	/25
2. (진분수)÷(대분수)	03일차	/29
	04일차	/25
3. (가분수)÷(진분수)	05일차	/32
	06일차	/25
4. (가분수)÷(가분수)	07일차	/27
	08일차	/25
5. (가분수)÷(대분수)	09일차	/26
	10일차	/25
6. (대분수)÷(진분수)	11일차	/26
	12일차	/25
7. (대분수)÷(가분수)	13일차	/25
	14일차	/25
8. (대분수)÷(대분수)	15일차	/25
	16일차	/25
연산 & 문장제 마무리	17일차	/51

01 일차 1. (진분수)÷(가분수)

방법1 통분을 이용하여 계산하기

$$\frac{2}{3}\div\frac{8}{5}=\frac{2\times5}{3\times5}\div\frac{8\times3}{5\times3}=\frac{10}{15}\div\frac{24}{15}$$

$$=10\div24=\frac{\overset{5}{\cancel{10}}}{\underset{12}{\cancel{24}}}=\frac{5}{12}$$

방법2 분수의 곱셈으로 나타내어 계산하기

$$\frac{2}{3}\div\frac{8}{5}=\frac{\overset{1}{\cancel{2}}}{3}\times\frac{5}{\underset{4}{\cancel{8}}}=\frac{5}{12}$$

□ 안에 알맞은 수를 써넣으세요.

1 $\frac{3}{5}\div\frac{3}{2}=\frac{\square}{10}\div\frac{\square}{10}=\square\div\square$

$=\frac{\square}{15}=\frac{\square}{5}$

2 $\frac{7}{18}\div\frac{9}{4}=\frac{\square}{36}\div\frac{\square}{36}=\square\div\square$

$=\frac{\square}{\square}$

3 $\frac{2}{15}\div\frac{5}{2}=\frac{2}{15}\times\frac{\square}{\square}=\frac{\square}{\square}$

4 $\frac{4}{21}\div\frac{14}{3}=\frac{4}{21}\times\frac{\square}{\square}=\frac{\square}{49}$

계산을 하여 기약분수로 나타내어 보세요.

5 $\frac{2}{3}\div\frac{9}{8}$

6 $\frac{3}{4}\div\frac{17}{15}$

7 $\frac{4}{7}\div\frac{11}{2}$

8 $\frac{3}{8}\div\frac{10}{3}$

9 $\frac{5}{9}\div\frac{4}{3}$

10 $\frac{7}{10}\div\frac{17}{12}$

11 $\frac{4}{11}\div\frac{6}{5}$

12 $\frac{5}{12} \div \frac{13}{10}$

13 $\frac{6}{13} \div \frac{5}{4}$

14 $\frac{5}{16} \div \frac{15}{8}$

15 $\frac{12}{17} \div \frac{15}{7}$

16 $\frac{12}{19} \div \frac{5}{3}$

17 $\frac{13}{20} \div \frac{11}{10}$

18 $\frac{10}{21} \div \frac{7}{3}$

19 $\frac{15}{22} \div \frac{25}{4}$

20 $\frac{10}{23} \div \frac{15}{11}$

21 $\frac{19}{24} \div \frac{19}{8}$

22 $\frac{18}{25} \div \frac{9}{5}$

23 $\frac{25}{27} \div \frac{20}{3}$

24 $\frac{5}{28} \div \frac{7}{6}$

25 $\frac{25}{29} \div \frac{15}{14}$

26 $\frac{13}{30} \div \frac{39}{5}$

27 $\frac{12}{31} \div \frac{20}{11}$

28 $\frac{9}{32} \div \frac{27}{20}$

29 $\frac{14}{33} \div \frac{21}{2}$

30 $\frac{2}{35} \div \frac{24}{5}$

31 $\frac{21}{40} \div \frac{28}{15}$

32 $\frac{14}{45} \div \frac{49}{10}$

맞힌 개수

개 /32개

나의 학습 결과에 ○표 하세요.

맞힌 개수	0~3개	4~12개	13~29개	30~32개
학습 방법	다시 한번 풀어 봐요.	계산 연습이 필요해요.	틀린 문제를 확인해요.	실수하지 않도록 집중해요.

QR 빠른 정답 확인

1. (진분수) ÷ (가분수)

계산을 하여 기약분수로 나타내어 보세요.

1 $\frac{1}{3} \div \frac{5}{4}$

2 $\frac{3}{5} \div \frac{16}{9}$

3 $\frac{4}{7} \div \frac{36}{19}$

4 $\frac{5}{9} \div \frac{25}{18}$

5 $\frac{7}{11} \div \frac{4}{3}$

6 $\frac{11}{12} \div \frac{11}{3}$

7 $\frac{2}{13} \div \frac{27}{26}$

8 $\frac{5}{14} \div \frac{21}{10}$

9 $\frac{11}{15} \div \frac{17}{9}$

10 $\frac{9}{16} \div \frac{12}{5}$

11 $\frac{5}{18} \div \frac{15}{4}$

12 $\frac{14}{19} \div \frac{8}{7}$

13 $\frac{19}{20} \div \frac{13}{6}$

14 $\frac{8}{21} \div \frac{16}{3}$

15 $\frac{5}{22} \div \frac{16}{11}$

16 $\frac{11}{24} \div \frac{22}{9}$

17 $\frac{14}{27} \div \frac{32}{9}$

18 $\frac{25}{28} \div \frac{20}{7}$

19 $\frac{10}{29} \div \frac{7}{3}$

20 $\frac{7}{30} \div \frac{49}{18}$

21 $\frac{20}{33} \div \frac{16}{15}$

연산 in 문장제

참기름 $\frac{5}{8}$ L를 만드는 데 참깨 $\frac{3}{2}$ kg이 필요합니다. 참깨 1 kg으로 만들 수 있는 참기름은 몇 L인지 구해 보세요.

방법1 $\frac{5}{8} \div \frac{3}{2} = \frac{5}{8} \div \frac{12}{8} = 5 \div 12 = \frac{5}{12}$ (L)

($\frac{5}{8}$: 참기름의 양, $\frac{3}{2}$: 참깨의 양, $\frac{5}{12}$: 참깨 1 kg으로 만들 수 있는 참기름의 양)

방법2 $\frac{5}{8} \div \frac{3}{2} = \frac{5}{\cancel{8}_{4}} \times \frac{\cancel{2}^{1}}{3} = \frac{5}{12}$ (L)

22 책상의 높이는 $\frac{4}{5}$ m이고, 책장의 높이는 $\frac{18}{7}$ m입니다. 책상의 높이는 책장의 높이의 몇 배인지 구해 보세요.

답 ____________

23 일주일 동안 형은 우유 $\frac{6}{7}$ L를 마셨고, 동생은 우유 $\frac{8}{3}$ L를 마셨습니다. 형이 마신 우유의 양은 동생이 마신 우유의 양의 몇 배인지 구해 보세요.

답 ____________

24 성호가 당근 $\frac{7}{15}$ kg을 다듬어 포장하는 데 $\frac{14}{9}$분이 걸렸습니다. 성호가 같은 빠르기로 1분 동안 다듬어 포장할 수 있는 당근은 몇 kg인지 구해 보세요.

답 ____________

25 굵기가 일정한 수수깡 $\frac{1}{11}$ m의 무게는 $\frac{23}{22}$ g입니다. 이 수수깡 1 g의 길이는 몇 m인지 구해 보세요.

답 ____________

맞힌 개수

개 /25개

나의 학습 결과에 ○표 하세요.

맞힌 개수	0~3개	4~9개	10~22개	23~25개
학습 방법	다시 한번 풀어 봐요.	계산 연습이 필요해요.	틀린 문제를 확인해요.	실수하지 않도록 집중해요.

QR 빠른 정답 확인

2. (진분수)÷(대분수)

방법1 통분을 이용하여 계산하기

대분수를 가분수로 바꾸어요.

$$\frac{3}{4}\div1\frac{4}{5}=\frac{3}{4}\div\frac{9}{5}=\frac{3\times5}{4\times5}\div\frac{9\times4}{5\times4}=\frac{15}{20}\div\frac{36}{20}$$

$$=15\div36=\frac{\overset{5}{\cancel{15}}}{\underset{12}{\cancel{36}}}=\frac{5}{12}$$

방법2 분수의 곱셈으로 나타내어 계산하기

대분수를 가분수로 바꾸어요.

$$\frac{3}{4}\div1\frac{4}{5}=\frac{3}{4}\div\frac{9}{5}=\frac{\overset{1}{\cancel{3}}}{4}\times\frac{5}{\underset{3}{\cancel{9}}}=\frac{5}{12}$$

□ 안에 알맞은 수를 써넣으세요.

1 $\frac{1}{2}\div1\frac{2}{5}=\frac{1}{2}\div\frac{\square}{5}=\frac{\square}{10}\div\frac{\square}{10}$

$=\square\div\square=\frac{\square}{\square}$

2 $\frac{3}{4}\div1\frac{5}{6}=\frac{3}{4}\div\frac{\square}{6}=\frac{\square}{12}\div\frac{\square}{12}$

$=\square\div\square=\frac{\square}{\square}$

3 $\frac{5}{7}\div2\frac{2}{9}=\frac{5}{7}\div\frac{\square}{9}=\frac{5}{7}\times\frac{\square}{\square}=\frac{\square}{28}$

4 $\frac{7}{8}\div1\frac{3}{4}=\frac{7}{8}\div\frac{\square}{4}=\frac{7}{8}\times\frac{\square}{\square}=\frac{\square}{2}$

계산을 하여 기약분수로 나타내어 보세요.

5 $\frac{1}{2}\div9\frac{2}{3}$

6 $\frac{2}{3}\div1\frac{3}{8}$

7 $\frac{3}{4}\div2\frac{1}{6}$

8 $\frac{4}{5}\div2\frac{4}{9}$

9 $\frac{5}{7}\div1\frac{9}{11}$

10 $\frac{7}{9}\div1\frac{5}{12}$

11 $\frac{10}{11}\div1\frac{7}{9}$

12 $\frac{7}{12}\div2\frac{1}{4}$

13 $\frac{9}{14}\div2\frac{2}{5}$

14 $\frac{8}{15}\div1\frac{1}{4}$

15 $\frac{11}{16}\div7\frac{1}{3}$

16 $\frac{7}{18}\div3\frac{1}{9}$

17 $\frac{16}{19}\div2\frac{3}{5}$

18 $\frac{3}{20}\div1\frac{1}{8}$

19 $\frac{10}{21}\div3\frac{1}{3}$

20 $\frac{21}{22}\div2\frac{9}{20}$

21 $\frac{21}{23}\div5\frac{3}{5}$

22 $\frac{5}{24}\div2\frac{2}{3}$

23 $\frac{4}{25}\div1\frac{7}{15}$

24 $\frac{15}{26}\div2\frac{1}{2}$

25 $\frac{26}{27}\div1\frac{5}{9}$

26 $\frac{27}{28}\div1\frac{1}{35}$

27 $\frac{24}{29}\div1\frac{5}{13}$

28 $\frac{7}{30}\div1\frac{1}{20}$

29 $\frac{16}{31}\div5\frac{5}{7}$

맞힌 개수

개 /29개

나의 학습 결과에 ○표 하세요.

맞힌 개수	0~3개	4~11개	12~26개	27~29개
학습 방법	다시 한번 풀어 봐요.	계산 연습이 필요해요.	틀린 문제를 확인해요.	실수하지 않도록 집중해요.

QR 빠른 정답 확인

2. (진분수)÷(대분수)

계산을 하여 기약분수로 나타내어 보세요.

1 $\frac{1}{2}\div1\frac{2}{3}$

2 $\frac{2}{3}\div1\frac{13}{15}$

3 $\frac{1}{4}\div1\frac{1}{2}$

4 $\frac{3}{5}\div2\frac{6}{7}$

5 $\frac{5}{6}\div1\frac{7}{8}$

6 $\frac{6}{7}\div1\frac{2}{11}$

7 $\frac{7}{8}\div1\frac{1}{14}$

8 $\frac{4}{9}\div1\frac{7}{15}$

9 $\frac{3}{10}\div1\frac{2}{5}$

10 $\frac{10}{11}\div1\frac{7}{33}$

11 $\frac{8}{13}\div1\frac{4}{7}$

12 $\frac{3}{16}\div3\frac{3}{8}$

13 $\frac{4}{17}\div1\frac{7}{13}$

14 $\frac{17}{18}\div1\frac{5}{6}$

15 $\frac{10}{19}\div12\frac{1}{2}$

16 $\frac{2}{21}\div3\frac{2}{3}$

17 $\frac{21}{22}\div1\frac{2}{33}$

18 $\frac{12}{23}\div1\frac{11}{13}$

19 $\frac{9}{25}\div2\frac{2}{5}$

20 $\frac{9}{26}\div1\frac{11}{16}$

21 $\frac{15}{29}\div3\frac{3}{7}$

연산 in 문장제

윤호네 집에서 학교까지의 거리는 $\frac{2}{9}$ km이고, 윤호네 집에서 공원까지의 거리는 $1\frac{1}{5}$ km입니다. 윤호네 집에서 학교까지의 거리는 윤호네 집에서 공원까지의 거리의 몇 배인지 구해 보세요.

방법1 $\frac{2}{9} \div 1\frac{1}{5} = \frac{2}{9} \div \frac{6}{5} = \frac{10}{45} \div \frac{54}{45} = 10 \div 54 = \frac{\overset{5}{\cancel{10}}}{\underset{27}{\cancel{54}}} = \frac{5}{27}$(배)

($\frac{2}{9}$: 윤호네 집에서 학교까지의 거리, $1\frac{1}{5}$: 윤호네 집에서 공원까지의 거리)

방법2 $\frac{2}{9} \div 1\frac{1}{5} = \frac{2}{9} \div \frac{6}{5} = \frac{\overset{1}{\cancel{2}}}{9} \times \frac{5}{\underset{3}{\cancel{6}}} = \frac{5}{27}$(배)

22 배와 파인애플이 한 개씩 있습니다. 배의 무게는 $\frac{2}{5}$ kg이고, 파인애플의 무게는 $1\frac{1}{4}$ kg입니다. 배의 무게는 파인애플의 무게의 몇 배인지 구해 보세요.

답 ____________

23 휘발유 $\frac{5}{7}$ L로 $8\frac{3}{4}$ km를 가는 자동차가 있습니다. 이 자동차가 1 km를 가는 데 필요한 휘발유는 몇 L인지 구해 보세요.

답 ____________

24 은주가 고구마 $2\frac{7}{10}$ kg을 캐는 데 $\frac{9}{20}$시간이 걸렸습니다. 은주가 같은 빠르기로 캔다면 고구마 1 kg을 캐는 데 걸리는 시간은 몇 시간인지 구해 보세요.

답 ____________

25 인형 소품을 만드는 데 사용한 털실은 $\frac{14}{15}$ m이고, 장갑을 만드는 데 사용한 털실은 $8\frac{1}{6}$ m입니다. 인형 소품을 만드는 데 사용한 털실의 길이는 장갑을 만드는 데 사용한 털실의 길이의 몇 배인지 구해 보세요.

답 ____________

맞힌 개수: 개 /25개

나의 학습 결과에 ○표 하세요.

맞힌 개수	0~3개	4~9개	10~22개	23~25개
학습 방법	다시 한번 풀어 봐요.	계산 연습이 필요해요.	틀린 문제를 확인해요.	실수하지 않도록 집중해요.

QR 빠른 정답 확인

3. (가분수)÷(진분수)

방법1 통분을 이용하여 계산하기

$$\frac{7}{6} \div \frac{3}{4} = \frac{7\times2}{6\times2} \div \frac{3\times3}{4\times3} = \frac{14}{12} \div \frac{9}{12}$$
$$= 14 \div 9 = \frac{14}{9} = 1\frac{5}{9}$$

방법2 분수의 곱셈으로 나타내어 계산하기

$$\frac{7}{6} \div \frac{3}{4} = \frac{7}{\cancel{6}_{3}} \times \frac{\cancel{4}^{2}}{3} = \frac{14}{9} = 1\frac{5}{9}$$

□ 안에 알맞은 수를 써넣으세요.

1. $\frac{4}{3} \div \frac{3}{7} = \frac{\square}{21} \div \frac{\square}{21} = \square \div \square$
$= \frac{\square}{\square} = \square\frac{\square}{\square}$

2. $\frac{28}{15} \div \frac{16}{21} = \frac{\square}{105} \div \frac{\square}{105} = \square \div \square$
$= \frac{\square}{80} = \frac{\square}{20} = \square\frac{\square}{20}$

3. $\frac{9}{2} \div \frac{3}{5} = \frac{9}{2} \times \frac{\square}{\square} = \frac{\square}{2} = \square\frac{\square}{2}$

4. $\frac{19}{18} \div \frac{4}{9} = \frac{19}{18} \times \frac{\square}{\square} = \frac{\square}{8} = \square\frac{\square}{8}$

계산을 하여 기약분수로 나타내어 보세요.

5. $\frac{15}{2} \div \frac{6}{11}$

6. $\frac{11}{3} \div \frac{5}{6}$

7. $\frac{13}{4} \div \frac{5}{8}$

8. $\frac{8}{5} \div \frac{6}{7}$

9. $\frac{25}{6} \div \frac{2}{9}$

10. $\frac{12}{7} \div \frac{16}{19}$

11. $\frac{9}{8} \div \frac{5}{7}$

12 $\frac{10}{9} \div \frac{1}{2}$

13 $\frac{27}{10} \div \frac{2}{3}$

14 $\frac{12}{11} \div \frac{6}{13}$

15 $\frac{17}{12} \div \frac{3}{8}$

16 $\frac{16}{13} \div \frac{8}{11}$

17 $\frac{27}{14} \div \frac{9}{16}$

18 $\frac{32}{15} \div \frac{4}{5}$

19 $\frac{21}{16} \div \frac{3}{14}$

20 $\frac{25}{17} \div \frac{15}{28}$

21 $\frac{27}{19} \div \frac{12}{13}$

22 $\frac{22}{21} \div \frac{8}{15}$

23 $\frac{39}{22} \div \frac{3}{10}$

24 $\frac{40}{23} \div \frac{4}{7}$

25 $\frac{49}{24} \div \frac{28}{33}$

26 $\frac{32}{25} \div \frac{8}{9}$

27 $\frac{35}{26} \div \frac{5}{12}$

28 $\frac{33}{28} \div \frac{3}{49}$

29 $\frac{49}{30} \div \frac{7}{18}$

30 $\frac{45}{32} \div \frac{35}{36}$

31 $\frac{36}{35} \div \frac{2}{7}$

32 $\frac{40}{37} \div \frac{20}{21}$

맞힌 개수

개 /32개

나의 학습 결과에 ○표 하세요.

맞힌 개수	0~3개	4~12개	13~29개	30~32개
학습 방법	다시 한번 풀어 봐요.	계산 연습이 필요해요.	틀린 문제를 확인해요.	실수하지 않도록 집중해요.

QR 빠른 정답 확인

3. (가분수)÷(진분수)

계산을 하여 기약분수로 나타내어 보세요.

1 $\frac{5}{2}\div\frac{2}{3}$

2 $\frac{8}{3}\div\frac{4}{15}$

3 $\frac{15}{4}\div\frac{4}{7}$

4 $\frac{24}{5}\div\frac{8}{17}$

5 $\frac{11}{6}\div\frac{7}{16}$

6 $\frac{12}{7}\div\frac{9}{13}$

7 $\frac{27}{8}\div\frac{6}{11}$

8 $\frac{10}{9}\div\frac{6}{7}$

9 $\frac{39}{10}\div\frac{26}{29}$

10 $\frac{28}{11}\div\frac{21}{22}$

11 $\frac{17}{12}\div\frac{3}{4}$

12 $\frac{15}{14}\div\frac{25}{28}$

13 $\frac{16}{15}\div\frac{11}{30}$

14 $\frac{45}{16}\div\frac{15}{32}$

15 $\frac{23}{18}\div\frac{15}{16}$

16 $\frac{20}{19}\div\frac{10}{11}$

17 $\frac{23}{20}\div\frac{4}{5}$

18 $\frac{32}{21}\div\frac{18}{35}$

19 $\frac{27}{22}\div\frac{9}{16}$

20 $\frac{25}{24}\div\frac{7}{8}$

21 $\frac{28}{25}\div\frac{14}{15}$

연산 in 문장제

윤서 어머니께서는 밥을 한 번 지을 때마다 현미를 $\frac{3}{14}$컵 사용합니다. 현미 $\frac{18}{7}$컵으로 지을 수 있는 밥은 몇 번인지 구해 보세요.

방법1 $\frac{18}{7} \div \frac{3}{14} = \frac{36}{14} \div \frac{3}{14} = 36 \div 3 = \frac{\overset{12}{\cancel{36}}}{\underset{1}{\cancel{3}}} = 12$(번)

($\frac{18}{7}$: 현미의 양, $\frac{3}{14}$: 밥을 한 번 지을 때 사용하는 현미의 양, 12: 밥을 지을 수 있는 횟수)

방법2 $\frac{18}{7} \div \frac{3}{14} = \frac{\overset{6}{\cancel{18}}}{\underset{1}{\cancel{7}}} \times \frac{\overset{2}{\cancel{14}}}{\underset{1}{\cancel{3}}} = 12$(번)

22 간장 $\frac{9}{4}$L를 병 한 개에 $\frac{3}{8}$L씩 나누어 담으려고 합니다. 필요한 병은 몇 개인지 구해 보세요.

답 ______

23 같은 시간 동안 토끼는 $\frac{11}{2}$km, 거북이는 $\frac{9}{10}$km를 이동합니다. 토끼가 이동한 거리는 거북이가 이동한 거리의 몇 배인지 구해 보세요.

답 ______

24 1분에 $\frac{3}{5}$km를 날아가는 드론이 있습니다. 이 드론이 같은 빠르기로 $\frac{16}{7}$km를 날아가는 데 몇 분이 걸리는지 구해 보세요.

답 ______

25 준희는 밀가루 $\frac{11}{10}$kg과 버터 $\frac{1}{4}$kg을 섞어서 케이크 반죽을 만들었습니다. 준희가 사용한 밀가루의 양은 버터의 양의 몇 배인지 구해 보세요.

답 ______

맞힌 개수

개 /25개

나의 학습 결과에 ○표 하세요.

맞힌 개수	0~3개	4~9개	10~22개	23~25개
학습 방법	다시 한번 풀어 봐요.	계산 연습이 필요해요.	틀린 문제를 확인해요.	실수하지 않도록 집중해요.

QR 빠른 정답 확인

4. (가분수) ÷ (가분수)

방법1 〉 통분을 이용하여 계산하기

$$\frac{3}{2} \div \frac{12}{5} = \frac{3 \times 5}{2 \times 5} \div \frac{12 \times 2}{5 \times 2} = \frac{15}{10} \div \frac{24}{10} = 15 \div 24 = \frac{\overset{5}{\cancel{15}}}{\underset{8}{\cancel{24}}} = \frac{5}{8}$$

방법2 〉 분수의 곱셈으로 나타내어 계산하기

$$\frac{3}{2} \div \frac{12}{5} = \frac{\overset{1}{\cancel{3}}}{2} \times \frac{5}{\underset{4}{\cancel{12}}} = \frac{5}{8}$$

□ 안에 알맞은 수를 써넣으세요.

1 $\frac{7}{2} \div \frac{14}{9} = \frac{\square}{18} \div \frac{28}{18} = \square \div 28$

$= \frac{\square}{28} = \frac{\square}{4} = \square\frac{\square}{4}$

2 $\frac{9}{4} \div \frac{15}{8} = \frac{\square}{8} \div \frac{15}{8} = \square \div 15$

$= \frac{\square}{15} = \frac{\square}{5} = \square\frac{\square}{5}$

3 $\frac{7}{6} \div \frac{5}{4} = \frac{\square}{12} \div \frac{\square}{12}$

$= \square \div \square = \frac{\square}{\square}$

4 $\frac{11}{5} \div \frac{7}{6} = \frac{11}{5} \times \frac{\square}{7} = \frac{\square}{35}$

$= \square\frac{\square}{35}$

5 $\frac{26}{7} \div \frac{13}{5} = \frac{26}{7} \times \frac{\square}{13} = \frac{\square}{7}$

$= \square\frac{\square}{7}$

6 $\frac{49}{10} \div \frac{28}{25} = \frac{49}{10} \times \frac{\square}{28} = \frac{\square}{8}$

$= \square\frac{\square}{8}$

계산을 하여 기약분수로 나타내어 보세요.

7 $\frac{5}{2} \div \frac{25}{8}$

8 $\frac{20}{3} \div \frac{10}{7}$

9 $\frac{9}{4} \div \frac{4}{3}$

10 $\frac{6}{5} \div \frac{9}{8}$

11 $\frac{35}{6} \div \frac{49}{12}$

12 $\frac{10}{7} \div \frac{27}{14}$

13 $\frac{9}{8} \div \frac{25}{4}$

14 $\frac{10}{9} \div \frac{35}{12}$

15 $\frac{27}{10} \div \frac{29}{15}$

16 $\frac{21}{11} \div \frac{7}{3}$

17 $\frac{25}{12} \div \frac{20}{7}$

18 $\frac{33}{14} \div \frac{19}{6}$

19 $\frac{26}{15} \div \frac{32}{27}$

20 $\frac{21}{16} \div \frac{33}{8}$

21 $\frac{28}{17} \div \frac{14}{13}$

22 $\frac{23}{18} \div \frac{31}{12}$

23 $\frac{49}{20} \div \frac{7}{5}$

24 $\frac{38}{21} \div \frac{16}{3}$

25 $\frac{45}{22} \div \frac{15}{4}$

26 $\frac{30}{23} \div \frac{9}{5}$

27 $\frac{81}{28} \div \frac{27}{10}$

맞힌 개수

개 /27개

나의 학습 결과에 ○표 하세요.

맞힌 개수	0~3개	4~10개	11~24개	25~27개
학습 방법	다시 한번 풀어 봐요.	계산 연습이 필요해요.	틀린 문제를 확인해요.	실수하지 않도록 집중해요.

QR 빠른 정답 확인

4. (가분수) ÷ (가분수)

계산을 하여 기약분수로 나타내어 보세요.

1 $\frac{13}{2} \div \frac{11}{5}$

2 $\frac{7}{3} \div \frac{13}{6}$

3 $\frac{5}{4} \div \frac{11}{8}$

4 $\frac{12}{5} \div \frac{36}{25}$

5 $\frac{23}{6} \div \frac{16}{9}$

6 $\frac{9}{7} \div \frac{24}{5}$

7 $\frac{25}{8} \div \frac{30}{7}$

8 $\frac{14}{9} \div \frac{28}{27}$

9 $\frac{39}{10} \div \frac{13}{8}$

10 $\frac{15}{11} \div \frac{25}{22}$

11 $\frac{31}{12} \div \frac{17}{9}$

12 $\frac{14}{13} \div \frac{42}{17}$

13 $\frac{45}{14} \div \frac{63}{8}$

14 $\frac{16}{15} \div \frac{28}{9}$

15 $\frac{35}{16} \div \frac{5}{2}$

16 $\frac{50}{17} \div \frac{25}{8}$

17 $\frac{27}{20} \div \frac{21}{16}$

18 $\frac{32}{21} \div \frac{24}{7}$

19 $\frac{25}{22} \div \frac{15}{8}$

20 $\frac{24}{23} \div \frac{21}{8}$

21 $\frac{27}{25} \div \frac{3}{2}$

연산 in 문장제

굵기가 일정한 고무관 $\frac{11}{4}$ m의 무게는 $\frac{14}{9}$ kg입니다. 이 고무관 1 kg의 길이는 몇 m인지 구해 보세요.

방법1 $\frac{11}{4} \div \frac{14}{9} = \frac{99}{36} \div \frac{56}{36} = 99 \div 56 = \frac{99}{56} = 1\frac{43}{56}$ (m)

($\frac{11}{4}$: 고무관의 길이, $\frac{14}{9}$: 고무관의 무게, $1\frac{43}{56}$: 고무관 1 kg의 길이)

방법2 $\frac{11}{4} \div \frac{14}{9} = \frac{11}{4} \times \frac{9}{14} = \frac{99}{56} = 1\frac{43}{56}$ (m)

22 귤 밭에서 선호가 딴 귤은 $\frac{16}{7}$ kg이고, 준우가 딴 귤은 $\frac{20}{9}$ kg입니다. 선호가 딴 귤의 무게는 준우가 딴 귤의 무게의 몇 배인지 구해 보세요.

답 ______________

23 밑변의 길이가 $\frac{9}{4}$ m이고, 넓이가 $\frac{31}{18}$ m^2인 평행사변형 모양의 땅의 높이는 몇 m인지 구해 보세요.

답 ______________

24 길이가 $\frac{49}{8}$ m인 천을 $\frac{49}{32}$ m씩 잘라 식탁보를 만들려고 합니다. 만들 수 있는 식탁보는 몇 개인지 구해 보세요.

답 ______________

25 민수네 가족이 밤 $\frac{12}{5}$ kg을 까는 데 $\frac{21}{20}$시간이 걸렸습니다. 민수네 가족이 같은 빠르기로 밤 1 kg을 까는 데 걸리는 시간은 몇 시간인지 구해 보세요.

답 ______________

맞힌 개수

개 /25개

나의 학습 결과에 ○표 하세요.

맞힌 개수	0~3개	4~9개	10~22개	23~25개
학습 방법	다시 한번 풀어 봐요.	계산 연습이 필요해요.	틀린 문제를 확인해요.	실수하지 않도록 집중해요.

QR 빠른 정답 확인

09 일차 5. (가분수) ÷ (대분수)

방법1 통분을 이용하여 계산하기

대분수를 가분수로 바꾸어요.

$$\frac{5}{2} \div 1\frac{2}{3} = \frac{5}{2} \div \frac{5}{3} = \frac{5\times3}{2\times3} \div \frac{5\times2}{3\times2} = \frac{15}{6} \div \frac{10}{6}$$

$$= 15 \div 10 = \frac{\cancel{15}^{3}}{\cancel{10}_{2}} = \frac{3}{2} = 1\frac{1}{2}$$

방법2 분수의 곱셈으로 나타내어 계산하기

$$\frac{5}{2} \div 1\frac{2}{3} = \frac{5}{2} \div \frac{5}{3} = \frac{\cancel{5}^{1}}{2} \times \frac{3}{\cancel{5}_{1}} = \frac{3}{2} = 1\frac{1}{2}$$

□ 안에 알맞은 수를 써넣으세요.

1 $\frac{11}{2} \div 3\frac{3}{5} = \frac{11}{2} \div \frac{\square}{5} = \frac{55}{10} \div \frac{\square}{10}$

$= \square \div 36 = \frac{\square}{36}$

$= \square\frac{\square}{36}$

2 $\frac{27}{14} \div 1\frac{3}{4} = \frac{27}{14} \div \frac{\square}{4} = \frac{54}{28} \div \frac{\square}{28}$

$= 54 \div \square = \frac{54}{\square}$

$= \square\frac{5}{\square}$

3 $\frac{4}{3} \div 3\frac{5}{9} = \frac{4}{3} \div \frac{\square}{9} = \frac{4}{3} \times \frac{\square}{\square}$

$= \frac{\square}{8}$

4 $\frac{15}{4} \div 2\frac{1}{3} = \frac{15}{4} \div \frac{\square}{3} = \frac{15}{4} \times \frac{3}{\square}$

$= \frac{45}{\square} = \square\frac{17}{\square}$

5 $\frac{9}{8} \div 4\frac{1}{6} = \frac{9}{8} \div \frac{\square}{6} = \frac{9}{8} \times \frac{\square}{\square}$

$= \frac{\square}{100}$

계산을 하여 기약분수로 나타내어 보세요.

6 $\frac{8}{3} \div 2\frac{4}{9}$

7 $\frac{5}{4} \div 1\frac{3}{14}$

8 $\frac{9}{5} \div 2\frac{2}{9}$

9 $\frac{13}{6} \div 9\frac{1}{10}$

10 $\frac{18}{7} \div 5\frac{2}{5}$

11 $\frac{13}{8} \div 7\frac{1}{2}$

12 $\frac{25}{9} \div 1\frac{1}{4}$

13 $\frac{13}{10} \div 2\frac{3}{8}$

14 $\frac{20}{11} \div 1\frac{13}{22}$

15 $\frac{35}{12} \div 1\frac{1}{6}$

16 $\frac{17}{13} \div 4\frac{1}{4}$

17 $\frac{15}{14} \div 1\frac{5}{6}$

18 $\frac{49}{15} \div 1\frac{5}{9}$

19 $\frac{21}{16} \div 1\frac{7}{8}$

20 $\frac{35}{18} \div 6\frac{1}{4}$

21 $\frac{33}{20} \div 1\frac{3}{8}$

22 $\frac{40}{21} \div 3\frac{1}{3}$

23 $\frac{63}{23} \div 2\frac{5}{8}$

24 $\frac{33}{25} \div 1\frac{7}{15}$

25 $\frac{28}{27} \div 2\frac{2}{7}$

26 $\frac{40}{31} \div 1\frac{1}{7}$

맞힌 개수

개 /26개

나의 학습 결과에 ○표 하세요.

맞힌 개수	0~3개	4~9개	10~23개	24~26개
학습 방법	다시 한번 풀어 봐요.	계산 연습이 필요해요.	틀린 문제를 확인해요.	실수하지 않도록 집중해요.

QR 빠른 정답 확인

5. (가분수)÷(대분수)

계산을 하여 기약분수로 나타내어 보세요.

1 $\frac{3}{2}\div3\frac{1}{5}$

2 $\frac{10}{3}\div1\frac{3}{7}$

3 $\frac{7}{4}\div2\frac{1}{6}$

4 $\frac{8}{5}\div3\frac{3}{4}$

5 $\frac{25}{6}\div1\frac{1}{4}$

6 $\frac{30}{7}\div1\frac{1}{35}$

7 $\frac{27}{8}\div3\frac{1}{6}$

8 $\frac{20}{9}\div9\frac{1}{6}$

9 $\frac{11}{10}\div1\frac{3}{8}$

10 $\frac{15}{11}\div1\frac{7}{20}$

11 $\frac{13}{12}\div2\frac{11}{14}$

12 $\frac{15}{14}\div2\frac{3}{16}$

13 $\frac{16}{15}\div3\frac{5}{9}$

14 $\frac{39}{16}\div6\frac{3}{4}$

15 $\frac{33}{18}\div2\frac{4}{9}$

16 $\frac{56}{19}\div2\frac{2}{7}$

17 $\frac{21}{20}\div1\frac{3}{4}$

18 $\frac{39}{22}\div3\frac{1}{11}$

19 $\frac{24}{23}\div4\frac{4}{7}$

20 $\frac{31}{24}\div1\frac{7}{12}$

21 $\frac{49}{32}\div1\frac{11}{16}$

연산 in 문장제

벽 $7\frac{1}{2}$ m^2를 칠하는 데 페인트 $\frac{9}{4}$ L가 필요합니다. 벽 1 m^2를 칠하는 데 필요한 페인트는 몇 L인지 구해 보세요.

방법1 $\frac{9}{4} \div 7\frac{1}{2} = \frac{9}{4} \div \frac{15}{2} = \frac{9}{4} \div \frac{30}{4} = 9 \div 30 = \frac{\overset{3}{\cancel{9}}}{\underset{10}{\cancel{30}}} = \frac{3}{10}$ (L)

$\frac{9}{4}$: 페인트의 양, $7\frac{1}{2}$: 벽의 넓이, $\frac{3}{10}$: 벽 1 m^2를 칠하는 데 필요한 페인트의 양

방법2 $\frac{9}{4} \div 7\frac{1}{2} = \frac{9}{4} \div \frac{15}{2} = \frac{\overset{3}{\cancel{9}}}{\underset{2}{\cancel{4}}} \times \frac{\overset{1}{\cancel{2}}}{\underset{5}{\cancel{15}}} = \frac{3}{10}$ (L)

22 수미가 가지고 있는 철사의 길이는 $\frac{14}{9}$ m이고, 혜주가 가지고 있는 철사의 길이는 $7\frac{2}{3}$ m입니다. 수미가 가지고 있는 철사의 길이는 혜주가 가지고 있는 철사의 길이의 몇 배인지 구해 보세요.

답 ____________

23 강아지의 몸무게는 $\frac{20}{13}$ kg이고, 고양이의 몸무게는 $2\frac{2}{5}$ kg입니다. 강아지의 몸무게는 고양이의 몸무게의 몇 배인지 구해 보세요.

답 ____________

24 지웅이가 $\frac{45}{14}$ km를 걸어가는 데 $1\frac{4}{21}$시간이 걸렸습니다. 지웅이가 같은 빠르기로 걸을 때 1시간 동안 갈 수 있는 거리는 몇 km인지 구해 보세요.

답 ____________

25 굵기가 일정한 고무관 $\frac{28}{15}$ kg의 길이는 $2\frac{11}{12}$ m입니다. 이 고무관 1 m의 무게는 몇 kg인지 구해 보세요.

답 

맞힌 개수

개 /25개

나의 학습 결과에 ○표 하세요.

맞힌 개수	0~3개	4~9개	10~22개	23~25개
학습 방법	다시 한번 풀어 봐요.	계산 연습이 필요해요.	틀린 문제를 확인해요.	실수하지 않도록 집중해요.

QR 빠른 정답 확인

11 일차 6. (대분수)÷(진분수)

방법1 통분을 이용하여 계산하기

대분수를 가분수로 바꾸어요.

$$4\frac{1}{2}\div\frac{2}{9}=\frac{9}{2}\div\frac{2}{9}=\frac{9\times9}{2\times9}\div\frac{2\times2}{9\times2}=\frac{81}{18}\div\frac{4}{18}$$

$$=81\div4=\frac{81}{4}=20\frac{1}{4}$$

방법2 분수의 곱셈으로 나타내어 계산하기

대분수를 가분수로 바꾸어요.

$$4\frac{1}{2}\div\frac{2}{9}=\frac{9}{2}\div\frac{2}{9}=\frac{9}{2}\times\frac{9}{2}=\frac{81}{4}=20\frac{1}{4}$$

□ 안에 알맞은 수를 써넣으세요.

1. $1\frac{1}{2}\div\frac{1}{5}=\frac{\square}{2}\div\frac{1}{5}=\frac{\square}{10}\div\frac{\square}{10}$

   $=\square\div\square=\frac{\square}{2}$

   $=\square\frac{\square}{2}$

2. $1\frac{5}{9}\div\frac{2}{3}=\frac{\square}{9}\div\frac{2}{3}=\frac{\square}{9}\div\frac{\square}{9}$

   $=\square\div\square=\frac{\square}{6}$

   $=\frac{\square}{3}=\square\frac{\square}{3}$

3. $1\frac{1}{3}\div\frac{7}{11}=\frac{\square}{3}\div\frac{7}{11}=\frac{\square}{3}\times\frac{\square}{\square}$

   $=\frac{\square}{\square}=\square\frac{\square}{\square}$

4. $1\frac{3}{7}\div\frac{5}{14}=\frac{\square}{7}\div\frac{5}{14}$

   $=\frac{\square}{7}\times\frac{\square}{\square}=\square$

5. $3\frac{3}{10}\div\frac{11}{15}=\frac{\square}{10}\div\frac{11}{15}$

   $=\frac{\square}{10}\times\frac{\square}{11}$

   $=\frac{\square}{2}=\square\frac{\square}{2}$

계산을 하여 기약분수로 나타내어 보세요.

6 $1\frac{2}{3} \div \frac{8}{9}$

7 $6\frac{1}{4} \div \frac{3}{5}$

8 $2\frac{2}{5} \div \frac{4}{15}$

9 $1\frac{1}{6} \div \frac{5}{8}$

10 $3\frac{1}{7} \div \frac{1}{2}$

11 $1\frac{3}{8} \div \frac{3}{16}$

12 $2\frac{7}{9} \div \frac{10}{19}$

13 $1\frac{7}{11} \div \frac{3}{7}$

14 $1\frac{7}{12} \div \frac{9}{14}$

15 $1\frac{1}{13} \div \frac{6}{11}$

16 $1\frac{3}{14} \div \frac{3}{8}$

17 $2\frac{2}{15} \div \frac{24}{25}$

18 $1\frac{1}{16} \div \frac{17}{18}$

19 $2\frac{2}{17} \div \frac{4}{5}$

20 $1\frac{13}{19} \div \frac{6}{7}$

21 $1\frac{17}{21} \div \frac{2}{7}$

22 $2\frac{1}{22} \div \frac{5}{33}$

23 $1\frac{13}{32} \div \frac{15}{16}$

24 $1\frac{13}{35} \div \frac{9}{10}$

25 $2\frac{5}{38} \div \frac{6}{19}$

26 $1\frac{13}{42} \div \frac{10}{21}$

맞힌 개수

개 /26개

나의 학습 결과에 ○표 하세요.

맞힌 개수	0~3개	4~9개	10~23개	24~26개
학습 방법	다시 한번 풀어 봐요.	계산 연습이 필요해요.	틀린 문제를 확인해요.	실수하지 않도록 집중해요.

QR 빠른 정답 확인

6. (대분수) ÷ (진분수)

계산을 하여 기약분수로 나타내어 보세요.

1 $2\frac{1}{2} \div \frac{2}{5}$

2 $1\frac{2}{3} \div \frac{10}{27}$

3 $2\frac{3}{4} \div \frac{7}{10}$

4 $1\frac{4}{5} \div \frac{10}{21}$

5 $1\frac{5}{6} \div \frac{5}{8}$

6 $4\frac{2}{7} \div \frac{9}{14}$

7 $1\frac{1}{8} \div \frac{5}{12}$

8 $1\frac{1}{9} \div \frac{20}{21}$

9 $2\frac{1}{10} \div \frac{3}{8}$

10 $2\frac{5}{11} \div \frac{3}{4}$

11 $2\frac{11}{12} \div \frac{14}{27}$

12 $3\frac{12}{13} \div \frac{3}{26}$

13 $1\frac{13}{15} \div \frac{14}{25}$

14 $1\frac{11}{16} \div \frac{3}{10}$

15 $2\frac{11}{17} \div \frac{15}{16}$

16 $1\frac{16}{19} \div \frac{5}{18}$

17 $1\frac{19}{20} \div \frac{13}{15}$

18 $4\frac{2}{21} \div \frac{4}{7}$

19 $2\frac{5}{22} \div \frac{14}{15}$

20 $1\frac{7}{24} \div \frac{9}{16}$

21 $1\frac{11}{25} \div \frac{9}{20}$

연산 in 문장제

수정과 $3\frac{1}{3}$ L를 한 병에 $\frac{5}{6}$ L씩 나누어 담으려고 합니다. 필요한 병은 몇 병인지 구해 보세요.

방법1 $3\frac{1}{3} \div \frac{5}{6} = \frac{10}{3} \div \frac{5}{6} = \frac{20}{6} \div \frac{5}{6} = 20 \div 5 = \frac{\cancel{20}^{4}}{\cancel{5}_{1}} = 4$(병)

($3\frac{1}{3}$: 수정과의 양, $\frac{5}{6}$: 한 병에 담는 수정과의 양, 4: 필요한 병 수)

방법2 $3\frac{1}{3} \div \frac{5}{6} = \frac{10}{3} \div \frac{5}{6} = \frac{\cancel{10}^{2}}{\cancel{3}_{1}} \times \frac{\cancel{6}^{2}}{\cancel{5}_{1}} = 4$(병)

22 들이가 $4\frac{7}{9}$ L인 통과 들이가 $\frac{2}{3}$ L인 그릇에 식용유가 가득 들어 있습니다. 통에 들어 있는 식용유의 양은 그릇에 들어 있는 식용유의 양의 몇 배인지 구해 보세요.

답 ______________

23 레몬 음료 한 개를 만드는 데 필요한 레몬즙은 $\frac{3}{14}$ L이고, 탄산수는 $1\frac{5}{8}$ L입니다. 레몬 음료를 만드는 데 필요한 탄산수의 양은 레몬즙의 양의 몇 배인지 구해 보세요.

답 ______________

24 주희가 마신 주스의 양은 형호가 마신 주스의 양의 $\frac{10}{11}$배입니다. 주희가 마신 주스가 $1\frac{1}{9}$ L라면 형호가 마신 주스는 몇 L인지 구해 보세요.

답 ______________

25 어느 휴대 전화는 배터리의 $\frac{7}{8}$만큼 충전하는 데 $1\frac{3}{10}$시간이 걸립니다. 매 시간마다 충전되는 양이 일정할 때 배터리를 완전히 충전하는 데 걸리는 시간은 몇 시간인지 구해 보세요.

답 

맞힌 개수
개 /25개

나의 학습 결과에 ○표 하세요.

맞힌 개수	0~3개	4~9개	10~22개	23~25개
학습 방법	다시 한번 풀어 봐요.	계산 연습이 필요해요.	틀린 문제를 확인해요.	실수하지 않도록 집중해요.

QR 빠른 정답 확인

13 일차 7. (대분수)÷(가분수)

방법1 통분을 이용하여 계산하기

대분수를 가분수로 바꾸어요.

$$1\frac{1}{4}\div\frac{35}{12}=\frac{5}{4}\div\frac{35}{12}=\frac{5\times3}{4\times3}\div\frac{35\times1}{12\times1}=\frac{15}{12}\div\frac{35}{12}$$

$$=15\div35=\frac{\overset{3}{\cancel{15}}}{\underset{7}{\cancel{35}}}=\frac{3}{7}$$

방법2 분수의 곱셈으로 나타내어 계산하기

대분수를 가분수로 바꾸어요.

$$1\frac{1}{4}\div\frac{35}{12}=\frac{5}{4}\div\frac{35}{12}=\frac{\overset{1}{\cancel{5}}}{\underset{1}{\cancel{4}}}\times\frac{\overset{3}{\cancel{12}}}{\underset{7}{\cancel{35}}}=\frac{3}{7}$$

□ 안에 알맞은 수를 써넣으세요.

1 $1\frac{1}{2}\div\frac{4}{3}=\frac{\square}{2}\div\frac{4}{3}=\frac{\square}{6}\div\frac{\square}{6}$

$=\square\div\square=\frac{\square}{\square}=\square\frac{\square}{\square}$

2 $1\frac{1}{21}\div\frac{33}{28}=\frac{\square}{21}\div\frac{33}{28}$

$=\frac{\square}{84}\div\frac{\square}{84}$

$=\square\div\square$

$=\frac{\square}{99}=\frac{\square}{9}$

3 $5\frac{1}{2}\div\frac{13}{6}=\frac{\square}{2}\div\frac{13}{6}$

$=\frac{\square}{2}\times\frac{\square}{\square}$

$=\frac{\square}{13}=\square\frac{\square}{13}$

4 $1\frac{17}{22}\div\frac{9}{8}=\frac{\square}{22}\div\frac{9}{8}$

$=\frac{\square}{22}\times\frac{\square}{9}$

$=\frac{\square}{33}=\square\frac{\square}{33}$

● 계산을 하여 기약분수로 나타내어 보세요.

5 $1\frac{2}{3} \div \frac{10}{9}$

6 $3\frac{3}{4} \div \frac{22}{9}$

7 $1\frac{2}{5} \div \frac{15}{4}$

8 $2\frac{5}{6} \div \frac{51}{16}$

9 $1\frac{5}{7} \div \frac{23}{21}$

10 $1\frac{1}{8} \div \frac{11}{10}$

11 $1\frac{5}{9} \div \frac{8}{5}$

12 $4\frac{9}{10} \div \frac{21}{8}$

13 $1\frac{9}{11} \div \frac{18}{5}$

14 $4\frac{7}{12} \div \frac{22}{15}$

15 $1\frac{8}{13} \div \frac{15}{8}$

16 $1\frac{13}{14} \div \frac{19}{16}$

17 $1\frac{1}{15} \div \frac{21}{5}$

18 $1\frac{5}{16} \div \frac{27}{10}$

19 $1\frac{7}{18} \div \frac{35}{3}$

20 $2\frac{12}{19} \div \frac{25}{7}$

21 $3\frac{17}{20} \div \frac{11}{8}$

22 $1\frac{13}{21} \div \frac{17}{7}$

23 $1\frac{3}{22} \div \frac{19}{11}$

24 $1\frac{27}{28} \div \frac{45}{16}$

25 $2\frac{5}{29} \div \frac{9}{4}$

맞힌 개수

개 /25개

나의 학습 결과에 ○표 하세요.

맞힌 개수	0~3개	4~9개	10~22개	23~25개
학습 방법	다시 한번 풀어 봐요.	계산 연습이 필요해요.	틀린 문제를 확인해요.	실수하지 않도록 집중해요.

QR 빠른 정답 확인

7. (대분수)÷(가분수)

계산을 하여 기약분수로 나타내어 보세요.

1 $3\frac{1}{2}\div\frac{13}{12}$

2 $2\frac{2}{3}\div\frac{17}{7}$

3 $3\frac{1}{4}\div\frac{7}{6}$

4 $2\frac{1}{5}\div\frac{16}{15}$

5 $4\frac{1}{6}\div\frac{20}{9}$

6 $1\frac{3}{7}\div\frac{6}{5}$

7 $1\frac{5}{8}\div\frac{39}{10}$

8 $2\frac{5}{9}\div\frac{10}{3}$

9 $2\frac{7}{10}\div\frac{45}{14}$

10 $2\frac{11}{12}\div\frac{49}{6}$

11 $1\frac{2}{13}\div\frac{5}{2}$

12 $1\frac{2}{15}\div\frac{23}{18}$

13 $3\frac{15}{16}\div\frac{21}{4}$

14 $1\frac{1}{17}\div\frac{12}{5}$

15 $1\frac{17}{18}\div\frac{25}{24}$

16 $1\frac{13}{19}\div\frac{32}{3}$

17 $1\frac{19}{20}\div\frac{33}{10}$

18 $1\frac{1}{21}\div\frac{11}{7}$

19 $1\frac{13}{22}\div\frac{20}{11}$

20 $1\frac{2}{25}\div\frac{81}{20}$

21 $1\frac{19}{36}\div\frac{11}{6}$

연산 in 문장제

금 $\frac{33}{8}$ g으로 금반지 한 개를 만들 수 있다고 합니다. 금 $41\frac{1}{4}$ g으로 만들 수 있는 금반지는 몇 개인지 구해 보세요.

방법1 $41\frac{1}{4} \div \frac{33}{8} = \frac{165}{4} \div \frac{33}{8} = \frac{330}{8} \div \frac{33}{8} = 330 \div 33 = \frac{\cancel{330}^{10}}{\cancel{33}_{1}} = 10$(개)

($41\frac{1}{4}$: 금의 양, $\frac{33}{8}$: 금반지 한 개를 만드는 데 필요한 금의 양, 10: 만들 수 있는 금반지 수)

방법2 $41\frac{1}{4} \div \frac{33}{8} = \frac{165}{4} \div \frac{33}{8} = \frac{\cancel{165}^{5}}{\cancel{4}_{1}} \times \frac{\cancel{8}^{2}}{\cancel{33}_{1}} = 10$(개)

22 현수의 키는 $1\frac{18}{25}$ m이고, 주희의 키는 $\frac{33}{20}$ m입니다. 현수의 키는 주희의 키의 몇 배인지 구해 보세요.

답 ______________

23 번개가 친 곳에서 $\frac{62}{3}$ km 떨어진 곳에 있는 사람은 번개가 친 1분 뒤에 천둥소리를 들을 수 있습니다. 번개가 친 곳에서 $7\frac{3}{4}$ km 떨어진 곳은 번개가 친지 몇 분 뒤에 천둥소리를 들을 수 있는지 구해 보세요.

답 ______________

24 일정한 빠르기로 $\frac{63}{10}$시간 동안 $1\frac{2}{5}$ cm가 타는 양초가 있습니다. 이 양초가 1시간 동안 타는 길이는 몇 cm인지 구해 보세요.

답 ______________

25 같은 포대에 들어 있는 모래의 무게는 자갈의 무게의 $\frac{12}{7}$배입니다. 모래의 무게가 $5\frac{4}{9}$ kg일 때 자갈의 무게는 몇 kg인지 구해 보세요.

답 

맞힌 개수

개 /25개

나의 학습 결과에 ○표 하세요.

맞힌 개수	0~3개	4~9개	10~22개	23~25개
학습 방법	다시 한번 풀어 봐요.	계산 연습이 필요해요.	틀린 문제를 확인해요.	실수하지 않도록 집중해요.

QR 빠른 정답 확인

15일차 8. (대분수)÷(대분수)

방법1 통분을 이용하여 계산하기

대분수를 가분수로 바꾸어요.

$$3\frac{3}{8}\div2\frac{1}{6}=\frac{27}{8}\div\frac{13}{6}=\frac{27\times3}{8\times3}\div\frac{13\times4}{6\times4}=\frac{81}{24}\div\frac{52}{24}$$

$$=81\div52=\frac{81}{52}=1\frac{29}{52}$$

방법2 분수의 곱셈으로 나타내어 계산하기

대분수를 가분수로 바꾸어요.

$$3\frac{3}{8}\div2\frac{1}{6}=\frac{27}{8}\div\frac{13}{6}=\frac{27}{\cancel{8}_{4}}\times\frac{\cancel{6}^{3}}{13}=\frac{81}{52}=1\frac{29}{52}$$

● □ 안에 알맞은 수를 써넣으세요.

1 $2\frac{1}{2}\div1\frac{5}{9}$

$$=\frac{\square}{2}\div\frac{\square}{9}=\frac{\square}{18}\div\frac{\square}{18}$$

$$=\square\div\square=\frac{\square}{\square}=\square\frac{\square}{\square}$$

2 $3\frac{3}{5}\div2\frac{7}{10}$

$$=\frac{\square}{5}\div\frac{\square}{10}=\frac{\square}{10}\div\frac{\square}{10}$$

$$=\square\div\square=\frac{\square}{27}=\frac{\square}{3}$$

$$=\square\frac{\square}{3}$$

3 $1\frac{1}{3}\div2\frac{1}{7}=\frac{\square}{3}\div\frac{15}{7}$

$$=\frac{\square}{3}\times\frac{7}{\square}=\frac{\square}{\square}$$

4 $5\frac{5}{8}\div4\frac{1}{6}=\frac{\square}{8}\div\frac{\square}{6}$

$$=\frac{\square}{8}\times\frac{6}{\square}$$

$$=\frac{\square}{20}=\square\frac{\square}{20}$$

계산을 하여 기약분수로 나타내어 보세요.

5 $6\frac{1}{2} \div 1\frac{5}{7}$

6 $2\frac{2}{3} \div 3\frac{3}{4}$

7 $2\frac{1}{4} \div 1\frac{7}{9}$

8 $1\frac{1}{5} \div 8\frac{1}{10}$

9 $4\frac{1}{6} \div 6\frac{7}{8}$

10 $1\frac{1}{7} \div 1\frac{19}{21}$

11 $4\frac{1}{8} \div 1\frac{4}{7}$

12 $2\frac{5}{9} \div 1\frac{13}{15}$

13 $3\frac{9}{10} \div 2\frac{3}{5}$

14 $1\frac{3}{11} \div 2\frac{2}{13}$

15 $1\frac{1}{14} \div 2\frac{2}{7}$

16 $1\frac{1}{15} \div 1\frac{11}{21}$

17 $1\frac{3}{16} \div 1\frac{1}{8}$

18 $2\frac{2}{17} \div 5\frac{5}{8}$

19 $1\frac{7}{18} \div 1\frac{7}{8}$

20 $1\frac{13}{20} \div 9\frac{9}{10}$

21 $1\frac{8}{21} \div 1\frac{9}{14}$

22 $2\frac{1}{22} \div 3\frac{3}{20}$

23 $1\frac{5}{27} \div 3\frac{1}{3}$

24 $1\frac{19}{30} \div 3\frac{11}{15}$

25 $1\frac{1}{32} \div 3\frac{3}{14}$

맞힌 개수

개 /25개

나의 학습 결과에 ○표 하세요.

맞힌 개수	0~3개	4~9개	10~22개	23~25개
학습 방법	다시 한번 풀어 봐요.	계산 연습이 필요해요.	틀린 문제를 확인해요.	실수하지 않도록 집중해요.

QR 빠른 정답 확인

8. (대분수) ÷ (대분수)

계산을 하여 기약분수로 나타내어 보세요.

1 $5\frac{1}{2}\div3\frac{1}{9}$

2 $3\frac{1}{3}\div4\frac{1}{2}$

3 $1\frac{3}{4}\div1\frac{4}{5}$

4 $2\frac{2}{5}\div5\frac{5}{11}$

5 $1\frac{1}{6}\div1\frac{3}{10}$

6 $1\frac{1}{7}\div1\frac{1}{14}$

7 $1\frac{5}{8}\div1\frac{19}{20}$

8 $1\frac{1}{9}\div1\frac{1}{6}$

9 $2\frac{7}{10}\div1\frac{5}{7}$

10 $1\frac{2}{11}\div2\frac{3}{5}$

11 $1\frac{7}{12}\div3\frac{9}{16}$

12 $1\frac{13}{14}\div1\frac{2}{7}$

13 $1\frac{13}{15}\div2\frac{1}{3}$

14 $1\frac{5}{16}\div7\frac{7}{8}$

15 $3\frac{1}{17}\div6\frac{1}{2}$

16 $1\frac{7}{20}\div5\frac{5}{8}$

17 $1\frac{11}{21}\div1\frac{1}{7}$

18 $1\frac{3}{22}\div3\frac{3}{14}$

19 $3\frac{5}{24}\div3\frac{1}{18}$

20 $2\frac{4}{25}\div5\frac{1}{7}$

21 $2\frac{2}{27}\div1\frac{5}{9}$

연산 in 문장제

콩 $16\frac{1}{5}$ kg을 한 봉지에 $3\frac{6}{25}$ kg씩 나누어 담으려고 합니다. 필요한 봉지는 몇 봉지인지 구해 보세요.

방법1 $16\frac{1}{5} \div 3\frac{6}{25} = \frac{81}{5} \div \frac{81}{25} = \frac{405}{25} \div \frac{81}{25} = 405 \div 81 = \frac{\overset{5}{\cancel{405}}}{\underset{1}{\cancel{81}}} = 5$(봉지)

($16\frac{1}{5}$: 전체 콩의 무게, $3\frac{6}{25}$: 한 봉지에 담는 콩의 무게, 5: 필요한 봉지 수)

방법2 $16\frac{1}{5} \div 3\frac{6}{25} = \frac{81}{5} \div \frac{81}{25} = \frac{\overset{1}{\cancel{81}}}{\underset{1}{\cancel{5}}} \times \frac{\overset{5}{\cancel{25}}}{\underset{1}{\cancel{81}}} = 5$(봉지)

22 민지는 $8\frac{2}{5}$ km를 걸어가는 데 $2\frac{2}{3}$시간이 걸렸습니다. 민지가 일정한 빠르기로 걸었다면 한 시간 동안 걸은 거리는 몇 km인지 구해 보세요.

답 ____________

23 약수 $30\frac{6}{7}$ L를 한 병에 $1\frac{13}{14}$ L씩 나누어 담으려고 합니다. 필요한 병은 몇 병인지 구해 보세요.

답 ____________

24 민호가 세수를 할 때 세면대를 사용하지 않으면 물을 $23\frac{5}{6}$ L 사용하고, 세면대를 사용하면 물을 $4\frac{7}{8}$ L 사용합니다. 세면대를 사용하지 않을 때 쓰는 물의 양은 세면대를 사용할 때 쓰는 물의 양의 몇 배인지 구해 보세요.

답 ____________

25 야구공의 무게는 $144\frac{3}{8}$ g이고, 탁구공의 무게는 $2\frac{7}{10}$ g입니다. 야구공의 무게는 탁구공의 무게의 몇 배인지 구해 보세요.

답 ____________

맞힌 개수

개 /25개

나의 학습 결과에 ○표 하세요.

맞힌 개수	0~3개	4~9개	10~22개	23~25개
학습 방법	다시 한번 풀어 봐요.	계산 연습이 필요해요.	틀린 문제를 확인해요.	실수하지 않도록 집중해요.

QR 빠른 정답 확인

17일차 연산&문장제 마무리

계산을 하여 기약분수로 나타내어 보세요.

1 $\frac{3}{4} \div \frac{12}{11}$

2 $\frac{4}{5} \div \frac{8}{7}$

3 $\frac{3}{8} \div \frac{18}{5}$

4 $\frac{6}{11} \div \frac{18}{13}$

5 $\frac{15}{16} \div \frac{27}{5}$

6 $\frac{2}{3} \div 2\frac{1}{2}$

7 $\frac{2}{9} \div 1\frac{1}{6}$

8 $\frac{9}{14} \div 1\frac{1}{2}$

9 $\frac{16}{21} \div 2\frac{3}{4}$

10 $\frac{24}{25} \div 1\frac{7}{10}$

11 $\frac{21}{2} \div \frac{3}{8}$

12 $\frac{33}{4} \div \frac{4}{9}$

13 $\frac{11}{6} \div \frac{5}{7}$

14 $\frac{20}{7} \div \frac{5}{14}$

15 $\frac{14}{9} \div \frac{7}{30}$

16 $\frac{20}{13} \div \frac{10}{11}$

17 $\frac{14}{5} \div \frac{20}{9}$

18 $\frac{17}{6} \div \frac{8}{5}$

19 $\frac{27}{8} \div \frac{27}{7}$

20 $\frac{39}{10} \div \frac{21}{8}$

21 $\frac{15}{11} \div \frac{9}{4}$

22 $\frac{45}{14} \div \frac{25}{18}$

23 $\frac{25}{3} \div 1\frac{3}{8}$

24 $\frac{6}{5} \div 2\frac{3}{10}$

25 $\frac{8}{7} \div 5\frac{1}{3}$

26 $\frac{16}{9} \div 4\frac{2}{7}$

27 $\frac{27}{14} \div 4\frac{1}{8}$

28 $\frac{28}{15} \div 3\frac{5}{9}$

29 $1\frac{1}{3} \div \frac{4}{7}$

30 $4\frac{4}{7} \div \frac{8}{15}$

31 $3\frac{5}{8} \div \frac{6}{11}$

32 $3\frac{4}{9} \div \frac{2}{3}$

33 $2\frac{7}{10} \div \frac{4}{5}$

34 $1\frac{5}{11} \div \frac{18}{13}$

35 $3\frac{2}{3} \div \frac{22}{9}$

36 $2\frac{1}{4} \div \frac{7}{3}$

37 $6\frac{3}{5} \div \frac{15}{8}$

38 $2\frac{5}{8} \div \frac{7}{6}$

39 $4\frac{1}{9} \div \frac{20}{3}$

40 $1\frac{2}{11} \div \frac{13}{9}$

41 $1\frac{2}{3} \div 2\frac{1}{5}$

42 $1\frac{3}{4} \div 4\frac{2}{3}$

43 $4\frac{5}{6} \div 2\frac{2}{7}$

44 $6\frac{7}{8} \div 1\frac{5}{6}$

45 $3\frac{1}{9} \div 2\frac{4}{5}$

정답 17쪽

46 선물 상자를 꾸미는 데 성현이는 색 모래 $\frac{11}{12}$ g을 사용했고, 상호는 색 모래 $1\frac{1}{5}$ g을 사용했습니다. 성현이가 사용한 색 모래의 무게는 상호가 사용한 색 모래의 무게의 몇 배인지 구해 보세요.

답 ______________

47 길이가 $\frac{21}{2}$ m인 매듭실로 목걸이를 만들려고 합니다. 목걸이 한 개를 만드는 데 매듭실 $\frac{7}{8}$ m를 사용한다면 만들 수 있는 목걸이는 몇 개인지 구해 보세요.

답 ______________

48 땅콩 $\frac{57}{2}$ kg을 한 상자에 $\frac{19}{10}$ kg씩 나누어 담으려고 합니다. 필요한 상자는 몇 상자인지 구해 보세요.

답 ______________

49 멜론의 무게는 $\frac{23}{12}$ kg이고, 호박의 무게는 $3\frac{5}{9}$ kg입니다. 멜론의 무게는 호박의 무게의 몇 배인지 구해 보세요.

답 ______________

50 굵기가 일정한 철근 $\frac{2}{7}$ m의 무게는 $2\frac{2}{5}$ kg입니다. 이 철근 1 m의 무게는 몇 kg인지 구해 보세요.

답 ______________

51 어느 전동 자전거는 $\frac{35}{4}$시간 동안 충전하면 $58\frac{1}{3}$ km를 갈 수 있다고 합니다. 매 시간마다 충전하는 양이 일정할 때 자전거를 1시간 동안 충전하면 갈 수 있는 거리는 몇 km인지 구해 보세요.

답 ______________

연산 노트

맞힌 개수

개 /51개

나의 학습 결과에 ○표 하세요.

맞힌 개수	0~5개	6~21개	22~46개	47~51개
학습 방법	다시 한번 풀어 봐요.	계산 연습이 필요해요.	틀린 문제를 확인해요.	실수하지 않도록 집중해요.

QR 빠른 정답 확인

3

소수의 나눗셈 (1)

학습 주제	학습 일차	맞힌 개수
1. 자연수의 나눗셈을 이용한 (소수)÷(소수)	01일차	/19
	02일차	/25
2. (소수 한 자리 수)÷(소수 한 자리 수) (1)	03일차	/38
	04일차	/24
3. (소수 한 자리 수)÷(소수 한 자리 수) (2)	05일차	/35
	06일차	/25
4. (소수 두 자리 수)÷(소수 두 자리 수) (1)	07일차	/38
	08일차	/24
5. (소수 두 자리 수)÷(소수 두 자리 수) (2)	09일차	/36
	10일차	/24
6. (소수 두 자리 수)÷(소수 한 자리 수) (1)	11일차	/27
	12일차	/24
7. (소수 두 자리 수)÷(소수 한 자리 수) (2)	13일차	/28
	14일차	/24
연산 & 문장제 마무리	15일차	/52

1. 자연수의 나눗셈을 이용한 (소수)÷(소수)

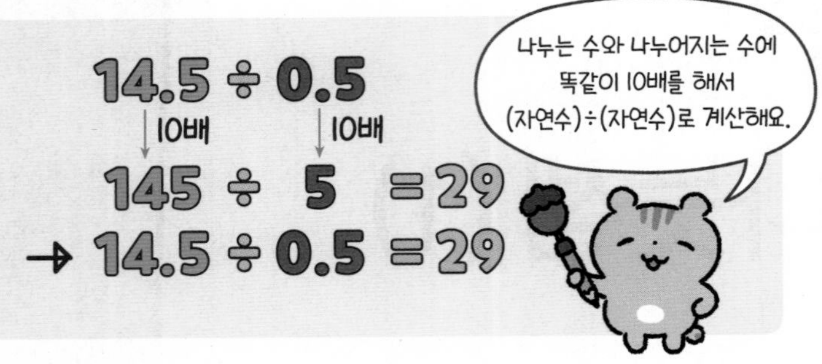

자연수의 나눗셈을 이용하여 소수의 나눗셈을 계산하려고 합니다. ☐ 안에 알맞은 수를 써넣으세요.

1

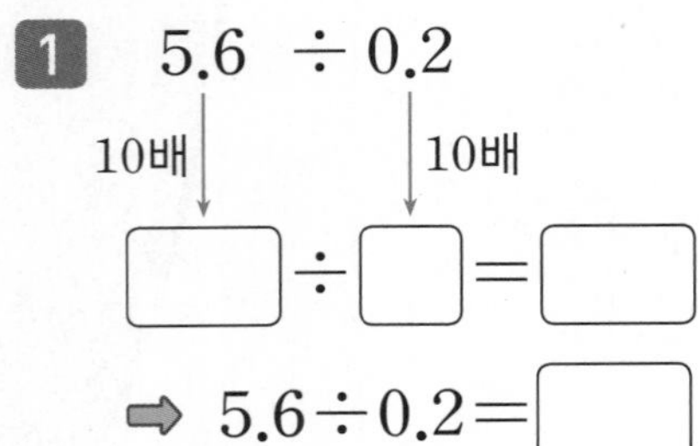

2 9.6 ÷ 0.3

10배 ↓ 10배 ↓

☐ ÷ ☐ = ☐

⇒ 9.6÷0.3=☐

3 10.5 ÷ 1.5

10배 ↓ 10배 ↓

☐ ÷ ☐ = ☐

⇒ 10.5÷1.5=☐

4 25.3 ÷ 1.1

10배 ↓ 10배 ↓

☐ ÷ ☐ = ☐

⇒ 25.3÷1.1=☐

5

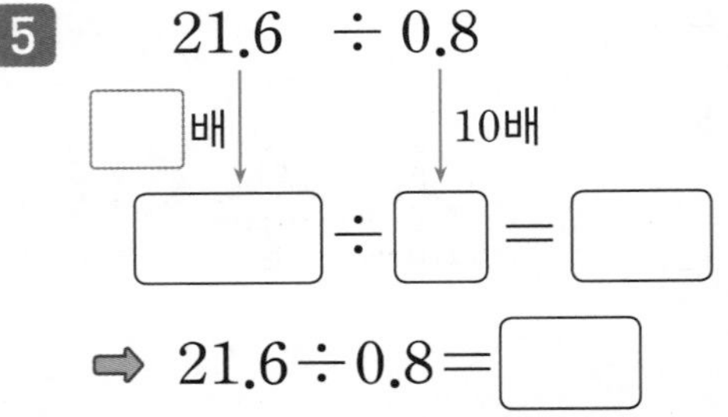

6

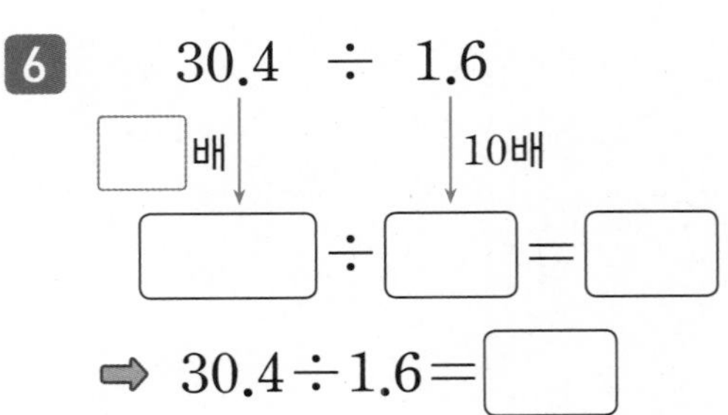

7

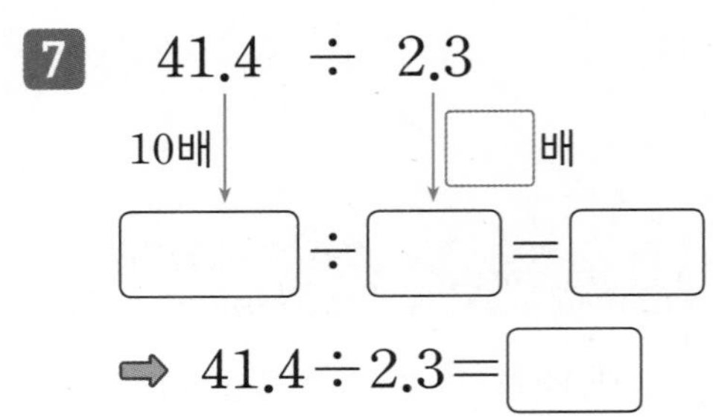

8

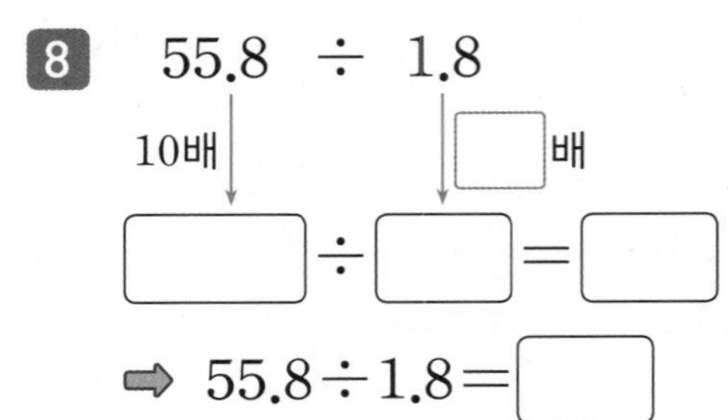

9

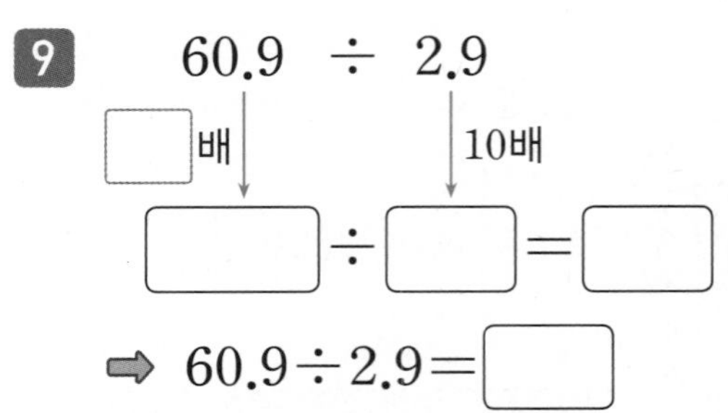

10 0.28 ÷ 0.04

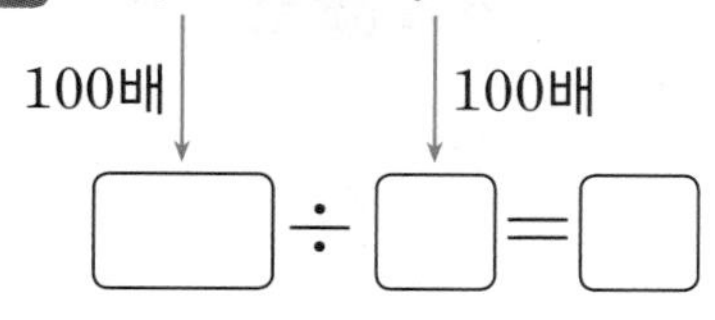

100배, 100배

□ ÷ □ = □

➡ 0.28÷0.04=□

11 2.97 ÷ 0.27

100배, 100배

□ ÷ □ = □

➡ 2.97÷0.27=□

12 9.68 ÷ 0.44

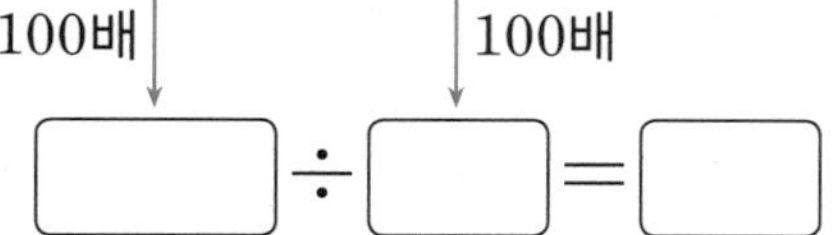

100배, 100배

□ ÷ □ = □

➡ 9.68÷0.44=□

13 23.38 ÷ 1.67

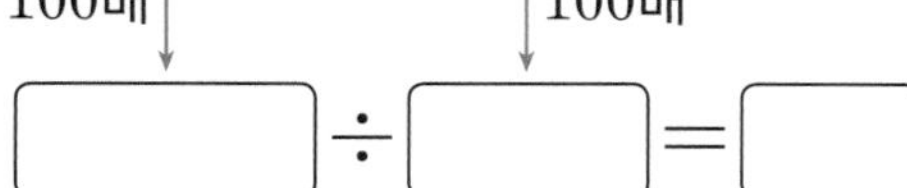

100배, 100배

□ ÷ □ = □

➡ 23.38÷1.67=□

14 76.68 ÷ 2.13

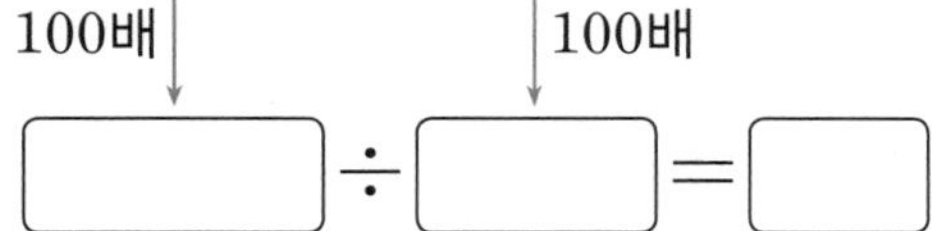

100배, 100배

□ ÷ □ = □

➡ 76.68÷2.13=□

15 1.68 ÷ 0.06

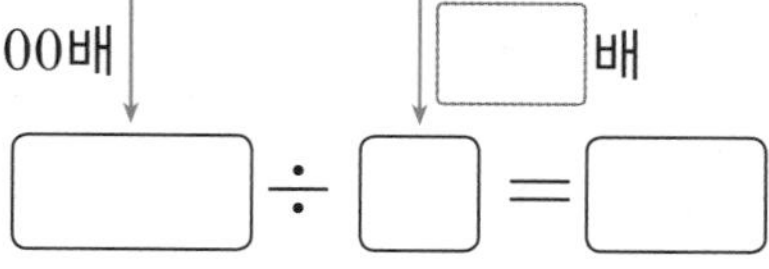

100배, □배

□ ÷ □ = □

➡ 1.68÷0.06=□

16 5.52 ÷ 0.12

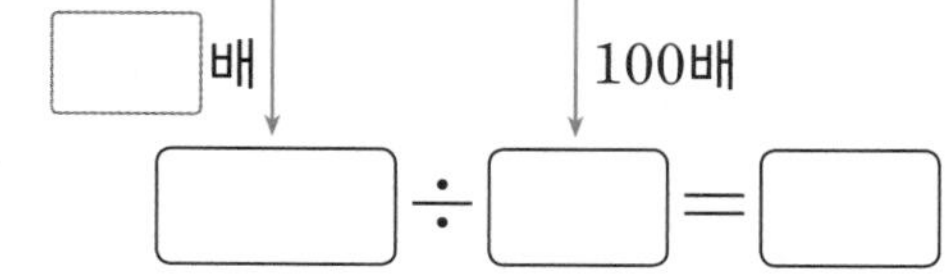

□배, 100배

□ ÷ □ = □

➡ 5.52÷0.12=□

17 19.55 ÷ 1.15

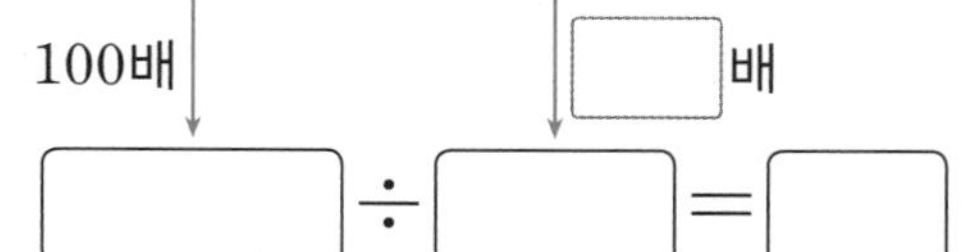

100배, □배

□ ÷ □ = □

➡ 19.55÷1.15=□

18 28.47 ÷ 0.73

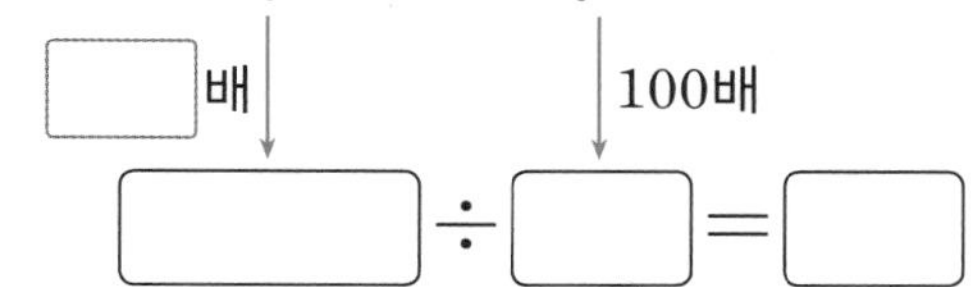

□배, 100배

□ ÷ □ = □

➡ 28.47÷0.73=□

19 92.75 ÷ 3.71

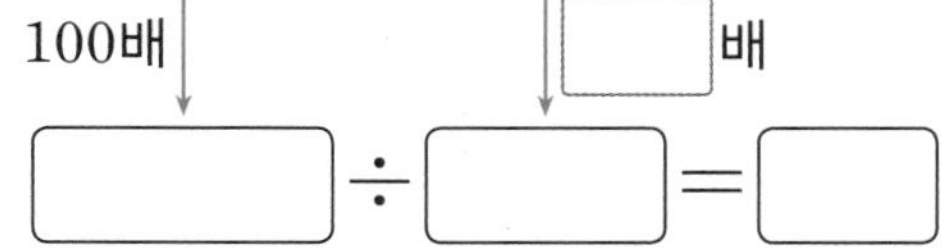

100배, □배

□ ÷ □ = □

➡ 92.75÷3.71=□

맞힌 개수

개 /19개

나의 학습 결과에 ○표 하세요.

맞힌 개수	0~2개	3~6개	7~17개	18~19개
학습 방법	다시 한번 풀어 봐요.	계산 연습이 필요해요.	틀린 문제를 확인해요.	실수하지 않도록 집중해요.

QR 빠른정답 확인

1. 자연수의 나눗셈을 이용한 (소수)÷(소수)

자연수의 나눗셈을 이용하여 소수의 나눗셈을 계산하려고 합니다. □ 안에 알맞은 수를 써넣으세요.

1 $36 \div 4 = \square$
⇨ $3.6 \div 0.4 = \square$

2 $49 \div 7 = \square$
⇨ $4.9 \div 0.7 = \square$

3 $78 \div 13 = \square$
⇨ $7.8 \div 1.3 = \square$

4 $224 \div 28 = \square$
⇨ $22.4 \div 2.8 = \square$

5 $288 \div 16 = \square$
⇨ $28.8 \div 1.6 = \square$

6 $308 \div 14 = \square$
⇨ $30.8 \div 1.4 = \square$

7 $473 \div 43 = \square$
⇨ $47.3 \div 4.3 = \square$

8 $525 \div 25 = \square$
⇨ $52.5 \div 2.5 = \square$

9 $714 \div 21 = \square$
⇨ $71.4 \div 2.1 = \square$

10 $864 \div 32 = \square$
⇨ $86.4 \div 3.2 = \square$

11 $96 \div 6 = \square$
⇨ $0.96 \div 0.06 = \square$

12 $238 \div 34 = \square$
⇨ $2.38 \div 0.34 = \square$

13 $252 \div 18 = \square$
⇨ $2.52 \div 0.18 = \square$

14 $564 \div 47 = \square$
⇨ $5.64 \div 0.47 = \square$

15 $1674 \div 62 = \square$
⇨ $16.74 \div 0.62 = \square$

16 $2325 \div 93 = \square$
⇨ $23.25 \div 0.93 = \square$

17 $3339 \div 159 = \square$
⇨ $33.39 \div 1.59 = \square$

18 $8775 \div 225 = \square$
⇨ $87.75 \div 2.25 = \square$

19 $9196 \div 418 = \square$
⇨ $91.96 \div 4.18 = \square$

20 $9231 \div 543 = \square$
⇨ $92.31 \div 5.43 = \square$

21 $14259 \div 679 = \square$
⇨ $142.59 \div 6.79 = \square$

연산 in 문장제

별 모양 한 개를 만드는 데 철사가 0.05 m 필요합니다. 철사 1.15 m로 만들 수 있는 별 모양은 몇 개인지 구해 보세요.

소수	1.15	÷	0.05
자연수	115	÷	5

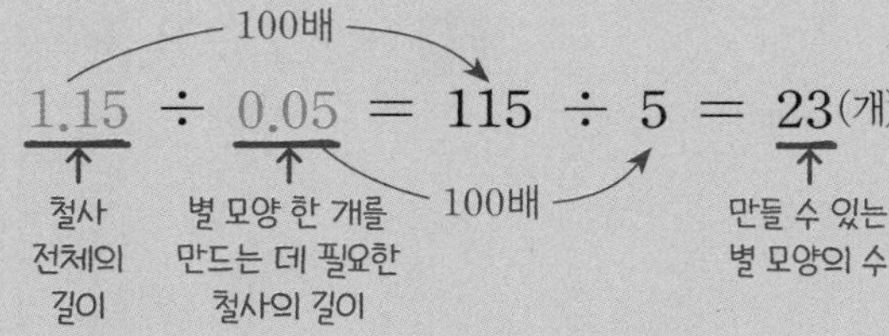

22 음료수 4.2 L를 컵 한 개에 0.6 L씩 나누어 담으려고 합니다. 필요한 컵은 몇 개인지 구해 보세요.

답 ____________

소수		÷	
자연수		÷	

23 철사 55.8 cm를 3.1 cm씩 잘랐습니다. 자른 철사는 몇 도막인지 구해 보세요.

답 ____________

소수		÷	
자연수		÷	

24 색 모래 4.05 kg을 통 한 개에 0.15 kg씩 나누어 담으려고 합니다. 필요한 통은 몇 개인지 구해 보세요.

답 ____________

소수		÷	
자연수		÷	

25 물 35.84 L를 물통 한 개에 2.24 L씩 나누어 담으려고 합니다. 필요한 물통은 몇 개인지 구해 보세요.

답 ____________

소수		÷	
자연수		÷	

맞힌 개수: 개 /25개

나의 학습 결과에 ○표 하세요.

맞힌 개수	0～3개	4～9개	10～22개	23～25개
학습 방법	다시 한번 풀어 봐요.	계산 연습이 필요해요.	틀린 문제를 확인해요.	실수하지 않도록 집중해요.

QR 빠른 정답 확인

2. (소수 한 자리 수)÷(소수 한 자리 수) (1)

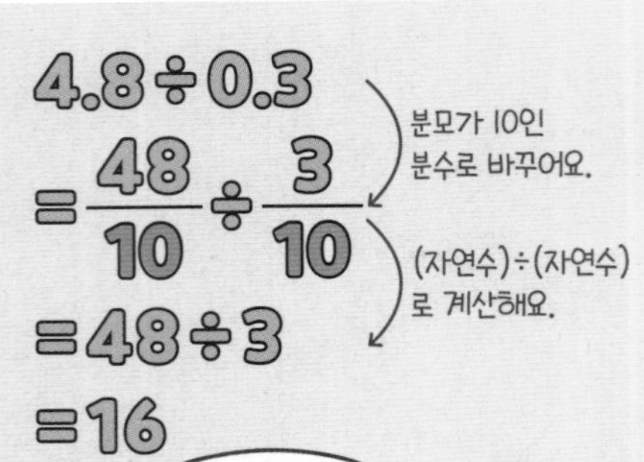

□ 안에 알맞은 수를 써넣으세요.

1 $8.1 \div 0.9$

$= \dfrac{81}{\square} \div \dfrac{9}{\square}$

$= \square \div 9$

$= \square$

2 $28.8 \div 2.4$

$= \dfrac{288}{\square} \div \dfrac{24}{\square}$

$= \square \div 24$

$= \square$

3 $45.5 \div 1.3$

$= \dfrac{\square}{10} \div \dfrac{\square}{10}$

$= \square \div \square$

$= \square$

계산해 보세요.

4 $2.5 \div 0.5$

5 $5.4 \div 0.9$

6 $16.2 \div 5.4$

7 $31.2 \div 1.2$

8 $32.4 \div 3.6$

9 $33.6 \div 8.4$

10 $49.7 \div 7.1$

11 $62.7 \div 3.3$

12 $65.6 \div 4.1$

13 $67.2 \div 11.2$

14 $81.6 \div 4.8$

15 $85.5 \div 5.7$

16 $88.4 \div 6.8$

17 $102.3 \div 9.3$

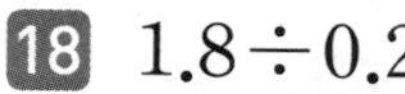

18 $1.8 \div 0.2$

소수 한 자리 수는 분모가 10인 분수로 바꾸어 계산해요.

19 $9.1 \div 0.7$

20 $9.5 \div 0.5$

21 $10.2 \div 1.7$

22 $10.4 \div 2.6$

23 $13.5 \div 1.5$

24 $27.2 \div 3.4$

25 $31.5 \div 3.5$

26 $35.2 \div 2.2$

27 $37.2 \div 12.4$

28 $46.9 \div 6.7$

29 $51.1 \div 7.3$

30 $52.8 \div 13.2$

31 $61.6 \div 5.6$

32 $67.5 \div 4.5$

33 $71.2 \div 8.9$

34 $76.8 \div 9.6$

35 $81.6 \div 5.1$

36 $92.4 \div 4.4$

37 $96.6 \div 4.2$

38 $118.4 \div 3.7$

맞힌 개수

개 /38개

나의 학습 결과에 ○표 하세요.

맞힌 개수	0∼4개	5∼15개	16∼34개	35∼38개
학습 방법	다시 한번 풀어 봐요.	계산 연습이 필요해요.	틀린 문제를 확인해요.	실수하지 않도록 집중해요.

QR 빠른 정답 확인

2. (소수 한 자리 수)÷(소수 한 자리 수) (1)

계산해 보세요.

1 $2.1 \div 0.7$

2 $4.5 \div 0.5$

3 $4.8 \div 0.4$

4 $7.2 \div 0.2$

5 $8.1 \div 0.3$

6 $9.9 \div 0.9$

7 $11.2 \div 0.8$

8 $11.7 \div 1.3$

9 $12.4 \div 3.1$

10 $20.7 \div 6.9$

11 $36.8 \div 4.6$

12 $41.6 \div 2.6$

13 $61.1 \div 4.7$

14 $70.2 \div 3.9$

15 $80.5 \div 11.5$

16 $87.3 \div 9.7$

17 $93.5 \div 5.5$

18 $99.6 \div 8.3$

19 $102.4 \div 6.4$

20 $124.8 \div 5.2$

21 $129.6 \div 14.4$

연산 in 문장제

페인트 27.2 L를 통 한 개에 1.6 L씩 나누어 담으려고 합니다. 필요한 통은 몇 개인지 구해 보세요.

$27.2 \div 1.6 = \frac{272}{10} \div \frac{16}{10}$

(27.2: 전체 페인트의 양, 1.6: 통에 담는 페인트의 양)

$= 272 \div 16 = 17$(개)

(17: 필요한 통의 수)

소수	27.2	÷	1.6
분수	$\frac{272}{10}$	÷	$\frac{16}{10}$
자연수	272	÷	16

22 콩 32.4 kg을 바구니 한 개에 2.7 kg씩 나누어 담으려고 합니다. 필요한 바구니는 몇 개인지 구해 보세요.

답 ______________

➜

소수		÷	
분수		÷	
자연수		÷	

23 도자기 한 개를 만드는 데 황토가 6.1 kg 필요합니다. 황토 91.5 kg으로 만들 수 있는 도자기는 몇 개인지 구해 보세요.

답 ______________

➜

소수		÷	
분수		÷	
자연수		÷	

24 끈 137.8 cm를 5.3 cm씩 잘랐습니다. 자른 끈은 몇 도막인지 구해 보세요.

답 ______________

➜

소수		÷	
분수		÷	
자연수		÷	

맞힌 개수

개 /24개

나의 학습 결과에 ○표 하세요.

맞힌 개수	0~2개	3~8개	9~22개	23~24개
학습 방법	다시 한번 풀어 봐요.	계산 연습이 필요해요.	틀린 문제를 확인해요.	실수하지 않도록 집중해요.

QR 빠른 정답 확인

3. (소수 한 자리 수)÷(소수 한 자리 수) (2)

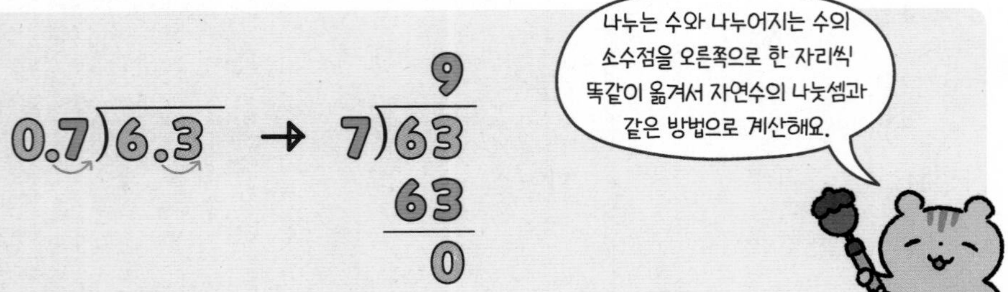

계산해 보세요.

1 $0.8\overline{)2.4}$

2 $0.6\overline{)3.6}$

3 $1.4\overline{)15.4}$

4 $2.6\overline{)46.8}$

5 $1.7\overline{)54.4}$

6 $3.7\overline{)70.3}$

7 $5.2\overline{)140.4}$

8 $0.3\overline{)2.7}$

9 $0.5\overline{)3.5}$

10 $2.2\overline{)8.8}$

11 $5.6\overline{)33.6}$

12 $1.8\overline{)34.2}$

13 $4.1\overline{)49.2}$

14 $2.7\overline{)56.7}$

15 $5.3\overline{)58.3}$

16 $11.9\overline{)59.5}$

17 $9.3\overline{)65.1}$

18 $3.1\overline{)71.3}$

19 $6.2\overline{)80.6}$

20 $7.9\overline{)94.8}$

21 $10.4\overline{)166.4}$

22 $1.4 \div 0.2$

23 $8.4 \div 0.7$

24 $12.8 \div 0.8$

25 $25.2 \div 12.6$

26 $33.6 \div 2.4$

27 $46.8 \div 11.7$

28 $50.4 \div 4.2$

29 $62.4 \div 7.8$

30 $73.7 \div 6.7$

31 $75.6 \div 8.4$

32 $82.8 \div 3.6$

33 $86.7 \div 5.1$

34 $95.7 \div 2.9$

35 $123.5 \div 9.5$

맞힌 개수
개 /35개

나의 학습 결과에 ○표 하세요.

맞힌 개수	0~4개	5~14개	15~31개	32~35개
학습 방법	다시 한번 풀어 봐요.	계산 연습이 필요해요.	틀린 문제를 확인해요.	실수하지 않도록 집중해요.

QR 빠른 정답 확인

3. (소수 한 자리 수)÷(소수 한 자리 수) (2)

계산해 보세요.

1 $0.2\overline{)1.6}$

2 $0.6\overline{)2.4}$

3 $0.8\overline{)15.2}$

4 $0.7\overline{)18.9}$

5 $1.9\overline{)22.8}$

6 $7.3\overline{)36.5}$

7 $4.7\overline{)37.6}$

8 $8.4\overline{)50.4}$

9 $3.2\overline{)73.6}$

10 $4.6\overline{)78.2}$

11 $5.4\overline{)86.4}$

12 $11.4\overline{)91.2}$

13 $2.3\overline{)94.3}$

14 $9.2\overline{)128.8}$

15 $6.4 \div 0.4$

16 $11.4 \div 0.6$

17 $39.9 \div 5.7$

18 $50.7 \div 3.9$

19 $67.2 \div 4.8$

20 $104.8 \div 13.1$

21 $197.4 \div 9.4$

연산 in 문장제

딸기 16.5 kg을 한 상자에 1.5 kg씩 나누어 담으려고 합니다. 필요한 상자는 몇 상자인지 구해 보세요.

$16.5 \div 1.5 = 11$(상자)

16.5: 전체 딸기의 양 / 1.5: 한 상자에 담는 딸기의 양 / 11: 필요한 상자 수

$$\begin{array}{r} 11 \\ 1.5\overline{)16.5} \\ 15 \\ \hline 15 \\ 15 \\ \hline 0 \end{array}$$

22 우유 4.8 L를 컵 한 개에 0.8 L씩 나누어 담으려고 합니다. 필요한 컵은 몇 개인지 구해 보세요.

답 ______________

23 리본 1.9 m로 상자 한 개를 묶을 수 있습니다. 리본 17.1 m로 묶을 수 있는 상자는 몇 개인지 구해 보세요.

답 ______________

24 쌀 69.6 kg을 통 한 개에 5.8 kg씩 나누어 담으려고 합니다. 필요한 통은 몇 개인지 구해 보세요.

답 ______________

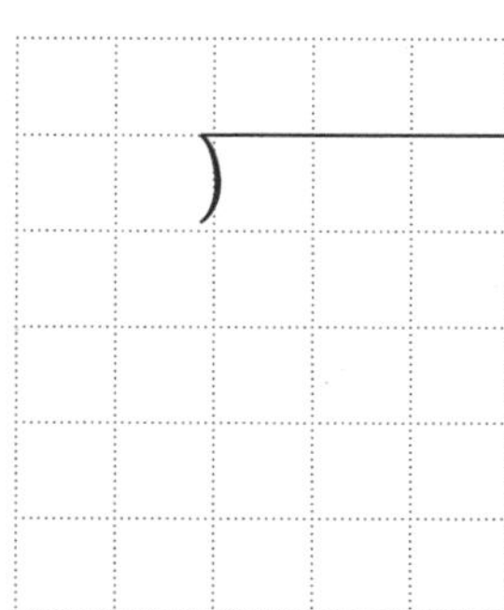

25 색 테이프 93.8 cm를 6.7 cm씩 잘랐습니다. 자른 색 테이프는 몇 도막인지 구해 보세요.

답 ______________

맞힌 개수: 개 /25개

나의 학습 결과에 ○표 하세요.

맞힌 개수	0～3개	4～9개	10～22개	23～25개
학습 방법	다시 한번 풀어 봐요.	계산 연습이 필요해요.	틀린 문제를 확인해요.	실수하지 않도록 집중해요.

QR 빠른 정답 확인

4. (소수 두 자리 수)÷(소수 두 자리 수) (1)

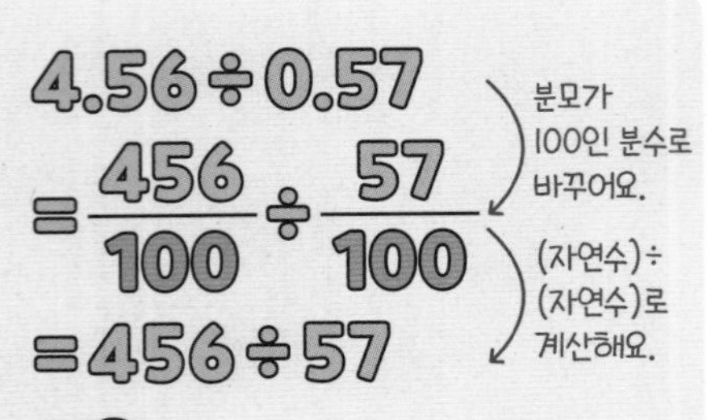

□ 안에 알맞은 수를 써넣으세요.

1. $1.68 \div 0.14$

$= \frac{\square}{100} \div \frac{\square}{100}$

$= \square \div \square$

$= \square$

2. $7.95 \div 0.53$

$= \frac{\square}{100} \div \frac{\square}{100}$

$= \square \div \square$

$= \square$

3. $8.82 \div 1.26$

$= \frac{\square}{100} \div \frac{\square}{100}$

$= \square \div \square$

$= \square$

계산해 보세요.

4. $0.65 \div 0.13$

5. $1.86 \div 0.31$

6. $2.24 \div 0.56$

7. $2.45 \div 0.35$

8. $3.12 \div 0.26$

9. $9.69 \div 0.51$

10. $10.88 \div 0.64$

11. $11.52 \div 0.48$

12. $13.68 \div 0.72$

13. $20.64 \div 0.86$

14. $26.52 \div 4.42$

15. $29.48 \div 1.34$

16. $31.85 \div 2.45$

17. $76.86 \div 4.27$

18 $0.92 \div 0.46$

소수 두 자리 수는 분모가 100인 분수로 바꾸어 계산해요.

19 $1.33 \div 0.19$

20 $2.32 \div 0.58$

21 $2.52 \div 0.21$

22 $5.44 \div 0.32$

23 $5.72 \div 0.52$

24 $7.47 \div 0.83$

25 $9.62 \div 0.74$

26 $10.32 \div 0.24$

27 $11.05 \div 0.17$

28 $15.37 \div 0.29$

29 $23.45 \div 0.67$

30 $25.48 \div 0.91$

31 $30.38 \div 0.98$

32 $32.85 \div 2.19$

33 $34.51 \div 4.93$

34 $39.52 \div 2.47$

35 $42.92 \div 1.16$

36 $45.24 \div 3.48$

37 $62.15 \div 5.65$

38 $85.32 \div 3.16$

맞힌 개수

개 /38개

나의 학습 결과에 ○표 하세요.

맞힌 개수	0～4개	5～15개	16～34개	35～38개
학습 방법	다시 한번 풀어 봐요.	계산 연습이 필요해요.	틀린 문제를 확인해요.	실수하지 않도록 집중해요.

QR 빠른 정답 확인

4. (소수 두 자리 수)÷(소수 두 자리 수) (1)

계산해 보세요.

1 $1.12 \div 0.16$

2 $2.76 \div 0.69$

3 $4.62 \div 0.33$

4 $5.04 \div 0.56$

5 $6.97 \div 0.41$

6 $7.77 \div 0.37$

7 $9.23 \div 0.71$

8 $11.27 \div 0.49$

9 $14.08 \div 0.88$

10 $19.74 \div 0.94$

11 $24.96 \div 3.12$

12 $29.75 \div 4.25$

13 $31.35 \div 2.09$

14 $34.65 \div 4.95$

15 $38.17 \div 3.47$

16 $42.84 \div 7.14$

17 $47.25 \div 3.15$

18 $58.14 \div 6.46$

19 $61.56 \div 5.13$

20 $85.14 \div 4.73$

21 $91.76 \div 2.48$

연산 in 문장제

쿠키 한 개를 만드는 데 설탕이 5.93 g 필요합니다. 설탕 53.37 g으로 만들 수 있는 쿠키는 몇 개인지 구해 보세요.

$53.37 \div 5.93 = \frac{5337}{100} \div \frac{593}{100}$

$= 5337 \div 593 = 9$(개)

53.37: 전체 설탕의 양
5.93: 쿠키 한 개를 만드는 데 필요한 설탕의 양
9: 만들 수 있는 쿠키의 수

소수	53.37	÷	5.93
분수	$\frac{5337}{100}$	÷	$\frac{593}{100}$
자연수	5337	÷	593

22 물이 1분에 0.95 L씩 나오는 약수터가 있습니다. 이 약수터에서 물 12.35 L를 받는 데 걸리는 시간은 몇 분인지 구해 보세요.

답 ______________

→

소수		÷	
분수		÷	
자연수		÷	

23 선미는 한 시간에 3.13 km를 걸을 수 있습니다. 선미가 같은 빠르기로 21.91 km를 걷는 데 걸리는 시간은 몇 시간인지 구해 보세요.

답 ______________

→

소수		÷	
분수		÷	
자연수		÷	

24 밀가루 85.75 kg을 그릇 한 개에 3.43 kg씩 나누어 담으려고 합니다. 필요한 그릇은 몇 개인지 구해 보세요.

답 ______________

→

소수		÷	
분수		÷	
자연수		÷	

맞힌 개수

개 /24개

나의 학습 결과에 ○표 하세요.

맞힌 개수	0~2개	3~8개	9~22개	23~24개
학습 방법	다시 한번 풀어 봐요.	계산 연습이 필요해요.	틀린 문제를 확인해요.	실수하지 않도록 집중해요.

QR 빠른 정답 확인

09 일차 5. (소수 두 자리 수)÷(소수 두 자리 수) (2)

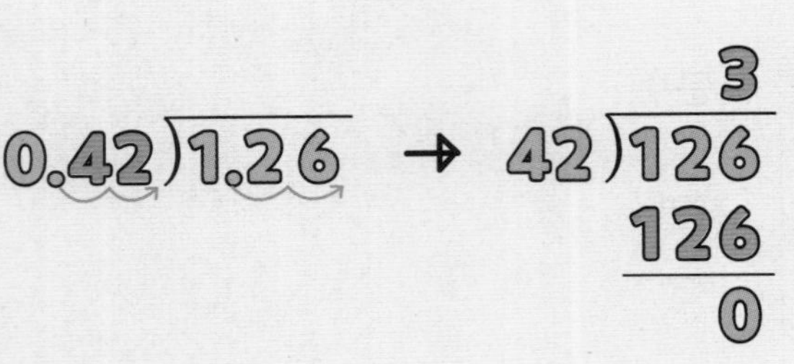

나누는 수와 나누어지는 수의 소수점을 오른쪽으로 두 자리씩 똑같이 옮겨서 자연수의 나눗셈과 같은 방법으로 계산해요.

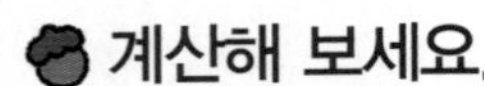

1 $0.09\overline{)0.72}$

5 $4.31\overline{)30.17}$

2

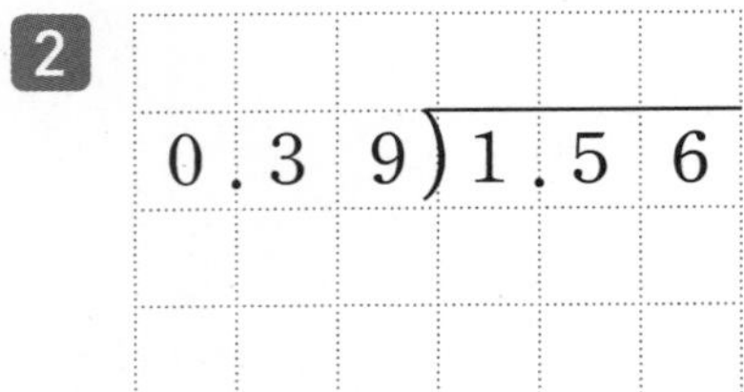

6

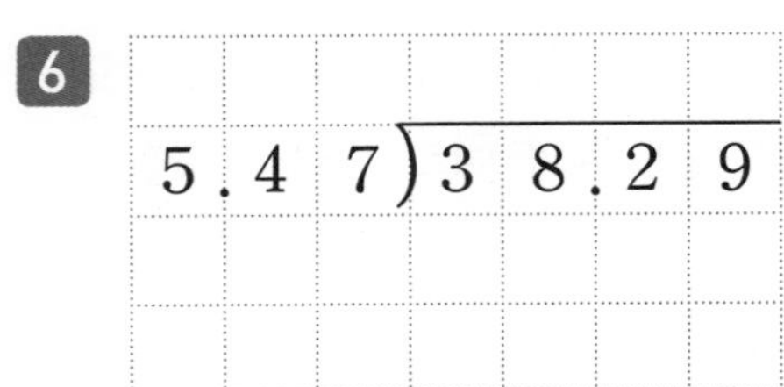

3

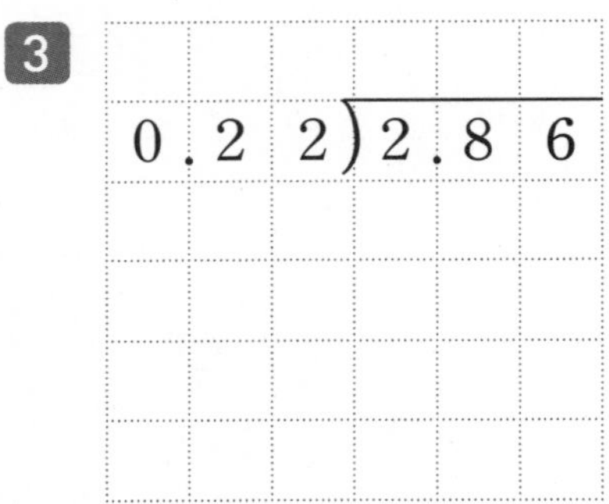

7

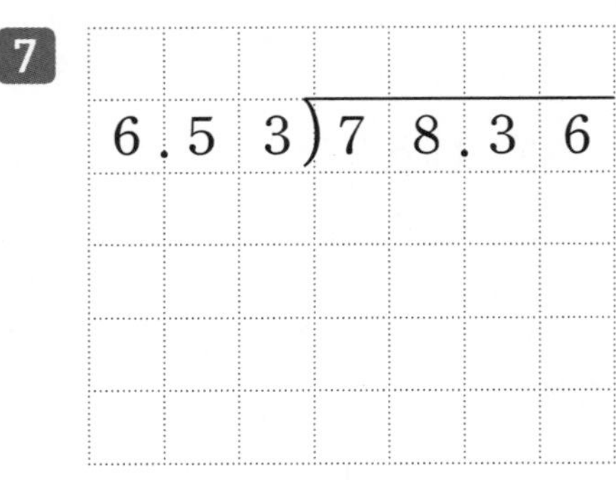

4

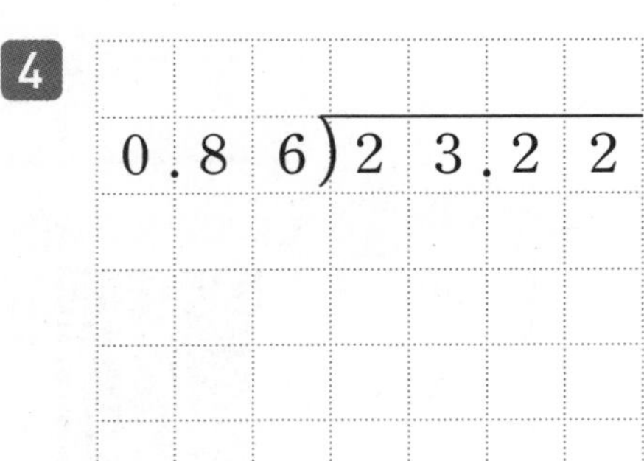

8

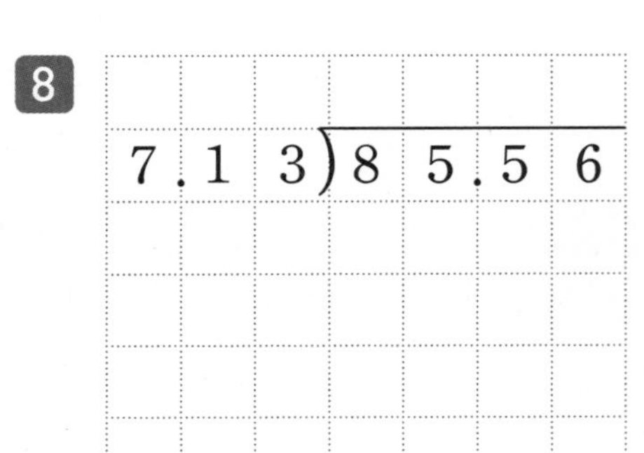

9 $0.11\overline{)0.66}$

10 $0.37\overline{)2.59}$

11 $0.43\overline{)6.02}$

12 $0.54\overline{)17.28}$

13 $0.92\overline{)19.32}$

14 $0.63\overline{)22.05}$

15

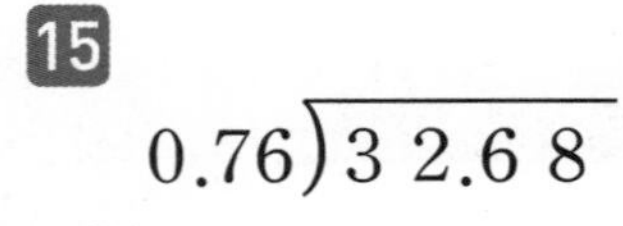

16 $6.75\overline{)33.75}$

17 $5.73\overline{)40.11}$

18 $2.14\overline{)44.94}$

19 $7.31\overline{)58.48}$

20 $4.36\overline{)69.76}$

21 $3.28\overline{)88.56}$

22 $6.04\overline{)96.64}$

23 $0.64 \div 0.16$

24 $1.08 \div 0.12$

25 $3.36 \div 0.24$

26 $8.97 \div 0.39$

27 $18.75 \div 0.75$

28 $20.35 \div 0.55$

29 $21.39 \div 0.69$

30 $25.85 \div 5.17$

31 $31.23 \div 3.47$

32 $36.78 \div 6.13$

33 $60.84 \div 5.07$

34 $83.64 \div 2.46$

35 $95.99 \div 3.31$

36 $98.54 \div 7.58$

맞힌 개수

개 /36개

나의 학습 결과에 ○표 하세요.

맞힌 개수	0～4개	5～14개	15～32개	33～36개
학습 방법	다시 한번 풀어 봐요.	계산 연습이 필요해요.	틀린 문제를 확인해요.	실수하지 않도록 집중해요.

QR 빠른 정답 확인

5. (소수 두 자리 수)÷(소수 두 자리 수) (2)

계산해 보세요.

1 $0.03\overline{)1.35}$

소수점을 똑같이 오른쪽으로 두 자리씩 옮겨요.

2 $0.25\overline{)3.25}$

3 $0.77\overline{)6.93}$

4 $0.45\overline{)7.65}$

5 $0.59\overline{)8.85}$

6 $0.38\overline{)13.68}$

7 $0.96\overline{)20.16}$

8 $4.17\overline{)29.19}$

9 $8.32\overline{)33.28}$

10 $6.42\overline{)51.36}$

11 $1.73\overline{)53.63}$

12 $9.43\overline{)56.58}$

13 $5.09\overline{)81.44}$

14 $7.74\overline{)85.14}$

15 $3.36 \div 0.28$

16 $5.85 \div 0.65$

17 $18.48 \div 0.84$

18 $21.93 \div 0.51$

19 $35.77 \div 5.11$

20 $46.93 \div 2.47$

21 $90.75 \div 6.05$

연산 in 문장제

들이가 84.36 L인 수조가 있습니다. 수조에 물을 가득 채우려면 7.03 L씩 몇 번 부어야 하는지 구해 보세요.

$84.36 \div 7.03 = 12$(번)

수조의 들이 / 한 번에 붓는 물의 양 / 부어야 하는 횟수

$$\begin{array}{r} 12 \\ 7.03\overline{)84.36} \\ 703 \\ \hline 1406 \\ 1406 \\ \hline 0 \end{array}$$

22 철근 13.42 m를 0.61 m씩 잘랐습니다. 자른 철근은 몇 도막인지 구해 보세요.

→ 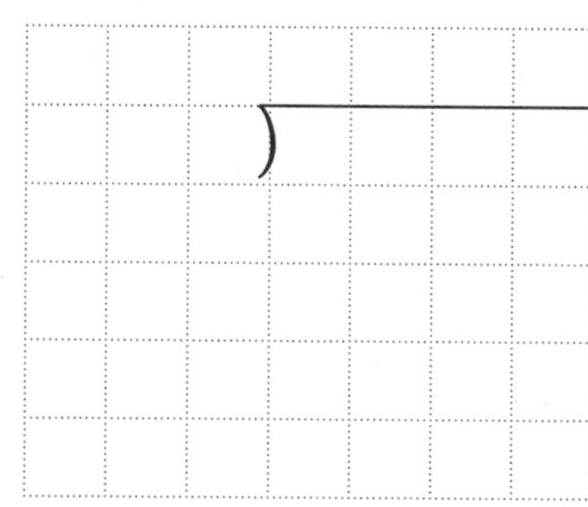

답 ____________

23 우유 16.49 L를 컵 한 개에 0.97 L씩 나누어 담으려고 합니다. 필요한 컵은 몇 개인지 구해 보세요.

→ 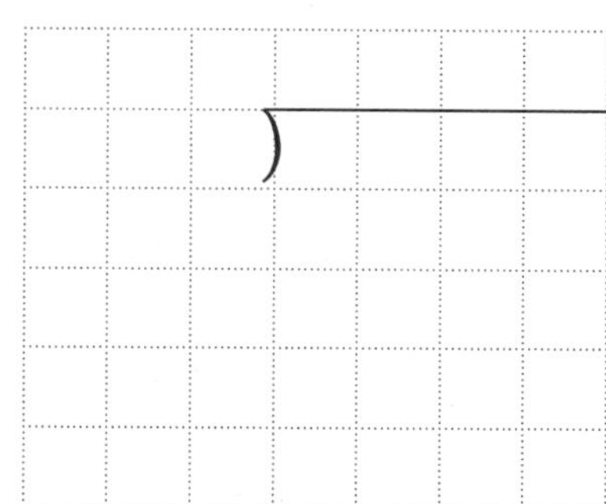

답 ____________

24 항아리 한 개를 만드는 데 흙이 3.46 kg 필요합니다. 흙 89.96 kg으로 만들 수 있는 항아리는 몇 개인지 구해 보세요.

→ 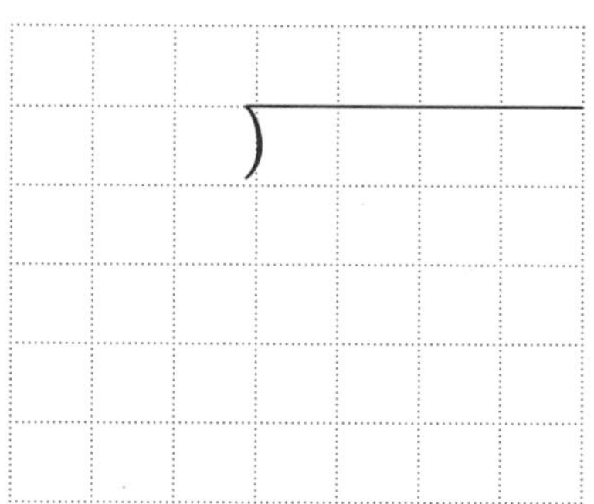

답 ____________

맞힌 개수: 개 /24개

나의 학습 결과에 ○표 하세요.

맞힌 개수	0~2개	3~8개	9~22개	23~24개
학습 방법	다시 한번 풀어 봐요.	계산 연습이 필요해요.	틀린 문제를 확인해요.	실수하지 않도록 집중해요.

QR 빠른 정답 확인

6. (소수 두 자리 수)÷(소수 한 자리 수) (1)

소수 한 자리 수를 100배 할 경우 소수점 오른쪽 끝자리에 0을 적어요.

$1.7\overline{)5.95}$ → $1.70\overline{)5.95}$ → $170\overline{)595.0}$

```
        3.5
170 ) 595.0
      510
      ---
       850
       850
       ---
         0
```

(자연수)÷(자연수)가 되도록 나누는 수와 나누어지는 수의 소수점을 똑같이 옮겨서 계산해요.

계산해 보세요.

1. $0.5\overline{)0.45}$

2. $1.3\overline{)1.43}$

3. $2.7\overline{)8.64}$

4. $6.2\overline{)32.86}$

5. $8.1\overline{)78.57}$

6. $9.4\overline{)127.84}$

7 $0.4\overline{)0.28}$

나누는 수와 나누어지는 수의 소수점을 같은 자리만큼 옮겨요.

8 $0.6\overline{)0.72}$

9 $0.9\overline{)4.14}$

10 $1.8\overline{)4.32}$

11 $6.1\overline{)10.37}$

12 $3.6\overline{)12.24}$

13 $11.7\overline{)22.23}$

14 $8.2\overline{)23.78}$

15 $5.7\overline{)35.34}$

16 $6.8\overline{)38.08}$

17 $9.5\overline{)42.75}$

18 $15.4\overline{)50.82}$

19 $7.4\overline{)63.64}$

20 $20.2\overline{)189.88}$

21 $0.74 \div 0.2$

22 $4.48 \div 0.7$

23 $11.16 \div 3.1$

24 $29.48 \div 13.4$

25 $38.76 \div 10.2$

26 $58.88 \div 25.6$

27 $102.93 \div 21.9$

맞힌 개수

개 /27개

나의 학습 결과에 ○표 하세요.

맞힌 개수	0~3개	4~10개	11~24개	25~27개
학습 방법	다시 한번 풀어 봐요.	계산 연습이 필요해요.	틀린 문제를 확인해요.	실수하지 않도록 집중해요.

QR 빠른 정답 확인

6. (소수 두 자리 수)÷(소수 한 자리 수) (1)

계산해 보세요.

1 $0.3\overline{)5.22}$

2 $5.6\overline{)10.08}$

3 $2.5\overline{)21.75}$

4 $8.3\overline{)34.86}$

5 $10.4\overline{)60.32}$

6 $18.3\overline{)84.18}$

7 $21.1\overline{)135.04}$

8 $1.28 \div 3.2$

9 $10.01 \div 1.1$

10 $11.58 \div 19.3$

11 $15.99 \div 3.9$

12 $21.17 \div 7.3$

13 $32.24 \div 2.6$

14 $33.54 \div 12.9$

15 $41.18 \div 7.1$

16 $69.81 \div 17.9$

17 $79.06 \div 11.8$

18 $88.04 \div 28.4$

19 $117.53 \div 16.1$

20 $128.74 \div 15.7$

21 $368.16 \div 31.2$

연산 in 문장제

집에서 할머니 댁까지의 거리는 10.72 km이고, 집에서 삼촌 댁까지의 거리는 6.7 km입니다. 집에서 할머니 댁까지의 거리는 집에서 삼촌 댁까지의 거리의 몇 배인지 구해 보세요.

10.72 ÷ 6.7 = 1.6(배)

10.72: 집에서 할머니 댁까지의 거리

6.7: 집에서 삼촌 댁까지의 거리

```
           1 . 6
6.7 0 )1 0 . 7 2 0
         6   7 0
         4   0 2 0
         4   0 2 0
                 0
```

22 민지가 가진 리본의 길이는 11.52 m이고, 승윤이가 가진 리본의 길이는 9.6 m입니다. 민지가 가진 리본의 길이는 승윤이가 가진 리본의 길이의 몇 배인지 구해 보세요.

답 ________

→ 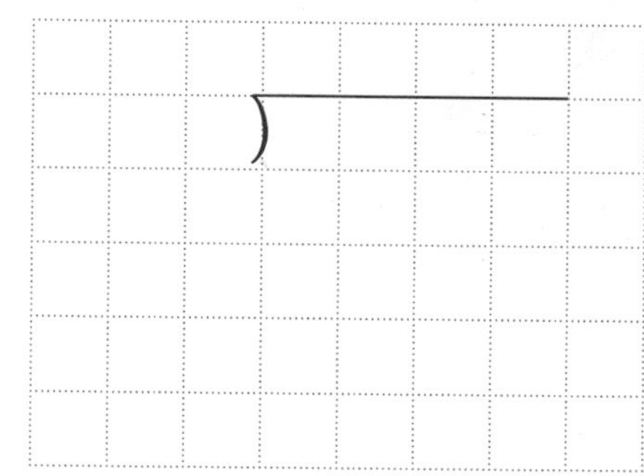

23 굵기가 일정한 통나무 4.4 m의 무게는 14.08 kg입니다. 이 통나무 1 m의 무게는 몇 kg인지 구해 보세요.

답 ________

→ 

24 물이 1분에 7.3 L씩 나오는 수도가 있습니다. 이 수도로 물 31.39 L를 받는 데 걸리는 시간은 몇 분인지 구해 보세요.

답 ________

→ 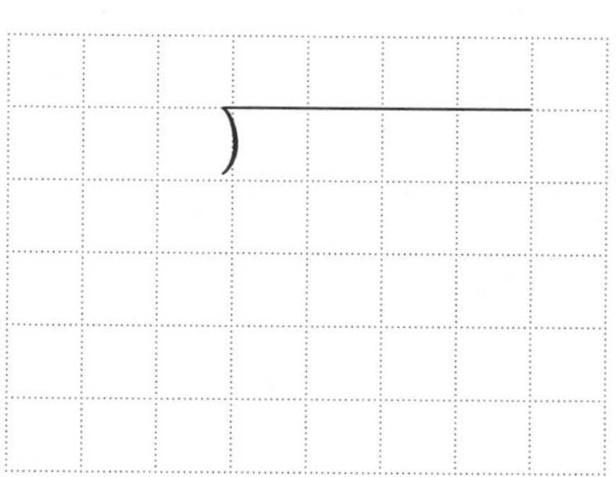

맞힌 개수: 개 /24개

나의 학습 결과에 ○표 하세요.

맞힌 개수	0~2개	3~8개	9~22개	23~24개
학습 방법	다시 한번 풀어 봐요.	계산 연습이 필요해요.	틀린 문제를 확인해요.	실수하지 않도록 집중해요.

QR 빠른 정답 확인

7. (소수 두 자리 수)÷(소수 한 자리 수) (2)

계산해 보세요.

1 $0.7 \overline{)2.38}$

2 $1.6 \overline{)2.56}$

3 $2.4 \overline{)3.12}$

4 $5.2 \overline{)15.08}$

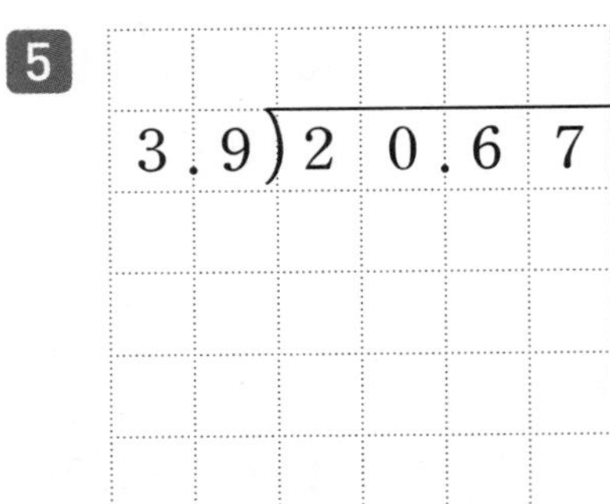

5 $3.9 \overline{)20.67}$

6 $16.1 \overline{)51.52}$

7 $13.5 \overline{)106.65}$

8 $0.8\overline{)4.96}$

9 $1.5\overline{)7.05}$

10 $4.2\overline{)10.08}$

11 $9.8\overline{)13.72}$

12 $21.4\overline{)17.12}$

13 $5.6\overline{)21.84}$

14 $41.8\overline{)29.26}$

15 $7.2\overline{)35.28}$

16 $36.9\overline{)44.28}$

17 $6.3\overline{)47.88}$

18 $33.7\overline{)57.29}$

19 $17.6\overline{)128.48}$

20 $5.1\overline{)165.24}$

21 $52.7\overline{)321.47}$

22 $2.32 \div 5.8$

23 $15.36 \div 2.4$

24 $28.52 \div 9.2$

25 $49.01 \div 37.7$

26 $73.63 \div 19.9$

27 $88.56 \div 21.6$

28 $125.58 \div 27.3$

맞힌 개수

개 /28개

나의 학습 결과에 ○표 하세요.

맞힌 개수	0～3개	4～10개	11～25개	26～28개
학습 방법	다시 한번 풀어 봐요.	계산 연습이 필요해요.	틀린 문제를 확인해요.	실수하지 않도록 집중해요.

QR 빠른 정답 확인

7. (소수 두 자리 수)÷(소수 한 자리 수) (2)

계산해 보세요.

1 $1.1\overline{)2.53}$

2 $4.3\overline{)15.48}$

3 $9.6\overline{)31.68}$

4 $8.3\overline{)47.31}$

5 $10.5\overline{)61.95}$

6 $5.7\overline{)72.96}$

7 $31.2\overline{)134.16}$

8 $4.25 \div 8.5$

9 $18.06 \div 1.4$

10 $25.16 \div 3.4$

11 $27.26 \div 4.7$

12 $34.84 \div 2.6$

13 $50.92 \div 13.4$

14 $51.45 \div 34.3$

15 $66.74 \div 7.1$

16 $71.41 \div 19.3$

17 $81.25 \div 32.5$

18 $85.26 \div 40.6$

19 $97.92 \div 27.2$

20 $168.37 \div 11.3$

21 $304.59 \div 21.3$

연산 in 문장제

1분에 4.6 km를 가는 열차가 있습니다. 열차가 같은 빠르기로 76.82 km를 가는 데 걸리는 시간은 몇 분인지 구해 보세요.

76.82 ÷ 4.6 = 16.7(분)

- 76.82: 열차가 이동해야 하는 거리
- 4.6: 1분 동안 이동하는 거리
- 16.7: 이동하는 데 걸린 시간

$$\begin{array}{r} 16.7 \\ 4.6\overline{)76.82} \\ 46 \\ \hline 308 \\ 276 \\ \hline 322 \\ 322 \\ \hline 0 \end{array}$$

22 집에서 공원까지의 거리는 11.68 km이고, 집에서 도서관까지의 거리는 7.3 km입니다. 집에서 공원까지의 거리는 집에서 도서관까지의 거리의 몇 배인지 구해 보세요.

→ 

답 ____________

23 어느 박물관에 있는 공룡 모형의 키는 15.52 m이고, 윤석이의 키는 1.6 m입니다. 공룡 모형의 키는 윤석이의 키의 몇 배인지 구해 보세요.

→ 

답 ____________

24 굵기가 일정한 쇠막대 4.9 m의 무게는 36.26 kg입니다. 이 쇠막대 1 m의 무게는 몇 kg인지 구해 보세요.

→ 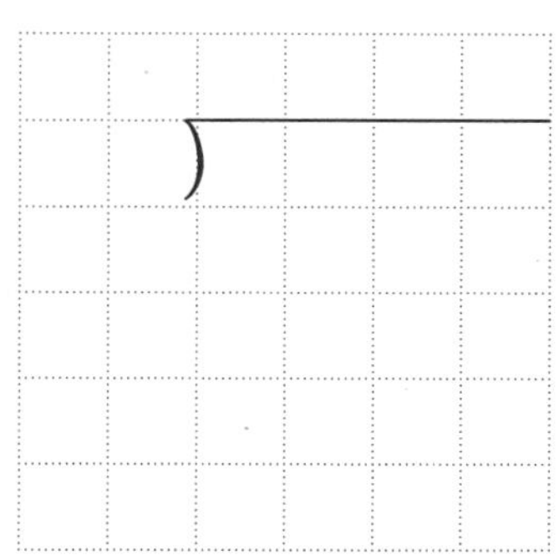

답 ____________

맞힌 개수: 개 / 24개

나의 학습 결과에 ○표 하세요.

맞힌 개수	0~2개	3~8개	9~22개	23~24개
학습 방법	다시 한번 풀어 봐요.	계산 연습이 필요해요.	틀린 문제를 확인해요.	실수하지 않도록 집중해요.

QR 빠른 정답 확인

연산&문장제 마무리

계산해 보세요.

1 $2.8 \div 0.4$

8 $28.8 \div 3.2$

15 $2.94 \div 0.07$

2 $4.5 \div 0.9$

9 $37.2 \div 6.2$

16 $5.04 \div 0.28$

3 $3.9 \div 1.3$

10 $52.2 \div 2.9$

17 $11.52 \div 0.96$

4 $11.6 \div 5.8$

11 $67.5 \div 7.5$

18 $16.08 \div 0.67$

5 $25.2 \div 2.1$

12 $84.6 \div 9.4$

19 $18.72 \div 0.52$

6 $26.4 \div 8.8$

13 $89.6 \div 5.6$

20 $21.87 \div 0.81$

7 $28.2 \div 4.7$

14 $98.4 \div 8.2$

21 $27.04 \div 1.04$

22 $31.44 \div 7.86$

23 $43.75 \div 6.25$

24 $44.38 \div 3.17$

25 $63.15 \div 4.21$

26 $81.94 \div 2.41$

27 $85.58 \div 3.89$

28 $94.38 \div 7.26$

29 $99.62 \div 5.86$

30 $1.04 \div 0.8$

31 $9.45 \div 13.5$

32 $13.88 \div 34.7$

33 $14.11 \div 8.3$

34 $23.04 \div 2.4$

35 $23.45 \div 6.7$

36 $34.96 \div 9.2$

37 $44.64 \div 3.6$

38 $46.17 \div 24.3$

39 $53.69 \div 41.3$

40 $60.68 \div 4.1$

41 $92.71 \div 12.7$

42 $99.28 \div 29.2$

43 $138.91 \div 47.9$

44 $164.48 \div 51.4$

45 $175.76 \div 33.8$

연산&문장제 마무리

정답 22쪽

연산 노트

46 식혜 23.8 L를 병 한 개에 1.7 L씩 나누어 담으려고 합니다. 필요한 병은 몇 개인지 구해 보세요.

답 ______________

47 빵 한 개를 만드는 데 설탕이 13.4 g 필요합니다. 설탕 80.4 g으로 만들 수 있는 빵은 몇 개인지 구해 보세요.

답 ______________

48 종이테이프 14.45 m를 한 사람에게 0.85 m씩 나누어 주려고 합니다. 종이테이프를 몇 명까지 나누어 줄 수 있는지 구해 보세요.

답 ______________

49 고구마 51.84 kg을 상자 한 개에 4.32 kg씩 나누어 담으려고 합니다. 필요한 상자는 몇 개인지 구해 보세요.

답 ______________

50 민주가 딴 딸기의 무게는 16.56 kg이고, 희주가 딴 딸기의 무게는 18.4 kg입니다. 민주가 딴 딸기의 무게는 희주가 딴 딸기의 무게의 몇 배인지 구해 보세요.

답 ______________

51 아버지의 한 뼘의 길이는 22.86 cm이고, 선호의 한 뼘의 길이는 12.7 cm입니다. 아버지의 한 뼘의 길이는 선호의 한 뼘의 길이의 몇 배인지 구해 보세요.

답 ______________

52 어느 식물의 키를 지난달에 재었더니 25.3 cm였고, 이번 달에 재었더니 65.78 cm였습니다. 이번 달에 잰 식물의 키는 지난달에 잰 식물의 키의 몇 배인지 구해 보세요.

답 ______________

맞힌 개수

개 /52개

나의 학습 결과에 ○표 하세요.

맞힌 개수	0~5개	6~21개	22~47개	48~52개
학습 방법	다시 한번 풀어 봐요.	계산 연습이 필요해요.	틀린 문제를 확인해요.	실수하지 않도록 집중해요.

QR 빠른 정답 확인

4

소수의 나눗셈 (2)

학습 주제	학습 일차	맞힌 개수
1. (자연수)÷(소수 한 자리 수) (1)	01일차	/35
	02일차	/25
2. (자연수)÷(소수 한 자리 수) (2)	03일차	/34
	04일차	/25
3. (자연수)÷(소수 두 자리 수) (1)	05일차	/28
	06일차	/24
4. (자연수)÷(소수 두 자리 수) (2)	07일차	/27
	08일차	/25
5. 몫을 반올림하여 나타내기 (1)	09일차	/24
	10일차	/14
6. 몫을 반올림하여 나타내기 (2)	11일차	/21
	12일차	/16
7. 나누어 주고 남는 양 구하기	13일차	/27
	14일차	/19
연산 & 문장제 마무리	15일차	/46

01 일차 1. (자연수)÷(소수 한 자리 수) (1)

$54 \div 1.8$

$= \dfrac{540}{10} \div \dfrac{18}{10}$ ← 분모가 10인 분수로 고쳐요.

$= 540 \div 18$ ← (자연수)÷(자연수)로 계산해요.

$= 30$

□ 안에 알맞은 수를 써넣으세요.

1 $5 \div 0.2$

$= \dfrac{\square}{10} \div \dfrac{\square}{10}$

$= \square \div \square$

$= \square$

2 $8 \div 0.5$

$= \dfrac{\square}{10} \div \dfrac{\square}{10}$

$= \square \div \square$

$= \square$

3 $15 \div 0.3$

$= \dfrac{\square}{10} \div \dfrac{\square}{10}$

$= \square \div \square$

$= \square$

4 $21 \div 1.5$

$= \dfrac{\square}{10} \div \dfrac{\square}{10}$

$= \square \div \square$

$= \square$

5 $27 \div 1.8$

$= \dfrac{\square}{10} \div \dfrac{\square}{10}$

$= \square \div \square$

$= \square$

6 $56 \div 3.5$

$= \dfrac{\square}{10} \div \dfrac{\square}{10}$

$= \square \div \square$

$= \square$

7 $80 \div 1.6$

$= \dfrac{\square}{10} \div \dfrac{\square}{10}$

$= \square \div \square$

$= \square$

계산해 보세요.

8 $1 \div 0.5$

9 $7 \div 0.7$

10 $9 \div 0.6$

11 $14 \div 3.5$

12 $17 \div 3.4$

13 $18 \div 1.5$

14 $25 \div 0.5$

15 $33 \div 1.5$

16 $36 \div 1.8$

17 $38 \div 9.5$

18 $39 \div 6.5$

19 $44 \div 0.8$

20 $48 \div 2.4$

21 $49 \div 1.4$

22 $54 \div 1.2$

23 $57 \div 9.5$

24 $63 \div 1.8$

25 $78 \div 6.5$

26 $80 \div 2.5$

27 $84 \div 3.5$

28 $85 \div 1.7$

29 $90 \div 2.5$

30 $92 \div 2.3$

31 $96 \div 6.4$

32 $120 \div 4.8$

33 $153 \div 4.5$

34 $195 \div 7.5$

35 $196 \div 5.6$

맞힌 개수

개 /35개

나의 학습 결과에 ○표 하세요.

맞힌 개수	0~4개	5~14개	15~31개	32~35개
학습 방법	다시 한번 풀어 봐요.	계산 연습이 필요해요.	틀린 문제를 확인해요.	실수하지 않도록 집중해요.

QR 빠른 정답 확인

1. (자연수)÷(소수 한 자리 수) (1)

계산해 보세요.

1 $3 \div 0.3$

2 $7 \div 3.5$

3 $8 \div 0.4$

4 $14 \div 0.7$

5 $15 \div 0.2$

6 $18 \div 4.5$

7 $20 \div 2.5$

8 $22 \div 5.5$

9 $29 \div 0.5$

10 $36 \div 7.2$

11 $39 \div 1.5$

12 $57 \div 1.9$

13 $60 \div 2.5$

14 $65 \div 1.3$

15 $72 \div 4.5$

16 $84 \div 5.6$

17 $90 \div 7.5$

18 $98 \div 3.5$

19 $99 \div 4.5$

20 $104 \div 6.5$

21 $126 \div 2.8$

연산 in 문장제

별 모양 한 개를 만드는 데 색 테이프가 0.2 m 필요합니다. 색 테이프 9 m로 만들 수 있는 별 모양은 몇 개인지 구해 보세요.

$9 \div 0.2 = \frac{90}{10} \div \frac{2}{10} = 90 \div 2 = 45$(개)

- 9: 전체 색 테이프의 길이
- 0.2: 별 모양 한 개를 만드는 데 필요한 색 테이프의 길이
- 45: 만들 수 있는 별 모양의 수

소수	9	÷	0.2
분수	$\frac{90}{10}$	÷	$\frac{2}{10}$
자연수	90	÷	2

22 딸기 7 kg을 상자 한 개에 0.5 kg씩 나누어 담으려고 합니다. 필요한 상자는 몇 개인지 구해 보세요.

답 ______

소수		÷	
분수		÷	
자연수		÷	

23 사과주스 한 병을 만드는 데 물이 0.8 L 필요합니다. 물 12 L로 만들 수 있는 사과주스는 몇 병인지 구해 보세요.

답 ______

소수		÷	
분수		÷	
자연수		÷	

24 빵 한 개를 만드는 데 소금이 2.5 g 필요합니다. 소금 40 g으로 만들 수 있는 빵은 몇 개인지 구해 보세요.

답 ______

소수		÷	
분수		÷	
자연수		÷	

25 1분에 1.4 km를 가는 자동차가 있습니다. 같은 빠르기로 42 km를 가는 데 걸리는 시간은 몇 분인지 구해 보세요.

답 ______

소수		÷	
분수		÷	
자연수		÷	

맞힌 개수: 개 /25개

나의 학습 결과에 ○표 하세요.

맞힌 개수	0~3개	4~9개	10~22개	23~25개
학습 방법	다시 한번 풀어 봐요.	계산 연습이 필요해요.	틀린 문제를 확인해요.	실수하지 않도록 집중해요.

QR 빠른 정답 확인

03 일차 2. (자연수)÷(소수 한 자리 수) (2)

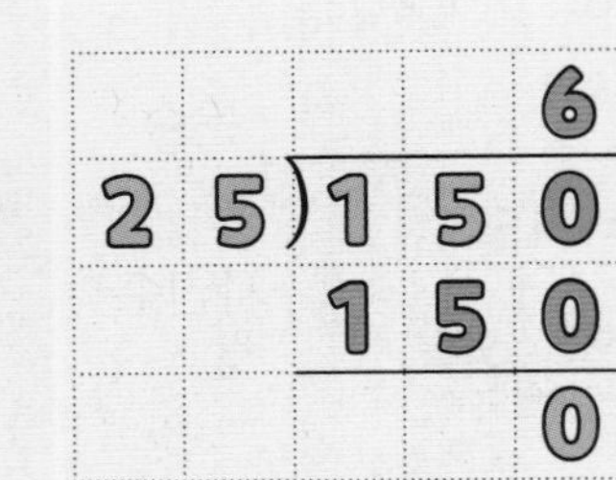

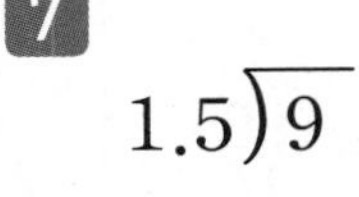

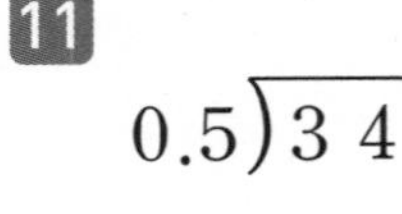

계산해 보세요.

1. $0.4\overline{)2}$

2. $0.5\overline{)19}$

3. $1.6\overline{)24}$

4. $3.5\overline{)28}$

5. $2.5\overline{)35}$

6. $1.5\overline{)48}$

7. $1.5\overline{)9}$

8. $2.8\overline{)14}$

9. $0.8\overline{)20}$

10. $1.3\overline{)26}$

11. $0.5\overline{)34}$

12. $1.3\overline{)39}$

13. $2.9\overline{)58}$

14 $4.6\overline{)69}$

15 $3.5\overline{)77}$

16 $1.5\overline{)87}$

17 $6.5\overline{)91}$

18 $3.5\overline{)112}$

19 $2.5\overline{)115}$

20 $1.5\overline{)126}$

21 $4 \div 0.8$

22 $6 \div 0.5$

23 $21 \div 1.4$

24 $23 \div 0.5$

25 $30 \div 7.5$

26 $31 \div 3.1$

27 $36 \div 1.5$

28 $45 \div 1.5$

29 $55 \div 2.5$

30 $65 \div 2.5$

31 $76 \div 9.5$

32 $95 \div 2.5$

33 $108 \div 2.7$

34 $133 \div 3.5$

맞힌 개수

개 /34개

나의 학습 결과에 ○표 하세요.

맞힌 개수	0~3개	4~13개	14~31개	32~34개
학습 방법	다시 한번 풀어 봐요.	계산 연습이 필요해요.	틀린 문제를 확인해요.	실수하지 않도록 집중해요.

QR 빠른 정답 확인

2. (자연수)÷(소수 한 자리 수) (2)

계산해 보세요.

1 $0.5\overline{)18}$

2 $4.8\overline{)24}$

3 $1.2\overline{)30}$

4 $4.5\overline{)36}$

5 $0.7\overline{)42}$

6 $2.5\overline{)45}$

7 $3.4\overline{)51}$

8 $2.3\overline{)69}$

9 $5.2\overline{)78}$

10 $1.5\overline{)81}$

11 $2.9\overline{)87}$

12 $1.8\overline{)99}$

13 $4.5\overline{)144}$

14 $2.6\overline{)169}$

15 $4 \div 0.5$

16 $16 \div 3.2$

17 $22 \div 1.1$

18 $46 \div 0.5$

19 $85 \div 2.5$

20 $93 \div 1.5$

21 $143 \div 6.5$

연산 in 문장제

인형 한 개를 만드는 데 지점토가 0.5 kg 필요합니다. 지점토 3 kg으로 만들 수 있는 인형은 몇 개인지 구해 보세요.

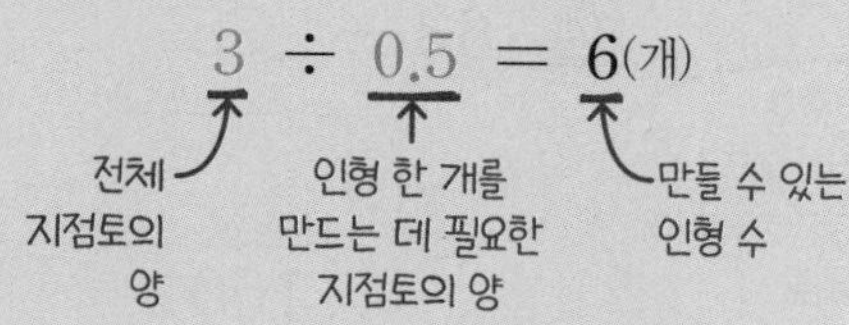

$$\begin{array}{r} 6 \\ 0.5\overline{)3.0} \\ 3\;0 \\ \hline 0 \end{array}$$

22 집에서 학교까지의 거리는 1.5 km이고, 집에서 도서관까지의 거리는 6 km입니다. 집에서 도서관까지의 거리는 집에서 학교까지의 거리의 몇 배인지 구해 보세요.

➜

답 ______________

23 립밤 한 개를 만드는 데 코코넛 버터가 1.7 g 필요합니다. 코코넛 버터 34 g으로 만들 수 있는 립밤은 몇 개인지 구해 보세요.

➜

답 ______________

24 밤 42 kg을 바구니 한 개에 8.4 kg씩 나누어 담으려고 합니다. 필요한 바구니는 몇 개인지 구해 보세요.

➜

답 ______________

25 농장에서 우유 70 L를 병 한 개에 2.8 L씩 나누어 담으려고 합니다. 필요한 병은 몇 개인지 구해 보세요.

➜

답 ______________

맞힌 개수

개 /25개

나의 학습 결과에 ○표 하세요.

맞힌 개수	0~3개	4~9개	10~22개	23~25개
학습 방법	다시 한번 풀어 봐요.	계산 연습이 필요해요.	틀린 문제를 확인해요.	실수하지 않도록 집중해요.

QR 빠른 정답 확인

3. (자연수)÷(소수 두 자리 수) (1)

□ 안에 알맞은 수를 써넣으세요.

1 $9 \div 0.45$

$= \frac{\square}{100} \div \frac{\square}{100}$

$= \square \div \square$

$= \square$

2 $39 \div 0.52$

$= \frac{\square}{100} \div \frac{\square}{100}$

$= \square \div \square$

$= \square$

3 $41 \div 2.05$

$= \frac{\square}{100} \div \frac{\square}{100}$

$= \square \div \square$

$= \square$

4 $63 \div 1.75$

$= \frac{\square}{100} \div \frac{\square}{100}$

$= \square \div \square$

$= \square$

5 $94 \div 2.35$

$= \frac{\square}{100} \div \frac{\square}{100}$

$= \square \div \square$

$= \square$

6 $104 \div 3.25$

$= \frac{\square}{100} \div \frac{\square}{100}$

$= \square \div \square$

$= \square$

7 $173 \div 3.46$

$= \frac{\square}{100} \div \frac{\square}{100}$

$= \square \div \square$

$= \square$

계산해 보세요.

8 $3 \div 0.75$

15 $38 \div 1.52$

22 $98 \div 1.75$

9 $20 \div 1.25$

16 $42 \div 1.05$

23 $111 \div 1.85$

10 $21 \div 1.75$

17 $46 \div 0.92$

24 $117 \div 2.25$

11 $22 \div 0.88$

18 $59 \div 2.36$

25 $121 \div 2.75$

12 $31 \div 1.55$

19 $63 \div 2.25$

26 $123 \div 1.64$

13 $34 \div 4.25$

20 $66 \div 2.75$

27 $157 \div 3.14$

14 $36 \div 0.75$

21 $68 \div 0.85$

28 $171 \div 2.28$

맞힌 개수
개 /28개

나의 학습 결과에 ○표 하세요.

맞힌 개수	0~3개	4~10개	11~25개	26~28개
학습 방법	다시 한번 풀어 봐요.	계산 연습이 필요해요.	틀린 문제를 확인해요.	실수하지 않도록 집중해요.

QR 빠른 정답 확인

3. (자연수)÷(소수 두 자리 수) (1)

계산해 보세요.

1 $6 \div 0.25$

2 $7 \div 1.75$

3 $15 \div 1.25$

4 $18 \div 0.45$

5 $36 \div 0.72$

6 $39 \div 0.75$

7 $46 \div 1.15$

8 $49 \div 2.45$

9 $50 \div 6.25$

10 $51 \div 0.68$

11 $60 \div 3.75$

12 $69 \div 3.45$

13 $71 \div 2.84$

14 $72 \div 2.25$

15 $77 \div 2.75$

16 $84 \div 3.36$

17 $92 \div 3.68$

18 $93 \div 1.24$

19 $108 \div 2.16$

20 $135 \div 3.75$

21 $156 \div 3.25$

연산 in 문장제

민호가 자전거를 타고 56 km를 1.75시간만에 완주하였습니다. 민호가 일정한 빠르기로 자전거를 탔다면 1시간 동안 달린 거리는 몇 km인지 구해 보세요.

$56 \div 1.75 = \frac{5600}{100} \div \frac{175}{100}$

(56: 완주한 거리, 1.75: 완주한 시간)

$= 5600 \div 175 = 32$ (km)

(32: 1시간 동안 달린 거리)

소수	56	÷	1.75
분수	$\frac{5600}{100}$	÷	$\frac{175}{100}$
자연수	5600	÷	175

22 식용유 19 L를 병 한 개에 0.76 L씩 나누어 담으려고 합니다. 필요한 병은 몇 개인지 구해 보세요.

답 ______________

→

소수		÷	
분수		÷	
자연수		÷	

23 종이띠 63 cm를 0.84 cm씩 잘라서 종이 꽃가루를 만들었습니다. 만든 종이 꽃가루는 몇 개인지 구해 보세요.

답 ______________

→

소수		÷	
분수		÷	
자연수		÷	

24 돌고래의 몸길이는 120 cm이고, 피라미의 몸길이는 1.25 cm입니다. 돌고래의 몸길이는 피라미의 몸길이의 몇 배인지 구해 보세요.

답 ______________

→

소수		÷	
분수		÷	
자연수		÷	

맞힌 개수

개 /24개

나의 학습 결과에 ○표 하세요.

맞힌 개수	0~2개	3~8개	9~22개	23~24개
학습 방법	다시 한번 풀어 봐요.	계산 연습이 필요해요.	틀린 문제를 확인해요.	실수하지 않도록 집중해요.

QR 빠른 정답 확인

07 일차 4. (자연수) ÷ (소수 두 자리 수) (2)

$0.75\overline{)18.00}$ → $75\overline{)1800}$

				2	4
7	5	1	8	0	0
		1	5	0	
			3	0	0
			3	0	0
					0

나누는 수가 자연수가 되도록 나누는 수와 나누어지는 수의 소수점을 오른쪽으로 똑같이 옮겨 계산해요.

● 계산해 보세요.

1. $5.75\overline{)23}$

2. $1.64\overline{)41}$

3. 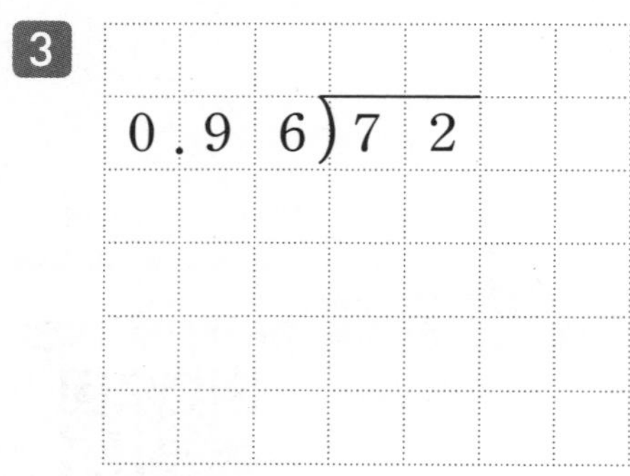

4. 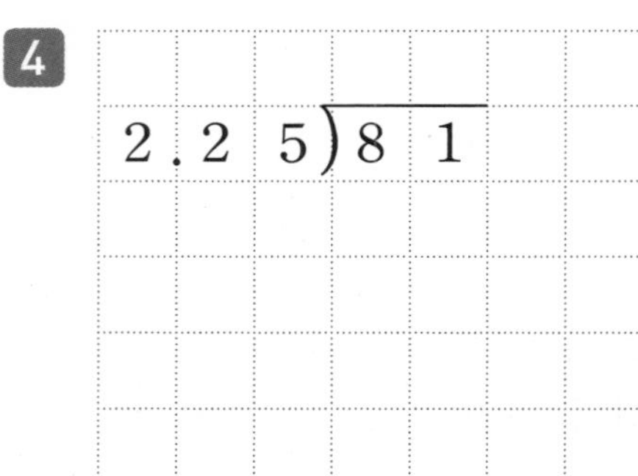

5. $1.44\overline{)108}$

6. 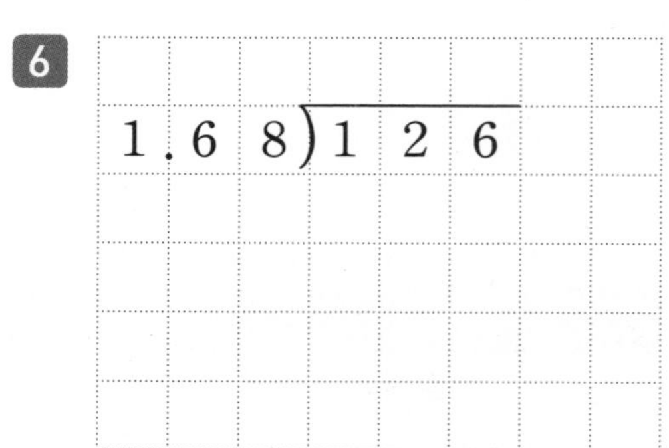

7 $1.25\overline{)10}$

8 $0.25\overline{)17}$

9 $4.75\overline{)19}$

10 $0.45\overline{)27}$

11 $1.12\overline{)28}$

12 $1.65\overline{)33}$

13 $3.75\overline{)45}$

14 $2.24\overline{)56}$

15 $4.25\overline{)68}$

16 $1.95\overline{)78}$

17 $1.16\overline{)87}$

18 $3.72\overline{)93}$

19 $4.25\overline{)119}$

20 $2.75\overline{)143}$

21 $24 \div 0.75$

22 $52 \div 1.04$

23 $91 \div 3.64$

24 $98 \div 2.45$

25 $102 \div 4.25$

26 $134 \div 2.68$

27 $162 \div 6.75$

맞힌 개수

개 /27개

나의 학습 결과에 ○표 하세요.

맞힌 개수	0～3개	4～10개	11～24개	25～27개
학습 방법	다시 한번 풀어 봐요.	계산 연습이 필요해요.	틀린 문제를 확인해요.	실수하지 않도록 집중해요.

QR 빠른 정답 확인

4. (자연수)÷(소수 두 자리 수) (2)

계산해 보세요.

1 $0.25\overline{)15}$

2 $1.85\overline{)37}$

3 $1.96\overline{)49}$

4 $1.55\overline{)62}$

5 $4.75\overline{)76}$

6 $2.25\overline{)99}$

7 $2.14\overline{)107}$

8 $25\div6.25$

9 $42\div0.75$

10 $46\div5.75$

11 $56\div1.12$

12 $57\div2.28$

13 $63\div5.25$

14 $65\div1.25$

15 $82\div2.05$

16 $88\div2.75$

17 $91\div1.75$

18 $102\div1.36$

19 $105\div3.75$

20 $117\div3.25$

21 $144\div1.92$

연산 in 문장제

굵기가 일정한 철근 1.05 m의 무게는 21 kg입니다. 철근 1 m의 무게는 몇 kg인지 구해 보세요.

$21 \div 1.05 = 20$ (kg)

21: 전체 철근의 무게, 1.05: 전체 철근의 길이, 20: 철근 1 m의 무게

$$\begin{array}{r} 20 \\ 1.05\overline{)21.00} \\ \underline{210} \\ 0 \end{array}$$

22 밭에서 아버지가 캔 감자는 5 kg이고 승호가 캔 감자는 1.25 kg입니다. 아버지가 캔 감자의 무게는 승호가 캔 감자의 무게의 몇 배인지 구해 보세요.

답 ____________

23 호떡 한 개를 만드는 데 설탕이 3.25 g 필요합니다. 설탕 26 g으로 만들 수 있는 호떡은 몇 개인지 구해 보세요.

답 ____________

24 띠 골판지 72 cm를 2.88 cm씩 잘랐습니다. 자른 띠 골판지는 몇 도막인지 구해 보세요.

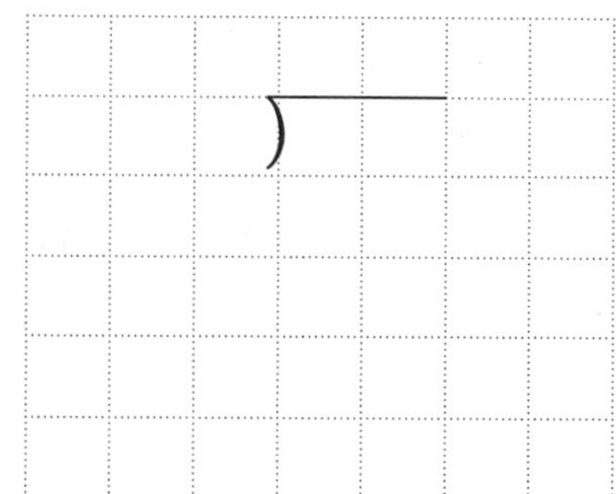

답 ____________

25 참기름 84 L를 1.12 L짜리 병에 가득 담으려고 합니다. 참기름을 나누어 담을 때 필요한 병은 몇 개인지 구해 보세요.

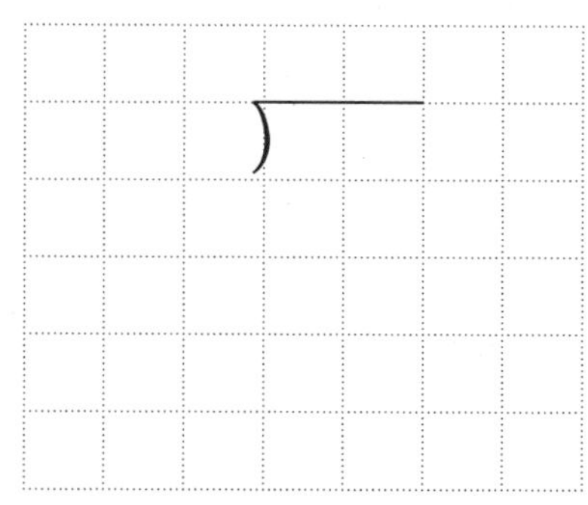

답 ____________

맞힌 개수

개 /25개

나의 학습 결과에 ○표 하세요.

맞힌 개수	0～3개	4～9개	10～22개	23～25개
학습 방법	다시 한번 풀어 봐요.	계산 연습이 필요해요.	틀린 문제를 확인해요.	실수하지 않도록 집중해요.

QR 빠른 정답 확인

09 일차 5. 몫을 반올림하여 나타내기 (1)

		1	. 7	1
7)1	2	. 0	0	
		7		
		5	0	
		4	9	
			1	0
				7
				3

• 몫을 반올림하여 일의 자리까지 나타내기

12÷7=1.7… ➔ 2

소수 첫째 자리 숫자가 7이므로 올려요.

• 몫을 반올림하여 소수 첫째 자리까지 나타내기

12÷7=1.71… ➔ 1.7

소수 둘째 자리 숫자가 1이므로 버려요.

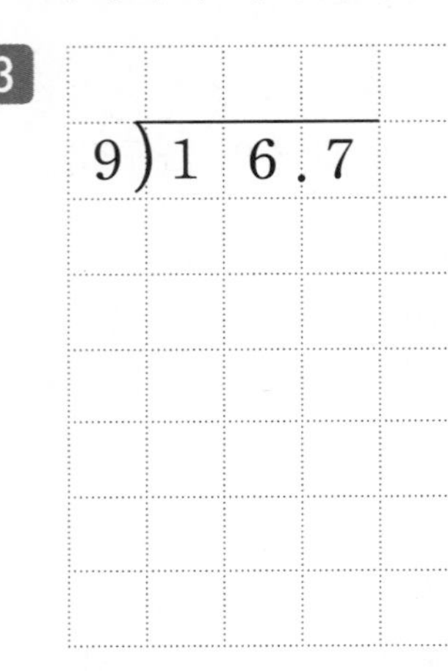

몫을 반올림하여 일의 자리까지 나타내어 보세요.

1. $17\overline{)20}$

➡ (　　　　)

2. $1.1\overline{)23.8}$

➡ (　　　　)

몫을 반올림하여 소수 첫째 자리까지 나타내어 보세요.

3. $9\overline{)16.7}$

➡ (　　　　)

4. $1.4\overline{)8.6}$

➡ (　　　　)

몫을 반올림하여 일의 자리까지 나타내어 보세요.

5. $7\overline{)20}$

➡ (　　　　)

6. $29\overline{)37}$

➡ (　　　　)

7. $11\overline{)41}$

➡ (　　　　)

8. $17\overline{)16.8}$

➡ (　　　　)

9. $13\overline{)23.7}$

➡ (　　　　)

10

$9\overline{)39.4}$

➡ (   )

11

$15\overline{)52.1}$

➡ (   )

12

$1.9\overline{)8.9}$

➡ (   )

13

$2.2\overline{)12.6}$

➡ (   )

14

$4.6\overline{)25.5}$

➡ (   )

● 몫을 반올림하여 소수 첫째 자리까지 나타내어 보세요.

15

$7\overline{)16}$

소수 둘째 자리에서 반올림해요.

➡ (   )

16

$18\overline{)29}$

➡ (   )

17

$23\overline{)40}$

➡ (   )

18

$3\overline{)4.7}$

➡ (   )

19

$9\overline{)17.4}$

➡ (   )

20

$31\overline{)41.9}$

➡ (   )

21

$2.1\overline{)8.7}$

➡ (   )

22

$3.8\overline{)14.6}$

➡ (   )

23

$4.2\overline{)39.3}$

➡ (   )

24

$8.5\overline{)50.4}$

➡ (   )

맞힌 개수

개 /24개

나의 학습 결과에 ○표 하세요.

맞힌 개수	0~2개	3~8개	9~22개	23~24개
학습 방법	다시 한번 풀어 봐요.	계산 연습이 필요해요.	틀린 문제를 확인해요.	실수하지 않도록 집중해요.

QR 빠른 정답 확인

10일차 5. 몫을 반올림하여 나타내기 (1)

몫을 반올림하여 주어진 자리까지 나타내어 보세요.

1 $13 \div 3$

일의 자리 (　　　　)

소수 첫째 자리 (　　　　)

2 $28 \div 34$

일의 자리 (　　　　)

소수 첫째 자리 (　　　　)

3 $31 \div 29$

일의 자리 (　　　　)

소수 첫째 자리 (　　　　)

4 $42 \div 17$

일의 자리 (　　　　)

소수 첫째 자리 (　　　　)

5 $11.1 \div 7$

일의 자리 (　　　　)

소수 첫째 자리 (　　　　)

6 $18.7 \div 15$

일의 자리 (　　　　)

소수 첫째 자리 (　　　　)

7 $35.5 \div 42$

일의 자리 (　　　　)

소수 첫째 자리 (　　　　)

8 $41.6 \div 6$

일의 자리 (　　　　)

소수 첫째 자리 (　　　　)

9 $4.6 \div 0.9$

일의 자리 (　　　　)

소수 첫째 자리 (　　　　)

10 $7.2 \div 2.6$

일의 자리 (　　　　)

소수 첫째 자리 (　　　　)

11 $10.5 \div 1.8$

일의 자리 (　　　　)

소수 첫째 자리 (　　　　)

12 $24.9 \div 3.4$

일의 자리 (　　　　)

소수 첫째 자리 (　　　　)

연산 in 문장제

윤희가 가지고 있는 구슬의 무게는 18.9 g이고, 슬기가 가지고 있는 구슬의 무게는 11 g입니다. 윤희가 가지고 있는 구슬의 무게는 슬기가 가지고 있는 구슬의 무게의 몇 배인지 반올림하여 소수 첫째 자리까지 나타내어 보세요.

$$18.9 \div 11 = 1.7\cancel{1}\cdots \rightarrow 1.7$$

(18.9: 윤희가 가진 구슬의 무게, 11: 슬기가 가진 구슬의 무게)

			1	.7	1
1	1	)1	8	.9	
		1	1		
			7	9	
			7	7	
				2	0
				1	1
					9

따라서 윤희가 가지고 있는 구슬의 무게는 슬기가 가지고 있는 구슬의 무게의 1.7배입니다.

13 휘발유 13 L로 98.5 km를 가는 자동차가 있습니다. 이 자동차가 휘발유 1 L로 갈 수 있는 거리는 몇 km인지 반올림하여 소수 첫째 자리까지 나타내어 보세요.

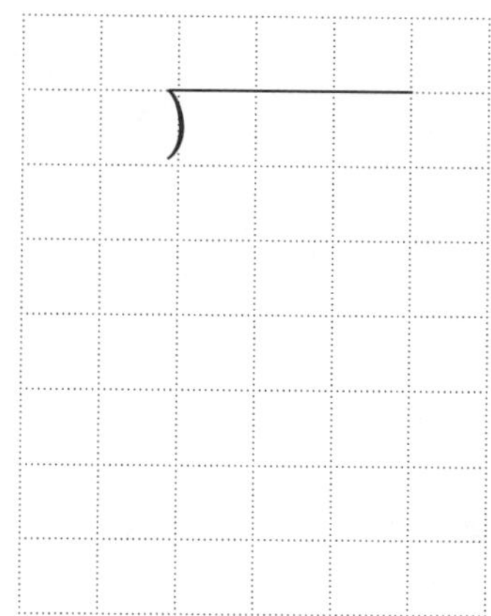

 ____________

14 번개가 친 곳에서 24 km 떨어진 곳에서는 번개가 친 지 약 1분 뒤에 천둥소리를 들을 수 있습니다. 번개가 친 곳에서 7 km 떨어진 곳에서는 번개가 친 지 몇 분 뒤에 천둥소리를 들을 수 있는지 반올림하여 소수 첫째 자리까지 나타내어 보세요.

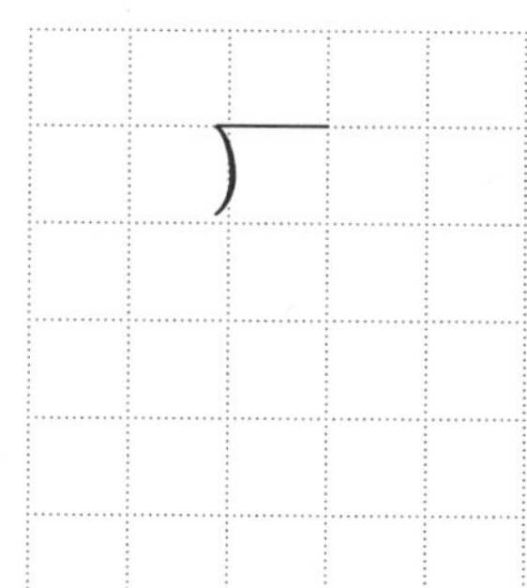

 ____________

맞힌 개수
개 /14개

나의 학습 결과에 ○표 하세요.

맞힌 개수	0～2개	3～4개	5～12개	13～14개
학습 방법	다시 한번 풀어 봐요.	계산 연습이 필요해요.	틀린 문제를 확인해요.	실수하지 않도록 집중해요.

QR 빠른 정답 확인

11 일차 6. 몫을 반올림하여 나타내기 (2)

	1.	1	4	2	8
7)	8.	0	0	0	0
	7				
	1	0			
		7			
		3	0		
		2	8		
			2	0	
			1	4	
				6	0
				5	6
					4

• 몫을 반올림하여 소수 둘째 자리까지 나타내기

8÷7=1.142… → 1.14

소수 셋째 자리 숫자가 2이므로 버려요.

• 몫을 반올림하여 소수 셋째 자리까지 나타내기

8÷7=1.1428… → 1.143

소수 넷째 자리 숫자가 8이므로 올려요.

몫을 반올림하여 소수 둘째 자리까지 나타내어 보세요.

1 $9\overline{)5}$

⇨ (　　　　　　)

2 $7\overline{)3.6}$

⇨ (　　　　　　)

3 $12\overline{)14.5}$

⇨ (　　　　　　)

4 $0.6\overline{)2.3}$

⇨ (　　　　　　)

몫을 반올림하여 소수 셋째 자리까지 나타내어 보세요.

5 $7\overline{)11}$

⇨ (　　　　　　)

6 $26\overline{)43}$

⇨ (　　　　　　)

7 $6\overline{)2.5}$

⇨ (　　　　　　)

8 $13\overline{)15.3}$

⇨ (　　　　　　)

9 $1.4\overline{)17.8}$

⇨ (　　　　　　)

몫을 반올림하여 주어진 자리까지 나타내어 보세요.

10 $3 \div 11$

소수 둘째 자리 (　　　　　)

16 $18 \div 7$

소수 셋째 자리 (　　　　　)

11 $22 \div 19$

소수 둘째 자리 (　　　　　)

17 $32 \div 31$

소수 셋째 자리 (　　　　　)

12 $5.5 \div 9$

소수 둘째 자리 (　　　　　)

18 $44.1 \div 13$

소수 셋째 자리 (　　　　　)

13 $14.8 \div 7$

소수 둘째 자리 (　　　　　)

19 $62.7 \div 9$

소수 셋째 자리 (　　　　　)

14 $9.7 \div 0.3$

소수 둘째 자리 (　　　　　)

20 $14.4 \div 7.6$

소수 셋째 자리 (　　　　　)

15 $16.3 \div 6.2$

소수 둘째 자리 (　　　　　)

21 $20.5 \div 9.5$

소수 셋째 자리 (　　　　　)

맞힌 개수

개 /21개

나의 학습 결과에 ○표 하세요.

맞힌 개수	0~2개	3~7개	8~19개	20~21개
학습 방법	다시 한번 풀어 봐요.	계산 연습이 필요해요.	틀린 문제를 확인해요.	실수하지 않도록 집중해요.

QR 빠른 정답 확인

12일차 6. 몫을 반올림하여 나타내기 (2)

몫을 반올림하여 주어진 자리까지 나타내어 보세요.

1 $14 \div 11$

소수 둘째 자리 (　　　　)

소수 셋째 자리 (　　　　)

2 $29 \div 15$

소수 둘째 자리 (　　　　)

소수 셋째 자리 (　　　　)

3 $31 \div 13$

소수 둘째 자리 (　　　　)

소수 셋째 자리 (　　　　)

4 $45 \div 34$

소수 둘째 자리 (　　　　)

소수 셋째 자리 (　　　　)

5 $9.6 \div 7$

소수 둘째 자리 (　　　　)

소수 셋째 자리 (　　　　)

6 $26.8 \div 13$

소수 둘째 자리 (　　　　)

소수 셋째 자리 (　　　　)

7 $35.2 \div 31$

소수 둘째 자리 (　　　　)

소수 셋째 자리 (　　　　)

8 $56.4 \div 42$

소수 둘째 자리 (　　　　)

소수 셋째 자리 (　　　　)

9 $1.4 \div 0.3$

소수 둘째 자리 (　　　　)

소수 셋째 자리 (　　　　)

10 $7.8 \div 3.5$

소수 둘째 자리 (　　　　)

소수 셋째 자리 (　　　　)

11 $18.2 \div 9.4$

소수 둘째 자리 (　　　　)

소수 셋째 자리 (　　　　)

12 $31.4 \div 2.8$

소수 둘째 자리 (　　　　)

소수 셋째 자리 (　　　　)

연산 in 문장제

50 m 달리기를 하는 데 미희는 9초 걸렸고, 현석이는 7초 걸렸습니다. 미희의 달리기 기록은 현석이의 달리기 기록의 몇 배인지 반올림하여 소수 셋째 자리까지 나타내어 보세요.

$9 \div 7 = 1.2857\cdots \rightarrow 1.286$

(9: 미희의 기록, 7: 현석이의 기록)

$$\begin{array}{r} 1.2857 \\ 7{\overline{\smash{)}9}} \\ \underline{7} \\ 20 \\ \underline{14} \\ 60 \\ \underline{56} \\ 40 \\ \underline{35} \\ 50 \\ \underline{49} \\ 1 \end{array}$$

따라서 미희의 달리기 기록은 현석이의 달리기 기록의 1.286배입니다.

13 음료수 4 L를 6명이 똑같이 나누어 마시려고 합니다. 한 사람이 마실 수 있는 음료수는 몇 L인지 반올림하여 소수 둘째 자리까지 나타내어 보세요.

답 ____________

14 무게가 똑같은 구슬 7개의 무게는 13.5 g입니다. 구슬 한 개의 무게는 몇 g인지 반올림하여 소수 셋째 자리까지 나타내어 보세요.

답 ____________

15 이를 닦을 때 컵을 사용하지 않으면 물을 약 5.8 L 사용하고, 컵을 사용하면 물을 약 0.7 L 사용합니다. 컵을 사용하지 않을 때 쓰는 물의 양은 컵을 사용할 때 쓰는 물의 양의 몇 배인지 반올림하여 소수 둘째 자리까지 나타내어 보세요.

답 ____________

16 연수는 기르고 있는 강낭콩의 줄기의 길이를 기록하고 있습니다. 오늘 잰 강낭콩의 줄기의 길이는 25.8 cm였고, 기르기 시작한 날 잰 강낭콩의 줄기의 길이는 3.9 cm였습니다. 오늘 잰 강낭콩 줄기의 길이는 기르기 시작한 날 잰 강낭콩 줄기의 길이의 몇 배인지 반올림하여 소수 셋째 자리까지 나타내어 보세요.

답 ____________

맞힌 개수

개 /16개

나의 학습 결과에 ○표 하세요.

맞힌 개수	0~2개	3~4개	5~14개	15~16개
학습 방법	다시 한번 풀어 봐요.	계산 연습이 필요해요.	틀린 문제를 확인해요.	실수하지 않도록 집중해요.

QR 빠른 정답 확인

13일차 7. 나누어 주고 남는 양 구하기

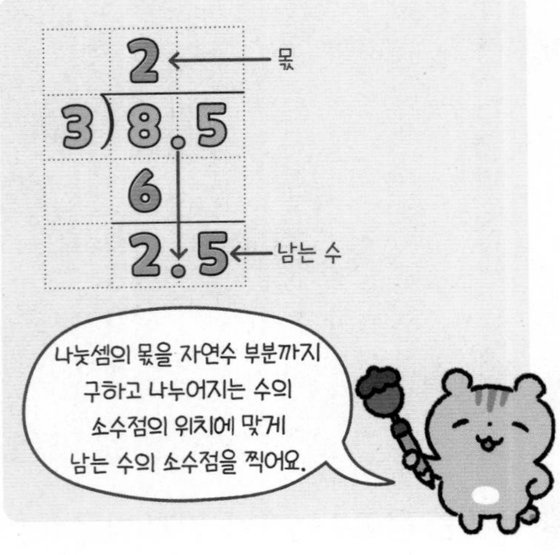

나눗셈의 몫을 자연수 부분까지 구하고 남는 수를 구해 보세요.

1. $2\overline{)12.7}$

몫 (　　　　)
남는 수 (　　　　)

2. $6\overline{)19.2}$

몫 (　　　　)
남는 수 (　　　　)

3. $3\overline{)23.8}$

몫 (　　　　)
남는 수 (　　　　)

4. $9\overline{)32.4}$

몫 (　　　　)
남는 수 (　　　　)

5. $8\overline{)43.1}$

몫 (　　　　)
남는 수 (　　　　)

6. $7\overline{)57.3}$

몫 (　　　　)
남는 수 (　　　　)

7. $5\overline{)105.6}$

몫 (　　　　)
남는 수 (　　　　)

8. $2\overline{)15.2}$

몫 (　　　　)
남는 수 (　　　　)

9. $9\overline{)24.7}$

몫 (　　　　)
남는 수 (　　　　)

10. $4\overline{)32.1}$

몫 (　　　　)
남는 수 (　　　　)

11. $5\overline{)39.6}$

몫 (　　　　)
남는 수 (　　　　)

12. $8\overline{)48.5}$

몫 (　　　　)
남는 수 (　　　　)

13 $7\overline{)59.7}$

몫 ( )
남는 수 ( )

14 $6\overline{)63.3}$

몫 ( )
남는 수 ( )

15 $2\overline{)87.1}$

몫 ( )
남는 수 ( )

16 $5\overline{)101.8}$

몫 ( )
남는 수 ( )

17 $8\overline{)145.2}$

몫 ( )
남는 수 ( )

18 $18.4 \div 4$

몫 ( )
남는 수 ( )

19 $39.5 \div 2$

몫 ( )
남는 수 ( )

20 $42.8 \div 5$

몫 ( )
남는 수 ( )

21 $63.1 \div 3$

몫 ( )
남는 수 ( )

22 $71.7 \div 7$

몫 ( )
남는 수 ( )

23 $90.3 \div 8$

몫 ( )
남는 수 ( )

24 $98.6 \div 6$

몫 ( )
남는 수 ( )

25 $114.5 \div 4$

몫 ( )
남는 수 ( )

26 $137.9 \div 8$

몫 ( )
남는 수 ( )

27 $167.3 \div 7$

몫 ( )
남는 수 ( )

맞힌 개수

개 /27개

나의 학습 결과에 ○표 하세요.

맞힌 개수	0～3개	4～10개	11～24개	25～27개
학습 방법	다시 한번 풀어 봐요.	계산 연습이 필요해요.	틀린 문제를 확인해요.	실수하지 않도록 집중해요.

QR 빠른 정답 확인

7. 나누어 주고 남는 양 구하기

나눗셈의 몫을 자연수 부분까지 구하고 남는 수를 구해 보세요.

1 $2\overline{)3.7}$

몫 (　　　)
남는 수 (　　　)

2 $3\overline{)8.4}$

몫 (　　　)
남는 수 (　　　)

3 $9\overline{)19.3}$

몫 (　　　)
남는 수 (　　　)

4 $4\overline{)40.9}$

몫 (　　　)
남는 수 (　　　)

5 $8\overline{)62.7}$

몫 (　　　)
남는 수 (　　　)

6 $7\overline{)82.5}$

몫 (　　　)
남는 수 (　　　)

7 $6\overline{)93.2}$

몫 (　　　)
남는 수 (　　　)

8 $5\overline{)106.1}$

몫 (　　　)
남는 수 (　　　)

9 $7\overline{)123.4}$

몫 (　　　)
남는 수 (　　　)

10 $9\overline{)138.8}$

몫 (　　　)
남는 수 (　　　)

11 $28.7 \div 3$

몫 (　　　)
남는 수 (　　　)

12 $55.7 \div 4$

몫 (　　　)
남는 수 (　　　)

13 $72.4 \div 9$

몫 (　　　)
남는 수 (　　　)

14 $94.8 \div 8$

몫 (　　　)
남는 수 (　　　)

15 $116.2 \div 6$

몫 (　　　)
남는 수 (　　　)

연산 in 문장제

털실 31.7 m를 한 사람에게 7 m씩 나누어 주려고 합니다. 나누어 줄 수 있는 사람은 몇 명이고, 남는 털실의 길이는 몇 m인지 구해 보세요.

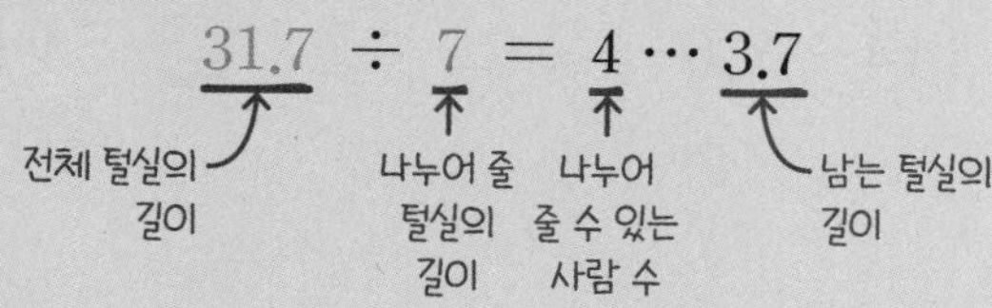

따라서 나누어 줄 수 있는 사람 수는 4명이고, 남는 털실의 길이는 3.7 m입니다.

16 팥 23.8 kg을 바구니 한 개에 9 kg씩 나누어 담으려고 합니다. 나누어 담을 수 있는 바구니는 몇 개이고, 남는 팥의 무게는 몇 kg인지 구해 보세요.

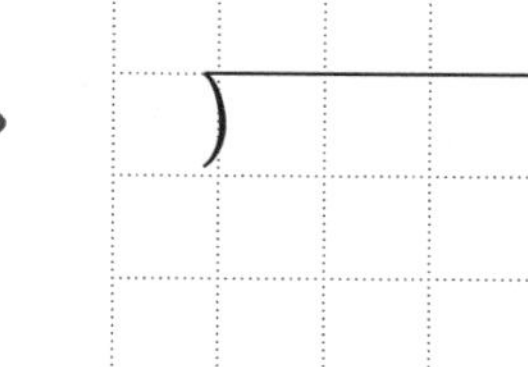

답 ____________

17 식초 50.2 L를 병 한 개에 6 L씩 나누어 담으려고 합니다. 나누어 담을 수 있는 병은 몇 개이고, 남는 식초의 양은 몇 L인지 구해 보세요.

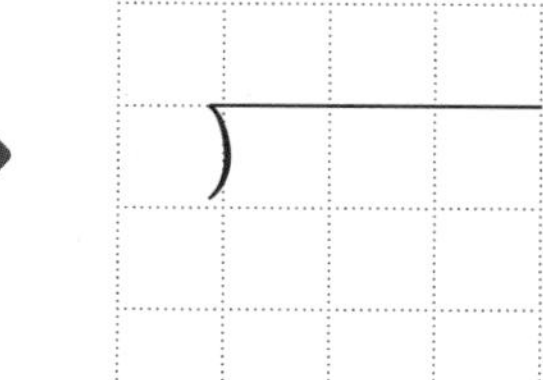

답 ____________

18 통나무 63.5 m를 8 m씩 똑같이 잘랐습니다. 길이가 8 m인 통나무 수는 몇 도막이고, 남는 통나무의 길이는 몇 m인지 구해 보세요.

답 ____________

19 고구마 71.6 kg을 수확하여 한 상자에 3 kg씩 나누어 담으려고 합니다. 나누어 담을 수 있는 상자는 몇 상자이고, 남는 고구마의 무게는 몇 kg인지 구해 보세요.

답 ____________

맞힌 개수: 개 /19개

나의 학습 결과에 ○표 하세요.

맞힌 개수	0~2개	3~6개	7~17개	18~19개
학습 방법	다시 한번 풀어 봐요.	계산 연습이 필요해요.	틀린 문제를 확인해요.	실수하지 않도록 집중해요.

QR 빠른 정답 확인

연산&문장제 마무리

계산해 보세요.

1 $12 \div 2.4$

2 $27 \div 1.5$

3 $33 \div 0.6$

4 $42 \div 1.5$

5 $49 \div 0.7$

6 $63 \div 4.2$

7 $88 \div 4.4$

8 $114 \div 7.6$

9 $128 \div 3.2$

10 $162 \div 4.5$

11 $13 \div 3.25$

12 $14 \div 1.75$

13 $34 \div 0.85$

14 $47 \div 1.88$

15 $54 \div 0.72$

16 $62 \div 1.24$

17 $78 \div 3.25$

18 $84 \div 5.25$

19 $93 \div 7.75$

20 $96 \div 3.84$

21 $137 \div 6.85$

몫을 반올림하여 주어진 자리까지 나타내어 보세요.

22 $27 \div 11$

일의 자리 (　　　)

소수 첫째 자리 (　　　)

23 $48 \div 13$

일의 자리 (　　　)

소수 첫째 자리 (　　　)

24 $24.6 \div 17$

일의 자리 (　　　)

소수 첫째 자리 (　　　)

25 $39.1 \div 6$

일의 자리 (　　　)

소수 첫째 자리 (　　　)

26 $14.9 \div 2.9$

일의 자리 (　　　)

소수 첫째 자리 (　　　)

27 $48.3 \div 8.7$

일의 자리 (　　　)

소수 첫째 자리 (　　　)

28 $4 \div 7$

소수 둘째 자리 (　　　)

소수 셋째 자리 (　　　)

29 $50 \div 15$

소수 둘째 자리 (　　　)

소수 셋째 자리 (　　　)

30 $18.1 \div 12$

소수 둘째 자리 (　　　)

소수 셋째 자리 (　　　)

31 $30.4 \div 11$

소수 둘째 자리 (　　　)

소수 셋째 자리 (　　　)

32 $24.3 \div 2.6$

소수 둘째 자리 (　　　)

소수 셋째 자리 (　　　)

33 $27.8 \div 3.4$

소수 둘째 자리 (　　　)

소수 셋째 자리 (　　　)

나눗셈의 몫을 자연수 부분까지 구하고 남는 수를 구해 보세요.

34 $14.9 \div 9$

몫 (　　　)

남는 수 (　　　)

35 $28.5 \div 5$

몫 (　　　)

남는 수 (　　　)

36 $50.7 \div 3$

몫 (　　　)

남는 수 (　　　)

37 $77.3 \div 4$

몫 (　　　)

남는 수 (　　　)

38 $93.6 \div 9$

몫 (　　　)

남는 수 (　　　)

39 $124.8 \div 4$

몫 (　　　)

남는 수 (　　　)

40 상자 한 개를 묶는 데 색 끈이 0.9 m 필요합니다. 색 끈 18 m로 묶을 수 있는 상자는 몇 개인지 구해 보세요.

답 ____________

41 철사 2.2 m로 모빌을 한 개 만들 수 있습니다. 철사 33 m를 잘라 만들 수 있는 모빌은 몇 개인지 구해 보세요.

답 ____________

42 밀가루 46 kg을 그릇 한 개에 1.84 kg씩 나누어 담으려고 합니다. 필요한 그릇은 몇 개인지 구해 보세요.

답 ____________

43 소금 34 kg을 그릇 18개에 똑같이 나누어 담았습니다. 그릇 한 개에 담은 소금은 몇 kg인지 반올림하여 소수 첫째 자리까지 나타내어 보세요.

답 ____________

44 한 달 동안 준수가 마신 우유는 19.9 L이고, 윤호가 마신 우유는 7 L입니다. 한 달 동안 준수가 마신 우유의 양은 윤호가 마신 우유의 양의 몇 배인지 반올림하여 일의 자리까지 나타내어 보세요.

답 ____________

45 형의 몸무게는 34.5 kg이고, 동생의 몸무게는 29.1 kg입니다. 형의 몸무게는 동생의 몸무게의 몇 배인지 반올림하여 소수 둘째 자리까지 나타내어 보세요.

답 ____________

46 페인트 42.5 L를 한 통에 3 L씩 나누어 담으려고 합니다. 나누어 담을 수 있는 통은 몇 통이고, 남는 페인트는 몇 L인지 구해 보세요.

답 ____________

연산 노트

맞힌 개수

개 / 46개

나의 학습 결과에 ○표 하세요.

맞힌 개수	0~5개	6~19개	20~41개	42~46개
학습 방법	다시 한번 풀어 봐요.	계산 연습이 필요해요.	틀린 문제를 확인해요.	실수하지 않도록 집중해요.

QR 빠른 정답 확인

5

비의 성질

학습 주제	학습 일차	맞힌 개수
1. 비의 성질	01일차	/20
	02일차	/19
2. 자연수의 비를 간단한 자연수의 비로 나타내기	03일차	/23
	04일차	/25
3. 소수의 비를 간단한 자연수의 비로 나타내기	05일차	/29
	06일차	/24
4. 분수의 비를 간단한 자연수의 비로 나타내기	07일차	/28
	08일차	/25
5. 소수와 분수의 비를 간단한 자연수의 비로 나타내기	09일차	/25
	10일차	/24
연산 & 문장제 마무리	11일차	/51

1. 비의 성질

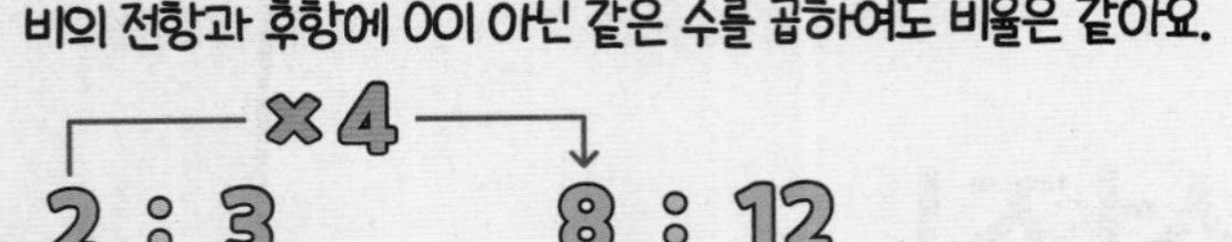

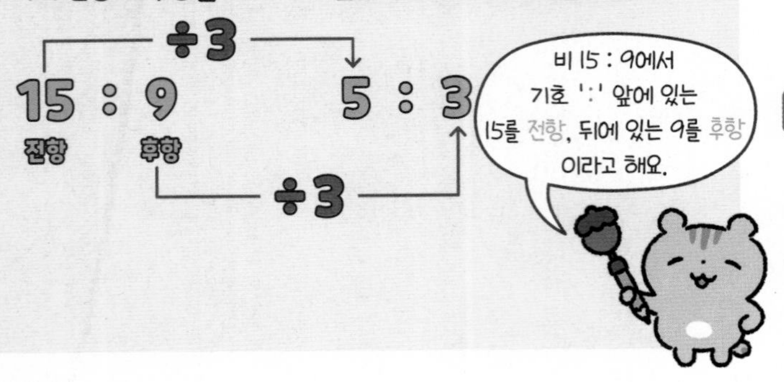

비의 전항과 후항에 0이 아닌 같은 수를 곱하여 비율이 같은 비를 만들려고 합니다. □ 안에 알맞은 수를 써넣으세요.

1
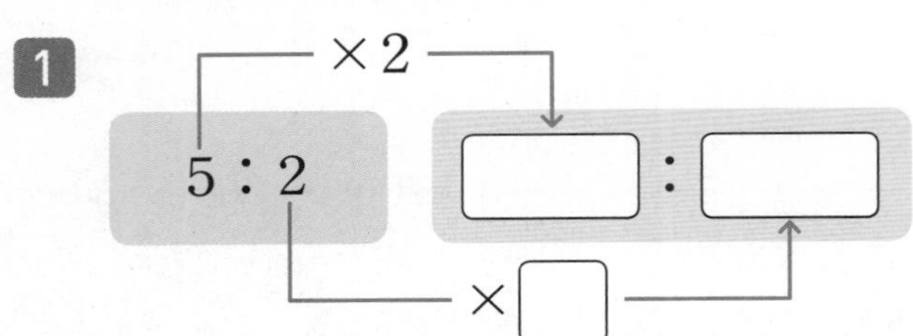

2
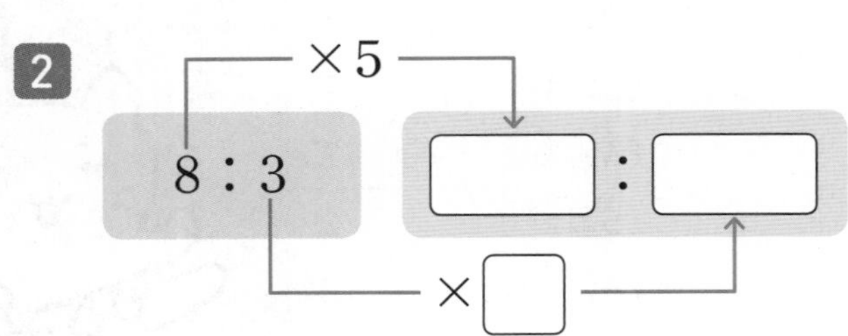

3
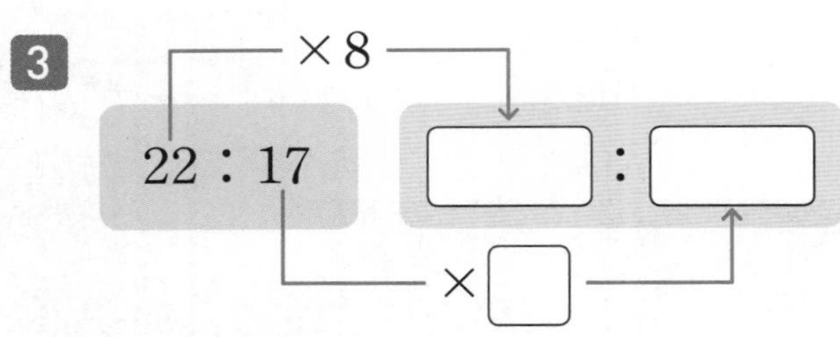

4
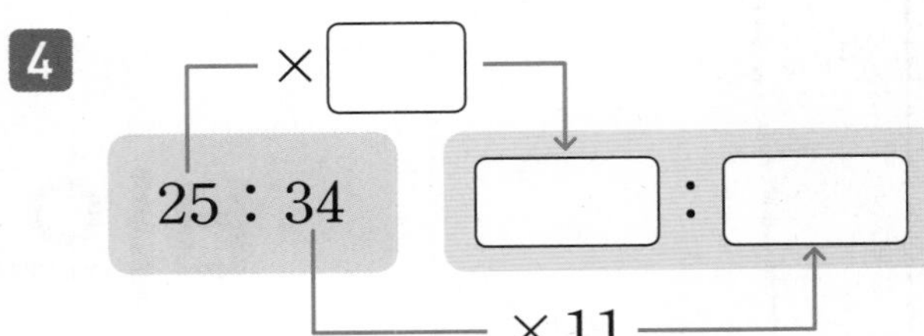

5
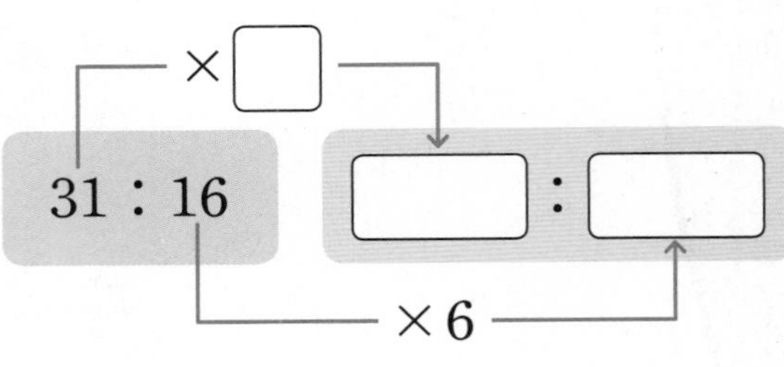

6
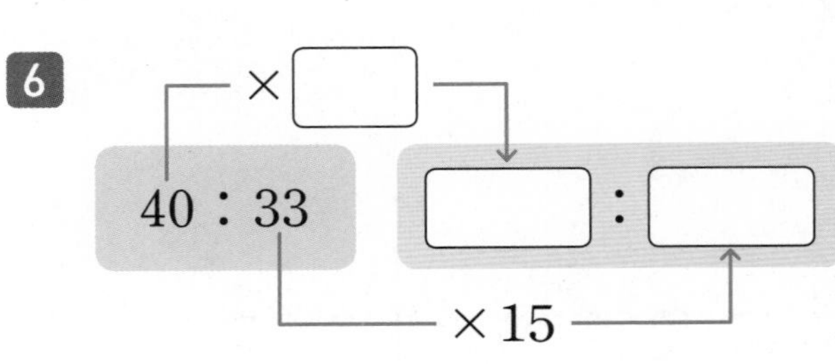

7
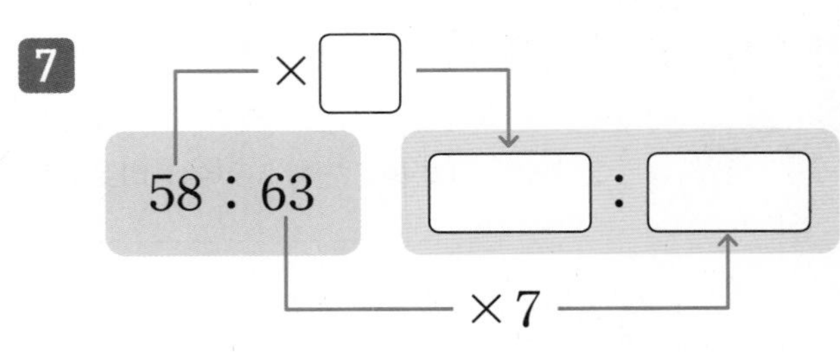

8
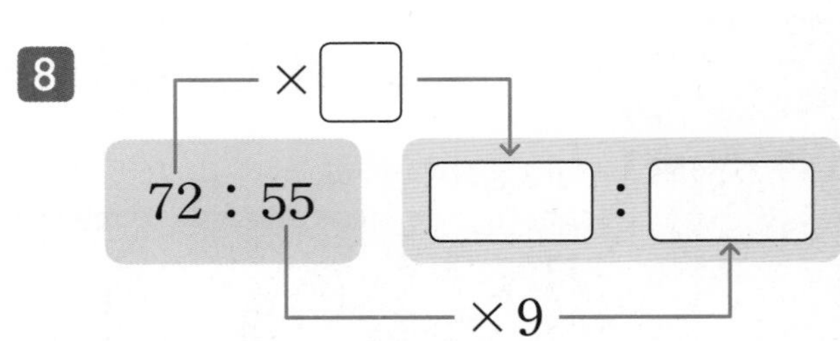

비의 전항과 후항을 0이 아닌 같은 수로 나누어 비율이 같은 비를 만들려고 합니다. □ 안에 알맞은 수를 써넣으세요.

9
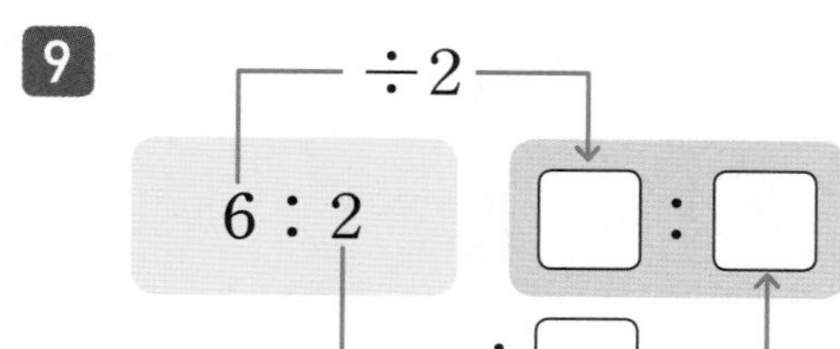

10
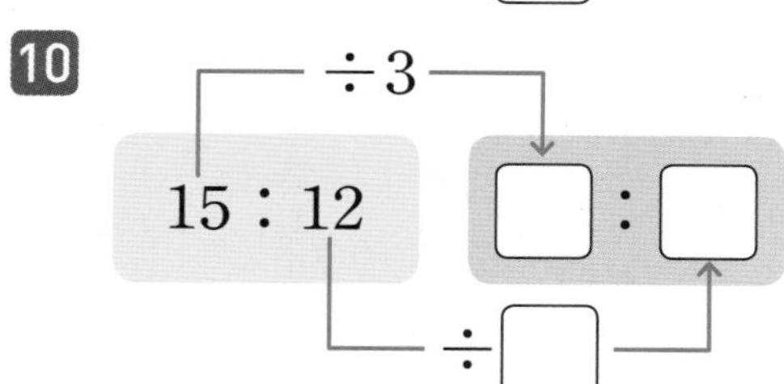

11
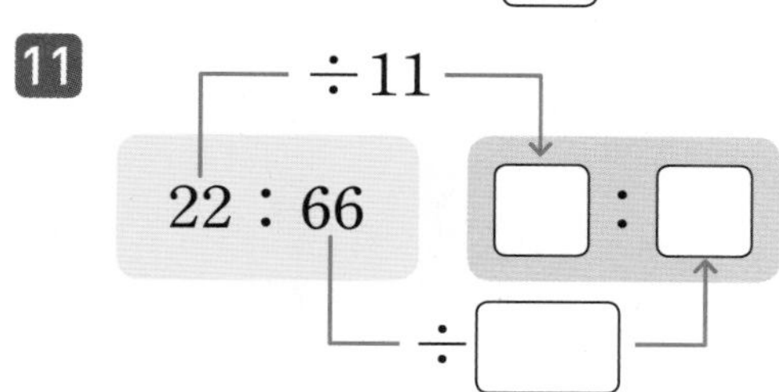

12
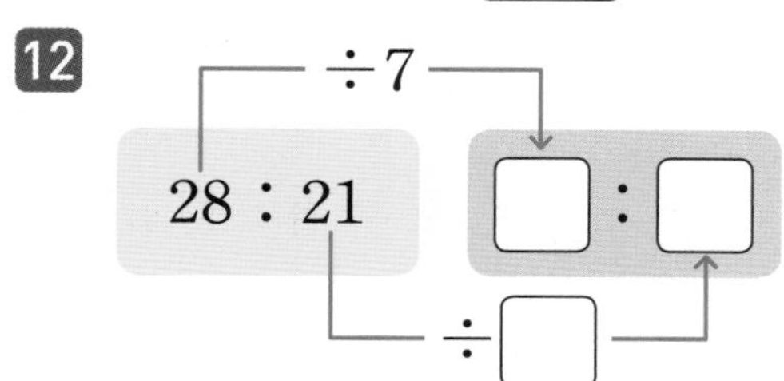

13
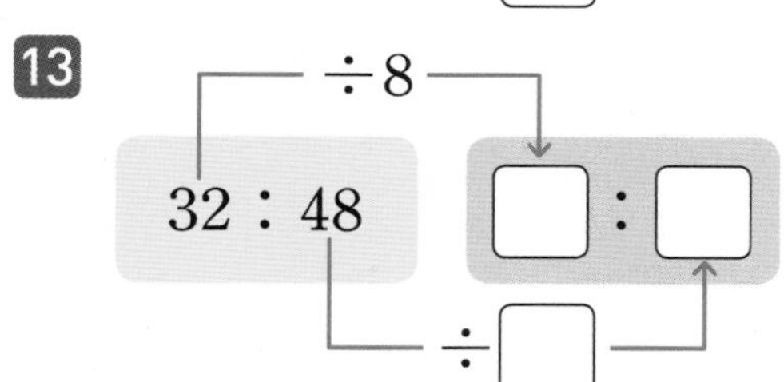

14
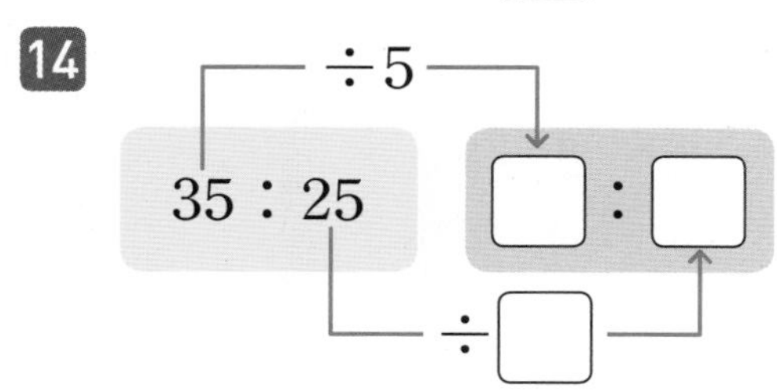

15
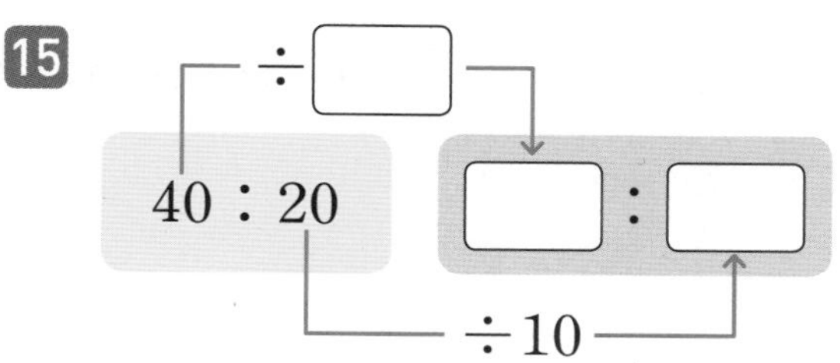

16
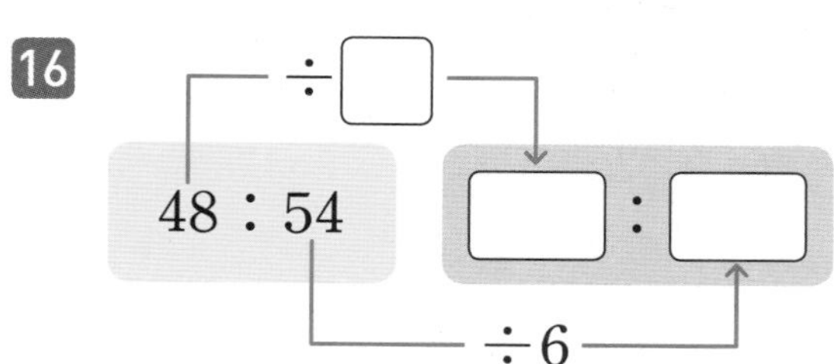

17
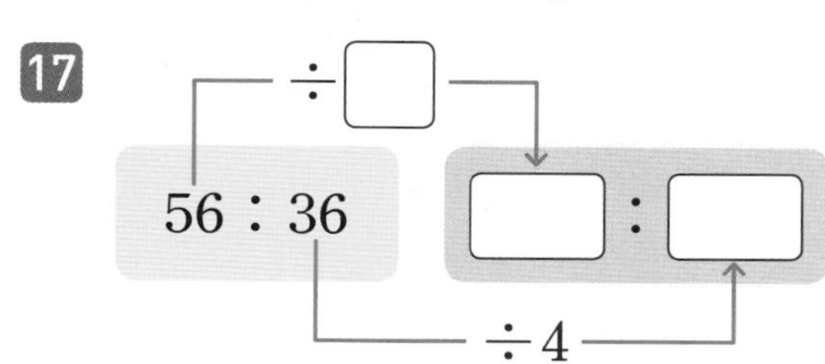

18
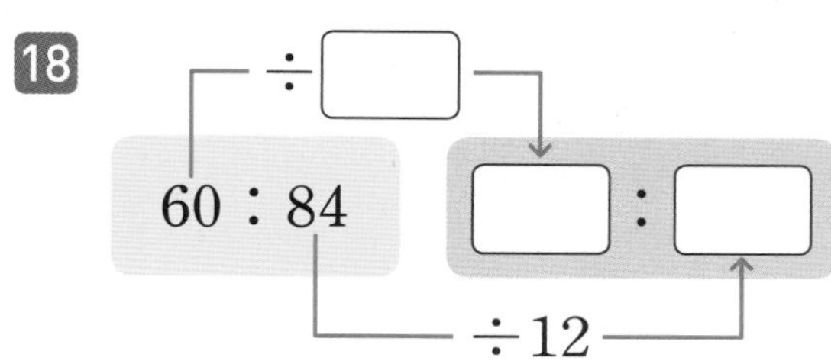

19
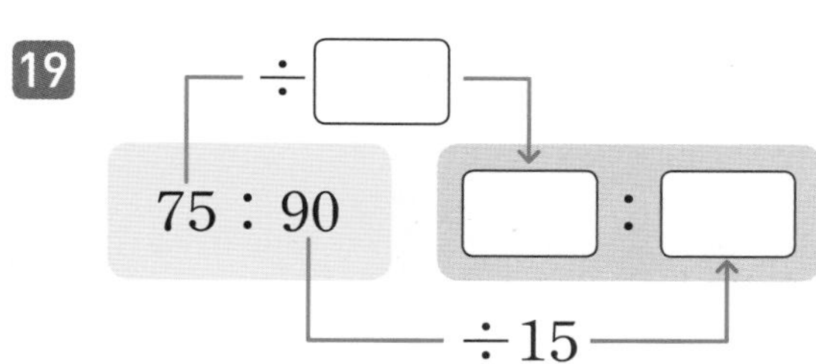

20
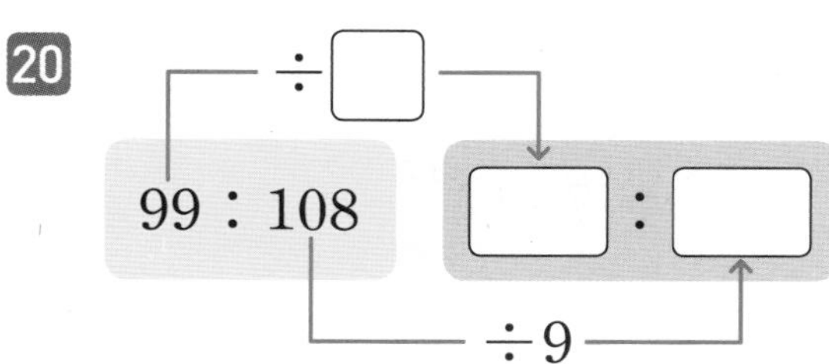

맞힌 개수
개 /20개

나의 학습 결과에 ○표 하세요.

맞힌 개수	0~2개	3~6개	7~18개	19~20개
학습 방법	다시 한번 풀어 봐요.	계산 연습이 필요해요.	틀린 문제를 확인해요.	실수하지 않도록 집중해요.

QR 빠른 정답 확인

02 일차

1. 비의 성질

비의 성질을 이용하여 비율이 같은 비가 되도록 □ 안에 알맞은 수를 써넣으세요.

1 3 : 7 ➡ 15 : □

2 15 : 8 ➡ □ : 96

3 34 : 21 ➡ 68 : □

4 42 : 43 ➡ □ : 602

5 55 : 12 ➡ 495 : □

6 60 : 37 ➡ □ : 74

7 78 : 83 ➡ 780 : □

8 81 : 89 ➡ □ : 623

9 16 : 4 ➡ 4 : □

10 25 : 45 ➡ □ : 9

11 42 : 105 ➡ 2 : □

12 63 : 21 ➡ □ : 3

13 84 : 36 ➡ 14 : □

14 121 : 55 ➡ □ : 5

15 153 : 135 ➡ 17 : □

16 182 : 169 ➡ □ : 13

연산 in 문장제

직사각형 모양 액자의 가로와 세로의 비는 3 : 2입니다. 이 액자의 가로가 24 cm일 때, 세로는 몇 cm인지 구해 보세요.

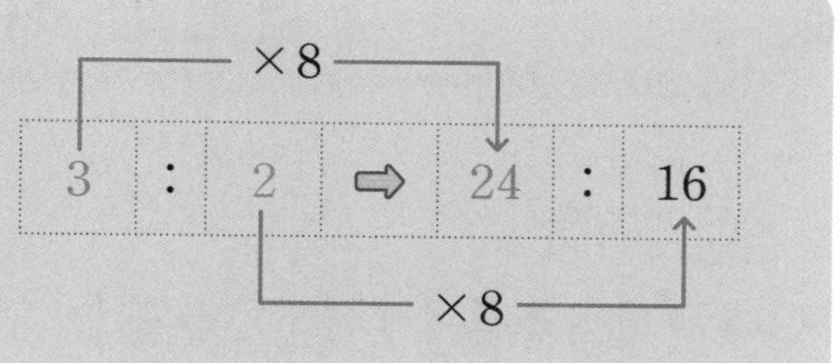

따라서 액자의 세로는 16 cm입니다.

17 과학 실험 시간에 한 모둠이 실험하는 데 비커가 5개 필요합니다. 세 모둠이 실험하는 데 필요한 비커는 몇 개인지 구해 보세요.

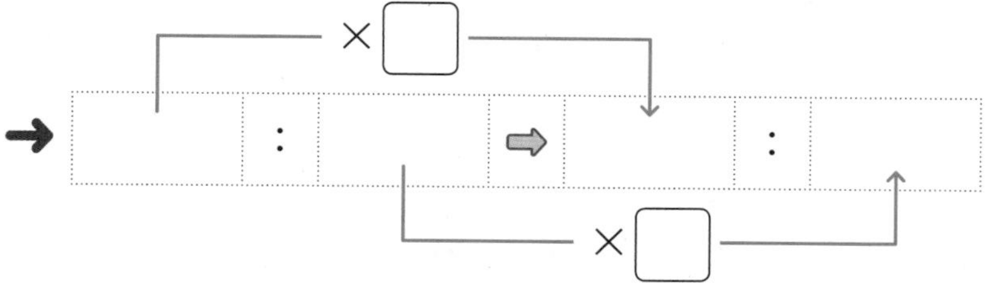

답 ______

18 상자에 빵을 똑같이 나누어 담을 때 상자 8개에 담을 수 있는 빵은 32개입니다. 같은 방법으로 빵 8개를 담으려면 필요한 상자는 몇 개인지 구해 보세요.

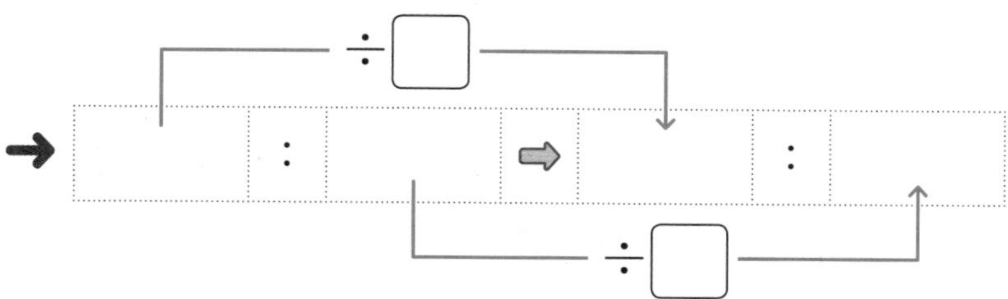

답 ______

19 7560원으로 같은 종류의 볼펜을 21자루 살 수 있습니다. 1080원으로 살 수 있는 볼펜은 몇 자루인지 구해 보세요.

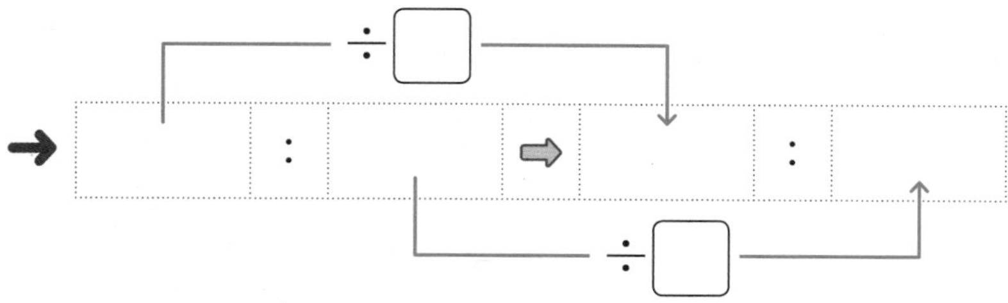

답 ______

맞힌 개수: 개 /19개

나의 학습 결과에 ○표 하세요.

맞힌 개수	0~2개	3~6개	7~17개	18~19개
학습 방법	다시 한번 풀어 봐요.	계산 연습이 필요해요.	틀린 문제를 확인해요.	실수하지 않도록 집중해요.

QR 빠른 정답 확인

2. 자연수의 비를 간단한 자연수의 비로 나타내기

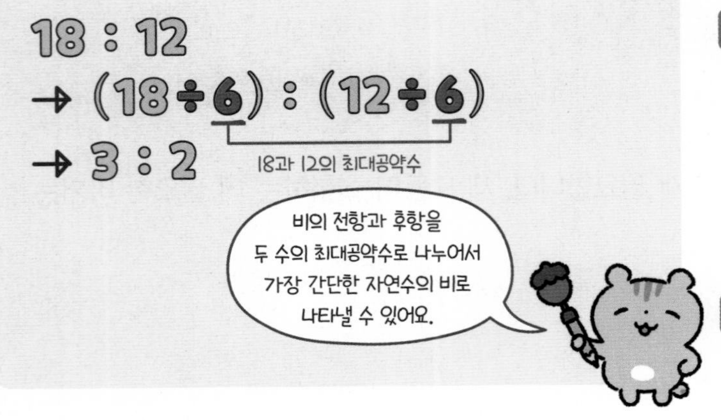

간단한 자연수의 비로 나타내려고 합니다.
□ 안에 알맞은 수를 써넣으세요.

1

÷2

8 : 10 → □ : □

÷□

2

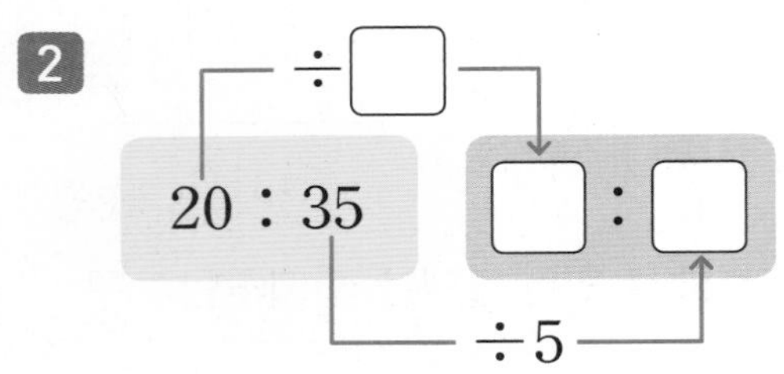

3

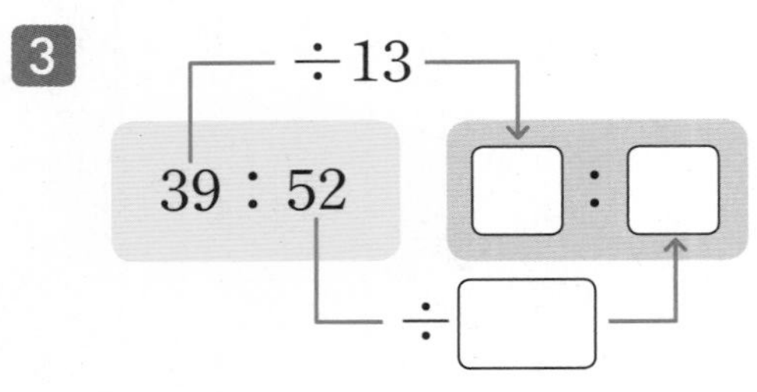

4

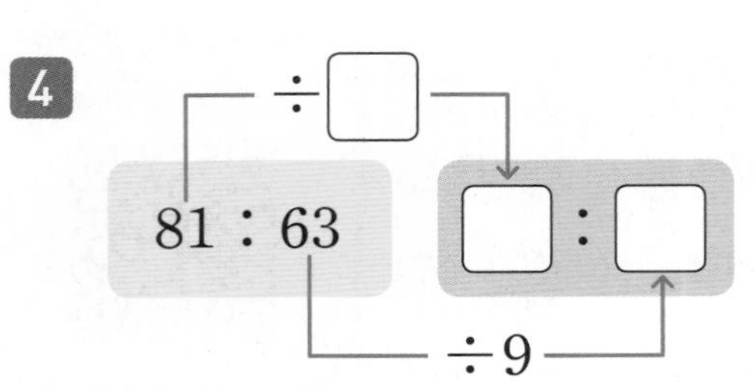

5 9 : 24

⇨ (9÷3) : (24÷□)

⇨ □ : □

6 14 : 7

⇨ (14÷□) : (7÷7)

⇨ □ : □

7 24 : 54

⇨ (24÷6) : (54÷□)

⇨ □ : □

8 36 : 38

⇨ (36÷□) : (38÷2)

⇨ □ : □

9 45 : 75

⇨ (45÷15) : (75÷□)

⇨ □ : □

10 50 : 45

⇨ (50÷□) : (45÷5)

⇨ □ : □

11 66 : 24

➡ (66÷☐) : (24÷6)

➡ ☐ : ☐

12 85 : 204

➡ (85÷17) : (204÷☐)

➡ ☐ : ☐

13 91 : 26

➡ (91÷☐) : (26÷13)

➡ ☐ : ☐

14 100 : 90

➡ (100÷10) : (90÷☐)

➡ ☐ : ☐

15 120 : 192

➡ (120÷☐) : (192÷24)

➡ ☐ : ☐

16 152 : 133

➡ (152÷19) : (133÷☐)

➡ ☐ : ☐

가장 간단한 자연수의 비로 나타내어 보세요.

17 4 : 28 ➡ (　　　　　)

18 15 : 3 ➡ (　　　　　)

19 50 : 72 ➡ (　　　　　)

20 70 : 90 ➡ (　　　　　)

21 88 : 121 ➡ (　　　　　)

22 156 : 84 ➡ (　　　　　)

23 198 : 162 ➡ (　　　　　)

맞힌 개수

개 /23개

나의 학습 결과에 ○표 하세요.

맞힌 개수	0~2개	3~8개	9~21개	22~23개
학습 방법	다시 한번 풀어 봐요.	계산 연습이 필요해요.	틀린 문제를 확인해요.	실수하지 않도록 집중해요.

QR 빠른 정답 확인

2. 자연수의 비를 간단한 자연수의 비로 나타내기

가장 간단한 자연수의 비로 나타내어 보세요.

1 5 : 40
⇨ ( )

2 10 : 85
⇨ ( )

3 27 : 6
⇨ ( )

4 35 : 168
⇨ ( )

5 48 : 26
⇨ ( )

6 72 : 114
⇨ ( )

7 84 : 153
⇨ ( )

8 91 : 39
⇨ ( )

9 96 : 180
⇨ ( )

10 98 : 80
⇨ ( )

11 112 : 120
⇨ ( )

12 126 : 69
⇨ ( )

13 128 : 108
⇨ ( )

14 138 : 108
⇨ ( )

15 140 : 76
⇨ ( )

16 144 : 189
⇨ ( )

17 152 : 170
⇨ ( )

18 209 : 165
⇨ ( )

19 255 : 30
⇨ ( )

20 272 : 132
⇨ ( )

21 336 : 330
⇨ ( )

연산 in 문장제

같은 책을 한 시간 동안 주희는 56쪽, 민주는 48쪽 읽었습니다. 한 시간 동안 주희가 읽은 책의 쪽수와 민주가 읽은 책의 쪽수의 비를 가장 간단한 자연수의 비로 나타내어 보세요.

전항	후항	최대공약수
56	48	8

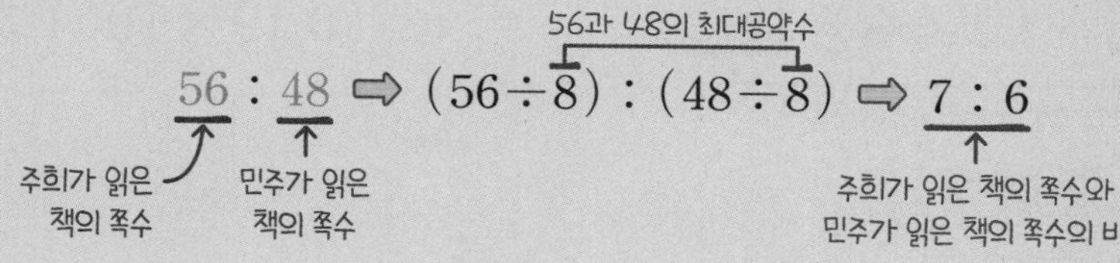

22 과일 상자 안에 사과가 12개, 배가 14개 들어 있습니다. 상자 안에 들어 있는 사과 수와 배 수의 비를 가장 간단한 자연수의 비로 나타내어 보세요. ➔

전항	후항	최대공약수

답 ______________

23 어느 학교 6학년 1반의 학생은 28명, 6학년 2반의 학생은 32명입니다. 1반의 학생 수와 2반의 학생 수의 비를 가장 간단한 자연수의 비로 나타내어 보세요. ➔

전항	후항	최대공약수

답 ______________

24 아버지의 발 길이는 285 mm이고, 준영이의 발 길이는 265 mm입니다. 아버지의 발 길이와 준영이의 발 길이의 비를 가장 간단한 자연수의 비로 나타내어 보세요. ➔

전항	후항	최대공약수

답 ______________

25 윤주의 일주일 용돈은 11900원이고, 성호의 일주일 용돈은 11200원입니다. 윤주의 일주일 용돈과 성호의 일주일 용돈의 비를 가장 간단한 자연수의 비로 나타내어 보세요. ➔

전항	후항	최대공약수

답 ______________

맞힌 개수

개 /25개

나의 학습 결과에 ○표 하세요.

맞힌 개수	0~3개	4~9개	10~22개	23~25개
학습 방법	다시 한번 풀어 봐요.	계산 연습이 필요해요.	틀린 문제를 확인해요.	실수하지 않도록 집중해요.

QR 빠른 정답 확인

3. 소수의 비를 간단한 자연수의 비로 나타내기

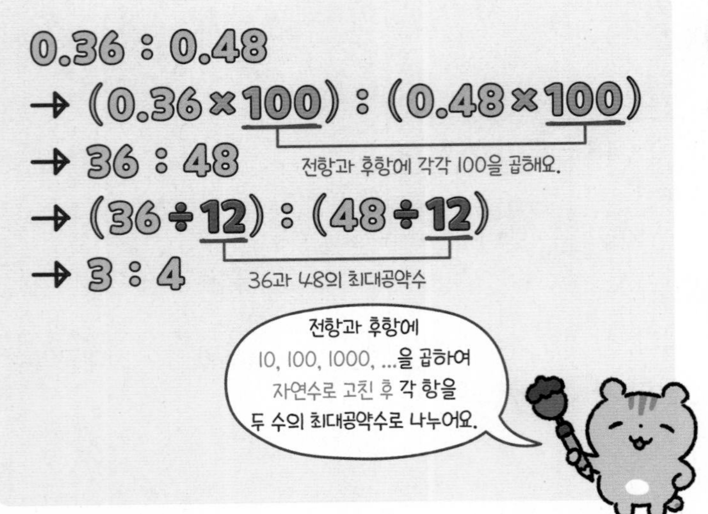

간단한 자연수의 비로 나타내려고 합니다. □ 안에 알맞은 수를 써넣으세요.

1 0.5 : 0.2
⇨ (0.5×10) : (0.2×□)
⇨ 5 : □

2 3.6 : 1.5
⇨ (3.6×10) : (1.5×□)
⇨ 36 : □
⇨ (36÷□) : (□÷3)
⇨ □ : □

3 5.6 : 4.8
⇨ (5.6×□) : (4.8×10)
⇨ □ : 48
⇨ (□÷□) : (48÷8)
⇨ □ : □

4 0.19 : 0.14
⇨ (0.19×100) : (0.14×□)
⇨ □ : □

5 0.28 : 0.18
⇨ (0.28×100) : (0.18×□)
⇨ 28 : □
⇨ (28÷□) : (□÷2)
⇨ □ : □

6 1.02 : 1.86
⇨ (1.02×□) : (1.86×100)
⇨ □ : 186
⇨ (□÷6) : (186÷□)
⇨ □ : □

7 0.7 : 0.27
⇨ (0.7×100) : (0.27×□)
⇨ □ : □

8 0.44 : 0.8
⇨ (0.44×100) : (0.8×□)
⇨ 44 : □
⇨ (44÷4) : (□÷□)
⇨ □ : □

가장 간단한 자연수의 비로 나타내어 보세요.

9 $0.8 : 1.2$ ➡ (   )

10 $1.5 : 2.8$ ➡ (   )

11 $2.7 : 3.2$ ➡ (   )

12 $3.6 : 4.2$ ➡ (   )

13 $4.8 : 4.5$ ➡ (   )

14 $7.8 : 10.8$ ➡ (   )

15 $8.1 : 7.2$ ➡ (   )

16 $0.27 : 0.18$ ➡ (   )

17 $0.44 : 0.24$ ➡ (   )

18 $0.45 : 0.29$ ➡ (   )

19 $0.75 : 1.25$ ➡ (   )

20 $1.26 : 0.96$ ➡ (   )

21 $2.34 : 1.69$ ➡ (   )

22 $2.56 : 2.96$ ➡ (   )

23 $0.4 : 0.19$ ➡ (   )

24 $0.9 : 1.15$ ➡ (   )

25 $1.2 : 0.36$ ➡ (   )

26 $0.09 : 0.1$ ➡ (   )

27 $0.68 : 0.6$ ➡ (   )

28 $1.45 : 1.7$ ➡ (   )

29 $2.58 : 1.5$ ➡ (   )

맞힌 개수

개 /29개

나의 학습 결과에 ○표 하세요.

맞힌 개수	0~3개	4~11개	12~26개	27~29개
학습 방법	다시 한번 풀어 봐요.	계산 연습이 필요해요.	틀린 문제를 확인해요.	실수하지 않도록 집중해요.

QR 빠른 정답 확인

3. 소수의 비를 간단한 자연수의 비로 나타내기

가장 간단한 자연수의 비로 나타내어 보세요.

1 0.2 : 0.9
⇨ (   )

2 1.5 : 3.3
⇨ (   )

3 2.8 : 3.2
⇨ (   )

4 5.4 : 8.4
⇨ (   )

5 10.4 : 4.8
⇨ (   )

6 15.3 : 8.1
⇨ (   )

7 28.7 : 23.1
⇨ (   )

8 0.45 : 1.26
⇨ (   )

9 1.12 : 0.76
⇨ (   )

10 1.14 : 0.36
⇨ (   )

11 1.76 : 4.07
⇨ (   )

12 2.04 : 0.75
⇨ (   )

13 3.15 : 1.96
⇨ (   )

14 4.48 : 2.94
⇨ (   )

15 0.6 : 0.56
⇨ (   )

16 1.2 : 5.55
⇨ (   )

17 1.4 : 0.45
⇨ (   )

18 2.8 : 3.44
⇨ (   )

19 1.44 : 2.7
⇨ (   )

20 3.75 : 3.3
⇨ (   )

21 6.72 : 0.8
⇨ (   )

연산 in 문장제

고구마와 감자 100 g당 들어 있는 수분의 양이 고구마는 68.4 %, 감자는 78.6 %입니다. 100 g당 들어 있는 고구마의 수분의 양과 감자의 수분의 양의 비를 가장 간단한 자연수의 비로 나타내어 보세요.

고구마	:	감자	
68.4	:	78.6	
684	:	786	$\times 10$
114	:	131	$\div 6$

따라서 고구마의 수분의 양과 감자의 수분의 양의 비를 가장 간단한 자연수의 비로 나타내면 114 : 131입니다.

22 윤희는 설탕 0.3 kg과 물 1.8 kg을 섞어서 설탕물을 만들었습니다. 윤희가 만든 설탕물의 설탕의 양과 물의 양의 비를 가장 간단한 자연수의 비로 나타내어 보세요.

답 ____________

➜ 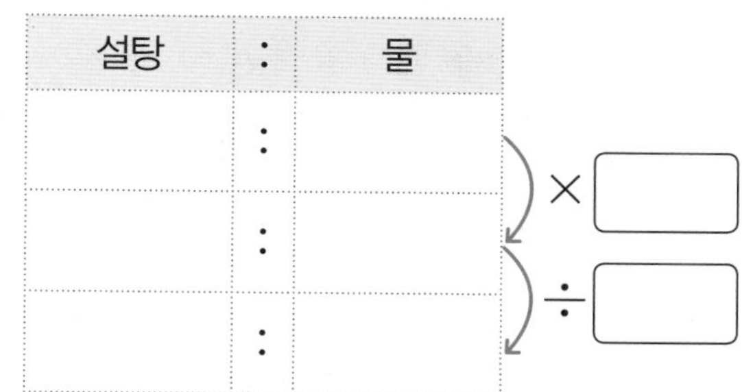

23 어느 집의 큰 방의 넓이는 9.68 m^2이고, 작은 방의 넓이는 7.92 m^2입니다. 이 집의 큰 방의 넓이와 작은 방의 넓이의 비를 가장 간단한 자연수의 비로 나타내어 보세요.

답 ____________

➜ 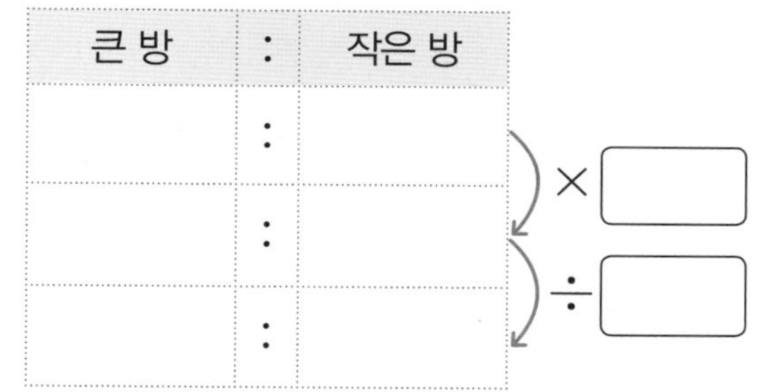

24 50 m 달리기 기록을 재었더니 미희는 8.6초, 주희는 9.05초였습니다. 미희의 50 m 달리기 기록과 주희의 50 m 달리기 기록의 비를 가장 간단한 자연수의 비로 나타내어 보세요.

답 ____________

➜

미희	:	주희	
	:		
	:		× ☐
	:		÷ ☐

맞힌 개수 개 /24개

나의 학습 결과에 ○표 하세요.

맞힌 개수	0~2개	3~8개	9~22개	23~24개
학습 방법	다시 한번 풀어 봐요.	계산 연습이 필요해요.	틀린 문제를 확인해요.	실수하지 않도록 집중해요.

QR 빠른 정답 확인

일차

4. 분수의 비를 간단한 자연수의 비로 나타내기

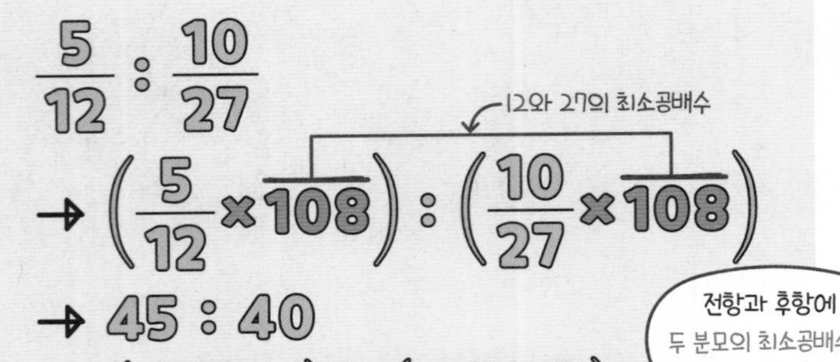

간단한 자연수의 비로 나타내려고 합니다.
□ 안에 알맞은 수를 써넣으세요.

1 $\frac{2}{3} : \frac{1}{4}$

$\Rightarrow \left(\frac{2}{3} \times \square\right) : \left(\frac{1}{4} \times 12\right)$

$\Rightarrow \square : \square$

2 $\frac{4}{15} : \frac{8}{9}$

$\Rightarrow \left(\frac{4}{15} \times 45\right) : \left(\frac{8}{9} \times \square\right)$

$\Rightarrow 12 : \square$

$\Rightarrow (12 \div 4) : (\square \div \square)$

$\Rightarrow \square : \square$

3 $\frac{5}{6} : 1\frac{2}{5}$

대분수는 가분수로 나타낸 후 자연수의 비로 나타내요.

$\Rightarrow \left(\frac{5}{6} \times 30\right) : \left(\frac{\square}{5} \times \square\right)$

$\Rightarrow \square : \square$

4 $\frac{9}{14} : 2\frac{1}{10}$

$\Rightarrow \left(\frac{9}{14} \times \square\right) : \left(\frac{\square}{10} \times 70\right)$

$\Rightarrow \square : 147$

$\Rightarrow (\square \div 3) : (147 \div \square)$

$\Rightarrow \square : \square$

5 $1\frac{4}{7} : \frac{3}{8}$

$\Rightarrow \left(\frac{\square}{7} \times 56\right) : \left(\frac{3}{8} \times \square\right)$

$\Rightarrow \square : \square$

6 $3\frac{1}{3} : \frac{15}{16}$

$\Rightarrow \left(\frac{\square}{3} \times \square\right) : \left(\frac{15}{16} \times 48\right)$

$\Rightarrow \square : 45$

$\Rightarrow (\square \div \square) : (45 \div 5)$

$\Rightarrow \square : \square$

7 $2\frac{2}{7} : 1\frac{1}{3}$

$\Rightarrow \left(\frac{\square}{7} \times 21\right) : \left(\frac{\square}{3} \times \square\right)$

$\Rightarrow 48 : \square$

$\Rightarrow (48 \div 4) : (\square \div \square)$

$\Rightarrow \square : \square$

가장 간단한 자연수의 비로 나타내어 보세요.

8 $\frac{1}{3} : \frac{3}{5}$

➡ (   )

9 $\frac{4}{5} : \frac{7}{9}$

➡ (   )

10 $\frac{3}{7} : \frac{5}{14}$

➡ (   )

11 $\frac{7}{8} : \frac{5}{12}$

➡ (   )

12 $\frac{8}{15} : \frac{10}{27}$

➡ (   )

13 $\frac{9}{20} : \frac{6}{25}$

➡ (   )

14 $\frac{3}{32} : \frac{9}{16}$

➡ (   )

15 $\frac{1}{2} : 1\frac{2}{3}$

➡ (   )

16 $\frac{5}{6} : 2\frac{1}{7}$

➡ (   )

17 $\frac{3}{14} : 1\frac{8}{13}$

➡ (   )

18 $1\frac{1}{4} : \frac{5}{7}$

➡ (   )

19 $1\frac{6}{11} : \frac{2}{5}$

➡ (   )

20 $2\frac{11}{12} : \frac{5}{14}$

➡ (   )

21 $3\frac{1}{16} : \frac{21}{26}$

➡ (   )

22 $1\frac{1}{3} : 1\frac{1}{4}$

➡ (   )

23 $1\frac{5}{8} : 2\frac{3}{4}$

➡ (   )

24 $2\frac{4}{9} : 1\frac{1}{6}$

➡ (   )

25 $2\frac{1}{12} : 1\frac{7}{9}$

➡ (   )

26 $3\frac{1}{15} : 1\frac{2}{21}$

➡ (   )

27 $3\frac{3}{20} : 2\frac{9}{10}$

➡ (   )

28 $4\frac{12}{25} : 3\frac{1}{5}$

➡ (   )

맞힌 개수

개 /28개

나의 학습 결과에 ○표 하세요.

맞힌 개수	0~3개	4~10개	11~25개	26~28개
학습 방법	다시 한번 풀어 봐요.	계산 연습이 필요해요.	틀린 문제를 확인해요.	실수하지 않도록 집중해요.

QR 빠른 정답 확인

4. 분수의 비를 간단한 자연수의 비로 나타내기

가장 간단한 자연수의 비로 나타내어 보세요.

1 $\frac{1}{2} : \frac{3}{5}$

⇨ ( )

2 $\frac{3}{4} : \frac{5}{6}$

⇨ ( )

3 $\frac{8}{9} : \frac{2}{15}$

⇨ ( )

4 $\frac{7}{12} : \frac{1}{8}$

⇨ ( )

5 $\frac{12}{17} : \frac{4}{9}$

⇨ ( )

6 $\frac{15}{22} : \frac{9}{11}$

⇨ ( )

7 $\frac{14}{27} : \frac{7}{30}$

⇨ ( )

8 $\frac{2}{3} : 1\frac{2}{5}$

⇨ ( )

9 $\frac{6}{7} : 1\frac{9}{14}$

⇨ ( )

10 $\frac{5}{12} : 2\frac{3}{16}$

⇨ ( )

11 $\frac{13}{15} : 3\frac{5}{7}$

⇨ ( )

12 $1\frac{8}{11} : \frac{3}{4}$

⇨ ( )

13 $2\frac{4}{21} : \frac{23}{27}$

⇨ ( )

14 $2\frac{18}{25} : \frac{34}{35}$

⇨ ( )

15 $1\frac{1}{2} : 1\frac{3}{8}$

⇨ ( )

16 $2\frac{3}{5} : 1\frac{9}{10}$

⇨ ( )

17 $2\frac{4}{7} : 1\frac{1}{21}$

⇨ ( )

18 $1\frac{2}{9} : 2\frac{4}{27}$

⇨ ( )

19 $3\frac{3}{11} : 2\frac{1}{4}$

⇨ ( )

20 $4\frac{5}{12} : 5\frac{2}{3}$

⇨ ( )

21 $3\frac{9}{19} : 3\frac{3}{10}$

⇨ ( )

연산 in 문장제

수지가 찰흙으로 책상 모형과 의자 모형을 만들었습니다. 책상 모형을 만드는 데 찰흙 전체의 $\frac{2}{5}$, 의자 모형을 만드는 데 찰흙 전체의 $\frac{1}{8}$을 사용하였습니다. 책상 모형을 만드는 데 사용한 찰흙의 양과 의자 모형을 만드는 데 사용한 찰흙의 양의 비를 가장 간단한 자연수의 비로 나타내어 보세요.

$$\frac{2}{5} : \frac{1}{8} \Rightarrow \left(\frac{2}{5}\times 40\right) : \left(\frac{1}{8}\times 40\right) \Rightarrow 16 : 5$$

5와 8의 최소공배수

책상 모형을 만드는 데 사용한 찰흙의 양과 의자 모형을 만드는 데 사용한 찰흙의 양의 비

22 민호와 수호가 같은 책을 1시간 동안 각각 읽는 데 민호는 전체의 $\frac{1}{2}$을, 수호는 전체의 $\frac{1}{3}$을 읽었습니다. 1시간 동안 민호가 읽은 책의 양과 수호가 읽은 책의 양의 비를 가장 간단한 자연수의 비로 나타내어 보세요.

답 ______________

23 참외의 무게는 $\frac{7}{12}$ kg, 수박의 무게는 $3\frac{1}{10}$ kg입니다. 참외의 무게와 수박의 무게의 비를 가장 간단한 자연수의 비로 나타내어 보세요.

답 ______________

24 머핀을 만드는 데 밀가루는 $1\frac{3}{16}$ kg, 버터는 $\frac{7}{12}$ kg 사용하였습니다. 머핀을 만드는 데 사용한 밀가루의 양과 버터의 양의 비를 가장 간단한 자연수의 비로 나타내어 보세요.

답 ______________

25 오렌지 주스를 만드는 데 물은 $9\frac{1}{6}$컵, 오렌지 원액은 $1\frac{4}{21}$컵 사용하였습니다. 오렌지 주스를 만드는 데 사용한 물의 양과 오렌지 원액의 양의 비를 가장 간단한 자연수의 비로 나타내어 보세요.

답 ______________

맞힌 개수
개 /25개

나의 학습 결과에 ○표 하세요.

맞힌 개수	0~3개	4~9개	10~22개	23~25개
학습 방법	다시 한번 풀어 봐요.	계산 연습이 필요해요.	틀린 문제를 확인해요.	실수하지 않도록 집중해요.

QR 빠른정답 확인

5. 소수와 분수의 비를 간단한 자연수의 비로 나타내기

방법1 분수를 소수로 바꾸어 나타내기

$1.6 : \frac{4}{5} \rightarrow 1.6 : 0.8$

$\frac{4}{5} = \frac{8}{10} = 0.8$

$\rightarrow (1.6 \times 10) : (0.8 \times 10) \rightarrow 16 : 8$

전항과 후항에 각각 10을 곱해요.

$\rightarrow (16 \div 8) : (8 \div 8) \rightarrow 2 : 1$

16과 8의 최대공약수

방법2 소수를 분수로 바꾸어 나타내기

$1.6 : \frac{4}{5} \rightarrow \frac{16}{10} : \frac{4}{5}$

$1.6 = \frac{16}{10}$

$\rightarrow \left(\frac{16}{10} \times 10\right) : \left(\frac{4}{5} \times 10\right) \rightarrow 16 : 8$

10과 5의 최소공배수

$\rightarrow (16 \div 8) : (8 \div 8) \rightarrow 2 : 1$

16과 8의 최대공약수

간단한 자연수의 비로 나타내려고 합니다. □ 안에 알맞은 수를 써넣으세요.

1 $0.3 : \frac{2}{5}$

⇨ $(0.3 \times 10) : (0.4 \times \square)$

⇨ $\square : \square$

2 $2.12 : 3\frac{9}{25}$

⇨ $\left(\frac{212}{100} \times \square\right) : \left(\frac{84}{25} \times 100\right)$

⇨ $212 : \square$

⇨ $(212 \div 4) : (\square \div \square)$

⇨ $\square : \square$

3 $\frac{9}{10} : 0.32$

⇨ $(0.9 \times \square) : (0.32 \times 100)$

⇨ $\square : 32$

⇨ $(\square \div \square) : (32 \div 2)$

⇨ $\square : \square$

4 $2\frac{1}{2} : 1.2$

⇨ $\left(\frac{5}{2} \times \square\right) : \left(\frac{12}{10} \times 10\right)$

⇨ $\square : \square$

● 가장 간단한 자연수의 비로 나타내어 보세요.

5 $0.8 : \frac{4}{5}$
➡ ( )

6 $1.5 : \frac{9}{10}$
➡ ( )

7 $3.9 : \frac{13}{28}$
➡ ( )

8 $2.2 : 1\frac{2}{9}$
➡ ( )

9 $4.8 : 2\frac{4}{7}$
➡ ( )

10 $0.18 : \frac{1}{4}$
➡ ( )

11 $2.48 : \frac{13}{20}$
➡ ( )

12 $3.04 : \frac{8}{25}$
➡ ( )

13 $0.96 : 1\frac{3}{5}$
➡ ( )

14 $2.25 : 2\frac{7}{25}$
➡ ( )

15 $\frac{7}{8} : 0.2$
➡ ( )

16 $\frac{4}{9} : 1.6$
➡ ( )

17 $\frac{11}{15} : 5.4$
➡ ( )

18 $\frac{2}{3} : 0.64$
➡ ( )

19 $\frac{1}{6} : 1.23$
➡ ( )

20 $\frac{8}{9} : 2.25$
➡ ( )

21 $1\frac{2}{3} : 0.9$
➡ ( )

22 $1\frac{6}{11} : 3.5$
➡ ( )

23 $2\frac{2}{15} : 5.2$
➡ ( )

24 $1\frac{7}{10} : 0.85$
➡ ( )

25 $2\frac{12}{25} : 1.55$
➡ ( )

맞힌 개수

개 /25개

나의 학습 결과에 ○표 하세요.

맞힌 개수	0~3개	4~9개	10~22개	23~25개
학습 방법	다시 한번 풀어 봐요.	계산 연습이 필요해요.	틀린 문제를 확인해요.	실수하지 않도록 집중해요.

QR 빠른 정답 확인

5. 소수와 분수의 비를 간단한 자연수의 비로 나타내기

가장 간단한 자연수의 비로 나타내어 보세요.

1 $1.2 : \frac{2}{3}$

⇨ (   )

2 $3.5 : \frac{8}{25}$

⇨ (   )

3 $0.7 : 1\frac{4}{7}$

⇨ (   )

4 $2.4 : 1\frac{7}{9}$

⇨ (   )

5 $4.5 : 3\frac{1}{3}$

⇨ (   )

6 $0.72 : \frac{17}{20}$

⇨ (   )

7 $1.48 : \frac{21}{25}$

⇨ (   )

8 $0.92 : 1\frac{5}{8}$

⇨ (   )

9 $2.56 : 2\frac{1}{4}$

⇨ (   )

10 $3.54 : 2\frac{14}{25}$

⇨ (   )

11 $\frac{4}{5} : 1.5$

⇨ (   )

12 $\frac{2}{7} : 3.6$

⇨ (   )

13 $\frac{2}{3} : 0.52$

⇨ (   )

14 $\frac{5}{8} : 1.44$

⇨ (   )

15 $\frac{11}{12} : 1.75$

⇨ (   )

16 $1\frac{4}{9} : 0.4$

⇨ (   )

17 $1\frac{5}{13} : 1.6$

⇨ (   )

18 $2\frac{7}{25} : 1.92$

⇨ (   )

19 $1\frac{5}{9} : 0.84$

⇨ (   )

20 $2\frac{1}{10} : 1.05$

⇨ (   )

21 $3\frac{6}{19} : 1.98$

⇨ (   )

연산 in 문장제

장미와 안개꽃으로 꽃다발을 만들었습니다. 꽃다발 전체의 $\frac{3}{4}$은 장미이고, 꽃다발 전체의 0.25는 안개꽃입니다. 장미의 양과 안개꽃의 양의 비를 가장 간단한 자연수의 비로 나타내어 보세요.

방법1 $\frac{3}{4} : 0.25 \Rightarrow (0.75\times100) : (0.25\times100) \Rightarrow 75 : 25$

전항과 후항에 각각 100을 곱해요.

$\frac{3}{4}=\frac{75}{100}=0.75$

$\Rightarrow (75\div25) : (25\div25) \Rightarrow 3 : 1$

75와 25의 최대공약수

방법2 $\frac{3}{4} : 0.25 \Rightarrow \left(\frac{3}{4}\times100\right) : \left(\frac{25}{100}\times100\right) \Rightarrow 75 : 25$

$0.25=\frac{25}{100}$

4와 100의 최소공배수

$\Rightarrow (75\div25) : (25\div25) \Rightarrow 3 : 1$

75와 25의 최대공약수

22 노란색 물감 $1.4\,\text{g}$과 파란색 물감 $1\frac{2}{3}\,\text{g}$을 섞어 초록색 물감을 만들었습니다. 사용한 노란색 물감의 양과 파란색 물감의 양의 비를 가장 간단한 자연수의 비로 나타내어 보세요.

답 ____________

23 집에서 학교까지의 거리는 $2.15\,\text{km}$이고, 집에서 도서관까지의 거리는 $1\frac{7}{8}\,\text{km}$입니다. 집에서 학교까지의 거리와 집에서 도서관까지의 거리의 비를 가장 간단한 자연수의 비로 나타내어 보세요.

답 ____________

24 승호와 동희가 한 시간 동안 같은 일을 각각 하는 데 승호는 전체의 $\frac{11}{12}$, 동희는 전체의 0.55를 했습니다. 한 시간 동안 승호가 한 일의 양과 동희가 한 일의 양을 가장 간단한 자연수의 비로 나타내어 보세요.

답 ____________

맞힌 개수

개 /24개

나의 학습 결과에 ○표 하세요.

맞힌 개수	0~2개	3~8개	9~22개	23~24개
학습 방법	다시 한번 풀어 봐요.	계산 연습이 필요해요.	틀린 문제를 확인해요.	실수하지 않도록 집중해요.

QR 빠른 정답 확인

11일차 연산&문장제 마무리

가장 간단한 자연수의 비로 나타내어 보세요.

1 8 : 32
⇨ (　　　)

2 15 : 18
⇨ (　　　)

3 17 : 51
⇨ (　　　)

4 22 : 55
⇨ (　　　)

5 42 : 28
⇨ (　　　)

6 78 : 91
⇨ (　　　)

7 84 : 60
⇨ (　　　)

8 88 : 72
⇨ (　　　)

9 95 : 45
⇨ (　　　)

10 100 : 50
⇨ (　　　)

11 117 : 72
⇨ (　　　)

12 150 : 45
⇨ (　　　)

13 156 : 273
⇨ (　　　)

14 215 : 129
⇨ (　　　)

15 1.2 : 2.8
⇨ (　　　)

16 2.6 : 5.8
⇨ (　　　)

17 5.12 : 4.48
⇨ (　　　)

18 1.8 : 0.24
⇨ (　　　)

19 3.5 : 1.47
⇨ (　　　)

20 0.68 : 0.8
⇨ (　　　)

21 3.45 : 2.5
⇨ (　　　)

22 $\frac{6}{7} : \frac{2}{3}$

⇨ ( )

23 $\frac{9}{10} : \frac{21}{40}$

⇨ ( )

24 $\frac{4}{5} : 1\frac{1}{6}$

⇨ ( )

25 $\frac{25}{28} : 1\frac{7}{8}$

⇨ ( )

26 $2\frac{1}{8} : \frac{23}{24}$

⇨ ( )

27 $3\frac{13}{20} : \frac{1}{2}$

⇨ ( )

28 $1\frac{2}{7} : 2\frac{1}{5}$

⇨ ( )

29 $2\frac{13}{15} : 1\frac{7}{10}$

⇨ ( )

30 $1.4 : \frac{8}{9}$

⇨ ( )

31 $3.2 : \frac{4}{15}$

⇨ ( )

32 $4.5 : 1\frac{3}{17}$

⇨ ( )

33 $12.3 : 2\frac{11}{15}$

⇨ ( )

34 $0.21 : \frac{7}{16}$

⇨ ( )

35 $1.26 : \frac{13}{20}$

⇨ ( )

36 $1.35 : 1\frac{3}{5}$

⇨ ( )

37 $2.56 : 5\frac{1}{3}$

⇨ ( )

38 $\frac{4}{5} : 0.5$

⇨ ( )

39 $\frac{3}{25} : 1.8$

⇨ ( )

40 $\frac{32}{45} : 1.28$

⇨ ( )

41 $\frac{47}{50} : 3.76$

⇨ ( )

42 $1\frac{9}{10} : 0.2$

⇨ ( )

43 $1\frac{7}{12} : 1.9$

⇨ ( )

44 $3\frac{4}{23} : 1.46$

⇨ ( )

45 $3\frac{27}{35} : 3.96$

⇨ ( )

46 언니와 동생이 같은 시간 동안 걷는 데 언니는 27걸음, 동생은 24걸음 걸었습니다. 같은 시간 동안 걸을 때 언니의 걸음 수와 동생의 걸음 수의 비를 가장 간단한 자연수의 비로 나타내어 보세요.

답 ______________

47 체육 시간에 1분 동안 윗몸 일으키기를 하는 데 소희는 45개, 주미는 60개를 했습니다. 1분 동안 한 소희의 윗몸 일으키기 횟수와 주미의 윗몸 일으키기 횟수의 비를 가장 간단한 자연수의 비로 나타내어 보세요.

답 ______________

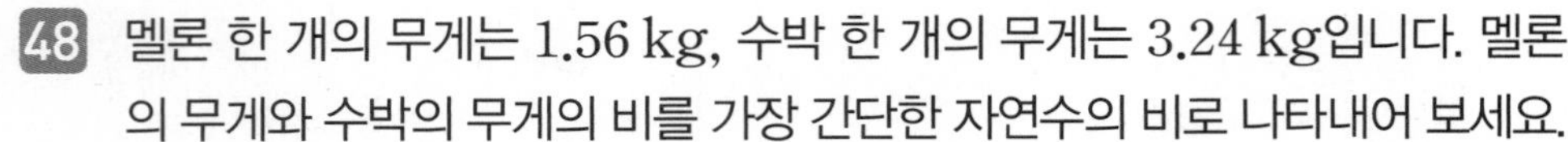

48 멜론 한 개의 무게는 1.56 kg, 수박 한 개의 무게는 3.24 kg입니다. 멜론의 무게와 수박의 무게의 비를 가장 간단한 자연수의 비로 나타내어 보세요.

답 ______________

49 어느 야구 선수의 작년 타율은 2.4, 올해 타율은 3.28입니다. 이 야구 선수의 작년 타율과 올해 타율의 비를 가장 간단한 자연수의 비로 나타내어 보세요.

답 ______________

50 직사각형 모양의 밭의 가로는 $\frac{3}{14}$ m, 세로는 $1\frac{2}{7}$ m입니다. 밭의 가로와 세로의 비를 가장 간단한 자연수의 비로 나타내어 보세요.

답 ______________

51 윤미네 반에서 안경을 쓴 학생은 전체의 0.48이고, 안경을 쓰지 않은 학생은 전체의 $\frac{13}{25}$입니다. 윤미네 반에서 안경을 쓴 학생 수와 안경을 쓰지 않은 학생 수의 비를 가장 간단한 자연수의 비로 나타내어 보세요.

답 ______________

연산 노트

맞힌 개수

개 /51개

나의 학습 결과에 ○표 하세요.

맞힌 개수	0~5개	6~21개	22~46개	47~51개
학습 방법	다시 한번 풀어 봐요.	계산 연습이 필요해요.	틀린 문제를 확인해요.	실수하지 않도록 집중해요.

QR 빠른 정답 확인

6

비례식과 비례배분

학습 주제	학습 일차	맞힌 개수
1. 비례식	01일차	/20
	02일차	/13
2. 비례식의 성질 (1)	03일차	/16
	04일차	/19
3. 비례식의 성질 (2)	05일차	/13
	06일차	/19
4. 비례배분	07일차	/20
	08일차	/19
연산 & 문장제 마무리	09일차	/39

01 일차 1. 비례식

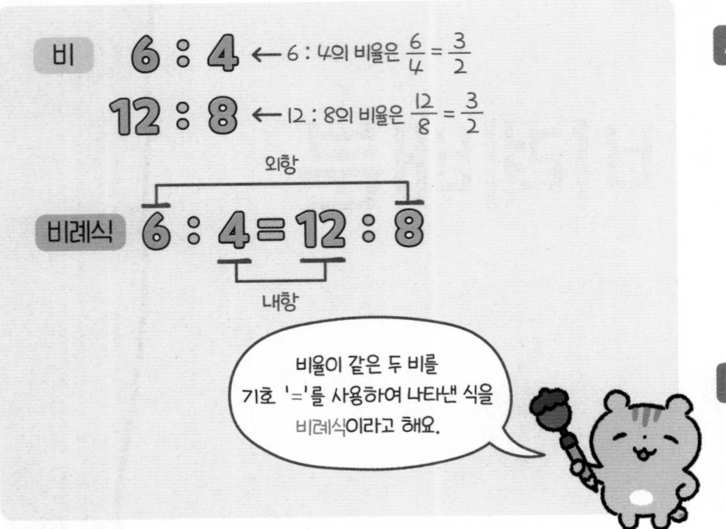

비례식에서 외항과 내항을 각각 찾아 써 보세요.

1 $1:2=3:6$

외항 (　　　　　　　　)
내항 (　　　　　　　　)

2 $4:5=8:10$

외항 (　　　　　　　　)
내항 (　　　　　　　　)

3 $7:3=35:15$

외항 (　　　　　　　　)
내항 (　　　　　　　　)

4 $10:12=5:6$

외항 (　　　　　　　　)
내항 (　　　　　　　　)

5 $14:63=2:9$

외항 (　　　　　　　　)
내항 (　　　　　　　　)

6 $25:15=5:3$

외항 (　　　　　　　　)
내항 (　　　　　　　　)

7 $32:36=8:9$

외항 (　　　　　　　　)
내항 (　　　　　　　　)

8 $40:38=20:19$

외항 (　　　　　　　　)
내항 (　　　　　　　　)

주어진 비와 비율이 같은 비를 찾아 비례식으로 나타내어 보세요.

9 4 : 5　　5 : 15　　8 : 10

1 : 3 = ☐ : ☐

10 1 : 2　　4 : 14　　12 : 21

2 : 7 = ☐ : ☐

11 12 : 20　　24 : 33　　30 : 55

6 : 11 = ☐ : ☐

12 3 : 2　　18 : 9　　36 : 16

9 : 4 = ☐ : ☐

13 30 : 16　　45 : 32　　50 : 40

15 : 8 = ☐ : ☐

14 4 : 11　　44 : 48　　66 : 69

22 : 23 = ☐ : ☐

15 2 : 3　　6 : 8　　10 : 12

4 : 6 = ☐ : ☐

16 6 : 9　　15 : 20　　21 : 24

9 : 12 = ☐ : ☐

17 10 : 16　　15 : 32　　25 : 36

15 : 24 = ☐ : ☐

18 6 : 12　　8 : 20　　10 : 30

20 : 50 = ☐ : ☐

19 9 : 27　　16 : 24　　15 : 20

24 : 36 = ☐ : ☐

20 9 : 8　　16 : 12　　8 : 7

32 : 28 = ☐ : ☐

맞힌 개수

개 /20개

나의 학습 결과에 ○표 하세요.

맞힌 개수	0~2개	3~6개	7~18개	19~20개
학습 방법	다시 한번 풀어 봐요.	계산 연습이 필요해요.	틀린 문제를 확인해요.	실수하지 않도록 집중해요.

QR 빠른 정답 확인

02 일차 **1. 비례식**

비례식에서 외항과 내항을 각각 찾아 써 보세요.

1 $2 : 9 = 14 : 63$

외항 (   )
내항 (   )

2 $8 : 16 = 6 : 12$

외항 (   )
내항 (   )

3 $13 : 17 = 39 : 51$

외항 (   )
내항 (   )

4 $20 : 18 = 30 : 27$

외항 (   )
내항 (   )

5 $24 : 30 = 8 : 10$

외항 (   )
내항 (   )

비율이 같은 두 비를 찾아 비례식으로 나타내어 보세요.

6 2 : 3   15 : 36   17 : 13   34 : 26

□ : □ = □ : □

7 3 : 7   12 : 28   8 : 10   15 : 25

□ : □ = □ : □

8 2 : 3   8 : 11   16 : 40   22 : 55

□ : □ = □ : □

9 2 : 7   5 : 1   14 : 12   35 : 30

□ : □ = □ : □

10 3 : 4   9 : 2   16 : 18   27 : 6

□ : □ = □ : □

연산 in 문장제

팔찌 한 개를 만드는 데 빨간 구슬이 6개, 노란 구슬이 5개 필요합니다. 팔찌 수에 따라 필요한 빨간 구슬 수와 노란 구슬 수를 비교하여 비례식으로 나타내어 보세요.

팔찌 수(개)	1	2	3
빨간 구슬 수(개)	6	12	18
노란 구슬 수(개)	5	10	15
빨간 구슬 : 노란 구슬	6 : 5	12 : 10	18 : 15

따라서 빨간 구슬 수와 노란 구슬 수의 비를 이용하여 비례식으로 나타내면 예 6 : 5=12 : 10입니다.

11 과학 실험 시간에 한 모둠이 실험하는 데 스포이드가 3개, 비커가 8개 필요합니다. 모둠 수에 따라 필요한 스포이드 수와 비커 수를 비교하여 비례식으로 나타내어 보세요.

➜

모둠 수(모둠)	1	2	3
스포이드 수(개)			
비커 수(개)			
스포이드 : 비커			

답 ______________

12 준혁이가 선물 상자 한 개를 묶는 데 빨간 끈이 20 cm, 파란 끈이 30 cm 필요합니다. 선물 상자 수에 따라 필요한 빨간 끈의 길이와 파란 끈의 길이를 비교하여 비례식으로 나타내어 보세요.

➜

선물 상자 수(개)	1	2	3
빨간 끈의 길이(cm)			
파란 끈의 길이(cm)			
빨간 끈 : 파란 끈			

답 ______________

13 케이크 한 개를 만드는 데 밀가루가 40 g, 설탕이 25 g 필요합니다. 케이크 수에 따라 필요한 밀가루의 양과 설탕의 양을 비교하여 비례식으로 나타내어 보세요.

➜

케이크 수(개)	1	2	3
밀가루의 양(g)			
설탕의 양(g)			
밀가루 : 설탕			

답 ______________

맞힌 개수

개 /13개

나의 학습 결과에 ○표 하세요.

맞힌 개수	0~2개	3~5개	6~11개	12~13개
학습 방법	다시 한번 풀어 봐요.	계산 연습이 필요해요.	틀린 문제를 확인해요.	실수하지 않도록 집중해요.

QR 빠른 정답 확인

03 일차 2. 비례식의 성질 (1)

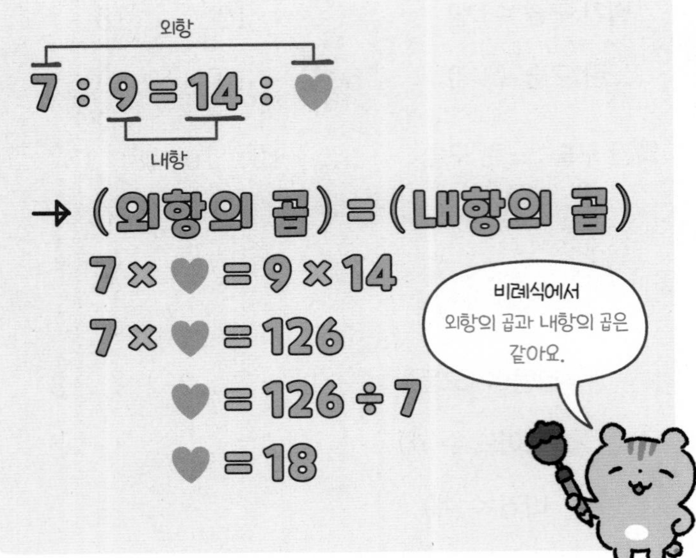

비례식의 성질을 이용하여 □ 안에 알맞은 수를 써넣으세요.

1

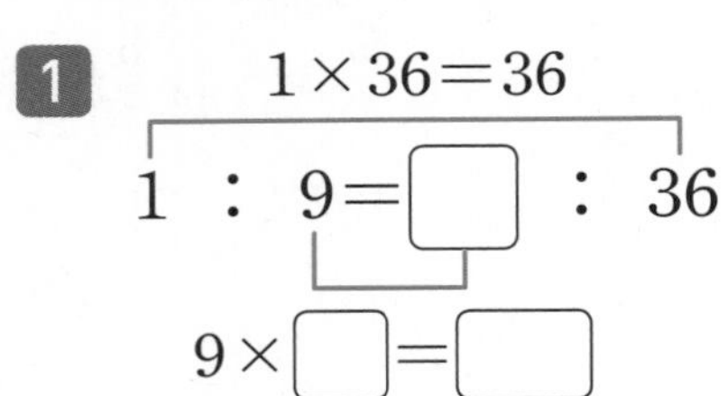

2

$4 \times 30 = 120$

$4 : \square = 8 : 30$

$\square \times 8 = \square$

3

$7 \times \square = \square$

$7 : 12 = 21 : \square$

$12 \times 21 = 252$

4

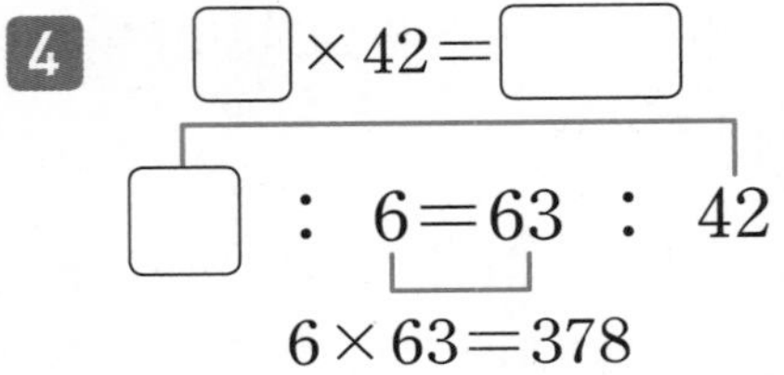

5

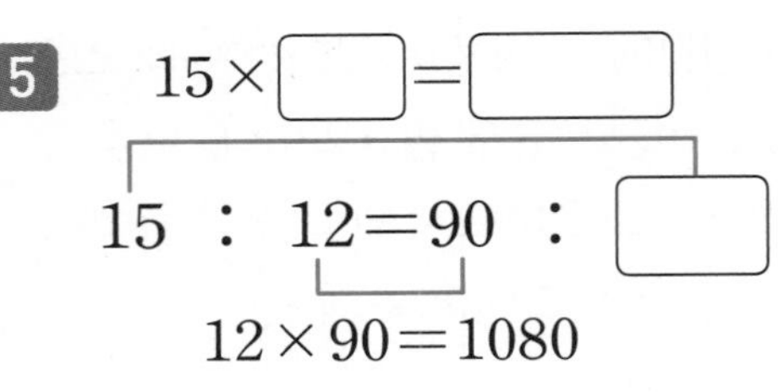

6

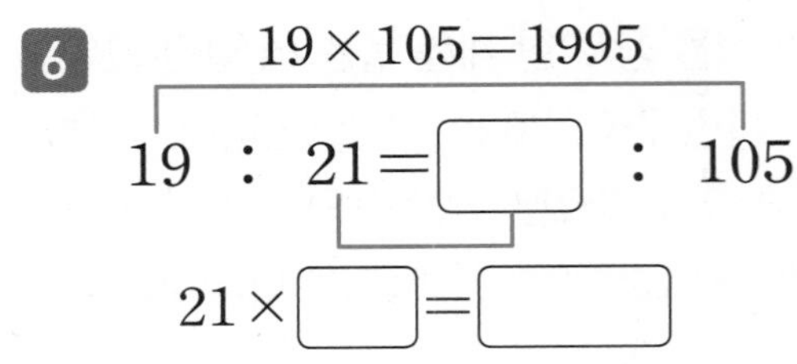

7

$\square \times 2 = \square$

$\square : 10 = 5 : 2$

$10 \times 5 = 50$

8

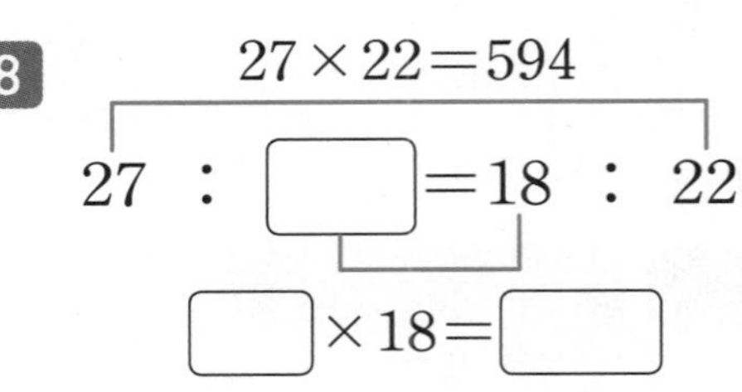

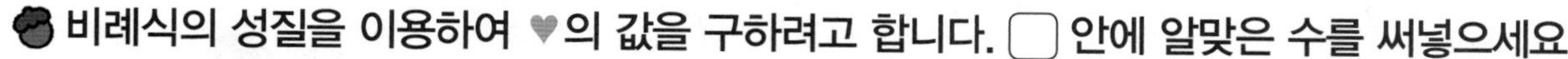

비례식의 성질을 이용하여 ♥의 값을 구하려고 합니다. □ 안에 알맞은 수를 써넣으세요.

9 $2:5=♥:20$

➡ $2\times\square=5\times♥$

$5\times♥=\square$

$♥=\square\div5$

$♥=\square$

10 $♥:13=8:26$

➡ $♥\times26=\square\times8$

$♥\times26=\square$

$♥=\square\div26$

$♥=\square$

11 $9:16=27:♥$

➡ $9\times♥=16\times\square$

$9\times♥=\square$

$♥=\square\div9$

$♥=\square$

12 $17:♥=15:60$

➡ $\square\times60=♥\times15$

$♥\times15=\square$

$♥=\square\div15$

$♥=\square$

13 $24:♥=3:20$

➡ $24\times\square=♥\times3$

$♥\times3=\square$

$♥=\square\div3$

$♥=\square$

14 $35:49=♥:14$

➡ $35\times\square=49\times♥$

$49\times♥=\square$

$♥=\square\div49$

$♥=\square$

15 $♥:63=16:28$

➡ $♥\times28=63\times\square$

$♥\times28=\square$

$♥=\square\div28$

$♥=\square$

16 $50:35=30:♥$

➡ $50\times♥=\square\times30$

$50\times♥=\square$

$♥=\square\div50$

$♥=\square$

맞힌 개수

개 /16개

나의 학습 결과에 ○표 하세요.

맞힌 개수	0~2개	3~4개	5~14개	15~16개
학습 방법	다시 한번 풀어 봐요.	계산 연습이 필요해요.	틀린 문제를 확인해요.	실수하지 않도록 집중해요.

QR 빠른 정답 확인

04 일차

2. 비례식의 성질 (1)

비례식의 성질을 이용하여 □ 안에 알맞은 수를 써넣으세요.

1. $3:4=18:\square$

9. $\square:24=1:4$

2. $5:9=\square:27$

10. $15:\square=20:24$

3. $11:16=55:\square$

11. $\square:39=32:78$

4. $13:8=\square:16$

12. $24:\square=8:14$

5. $14:24=7:\square$

13. $\square:12=75:36$

6. $18:45=\square:5$

14. $34:\square=68:18$

7. $26:42=39:\square$

15. $\square:16=33:12$

8. $30:51=\square:68$

16. $76:\square=20:15$

연산 in 문장제

민수의 책상의 가로는 120 cm입니다. 민수의 책상의 가로와 세로의 비가 5 : 3일 때, 책상의 세로는 몇 cm인지 구해 보세요.

책상의 세로를 □cm라고 하여 비례식을 세우면

5 : 3 = 120 : □
(가로) (세로) (가로) (세로)

⇨ 5×□=3×120, 5×□=360, □=72

따라서 책상의 세로는 72 cm입니다.

비례식	5	:	3	=	120	:	□
외항의 곱	5	×	72	=	360		
내항의 곱	3	×	120	=	360		

17 4분 동안 10 L의 물이 나오는 수도가 있습니다. 이 수도로 들이가 30 L인 통에 물을 가득 채우는 데 걸리는 시간은 몇 분인지 구해 보세요.

➜

비례식		:		=		:	
외항의 곱		×		=			
내항의 곱		×		=			

답 ____________

18 어느 할인 매장에서 배 5개를 7500원에 판매하고 있습니다. 배 3개의 값은 얼마인지 구해 보세요.

➜

비례식		:		=		:	
외항의 곱		×		=			
내항의 곱		×		=			

답 ____________

19 휘발유 10 L로 150 km를 가는 자동차가 있습니다. 이 자동차가 180 km를 가려면 필요한 휘발유는 몇 L인지 구해 보세요.

➜

비례식		:		=		:	
외항의 곱		×		=			
내항의 곱		×		=			

답 ____________

맞힌 개수

개 /19개

나의 학습 결과에 ○표 하세요.

맞힌 개수	0~2개	3~6개	7~17개	18~19개
학습 방법	다시 한번 풀어 봐요.	계산 연습이 필요해요.	틀린 문제를 확인해요.	실수하지 않도록 집중해요.

QR 빠른 정답 확인

05 일차 3. 비례식의 성질 (2)

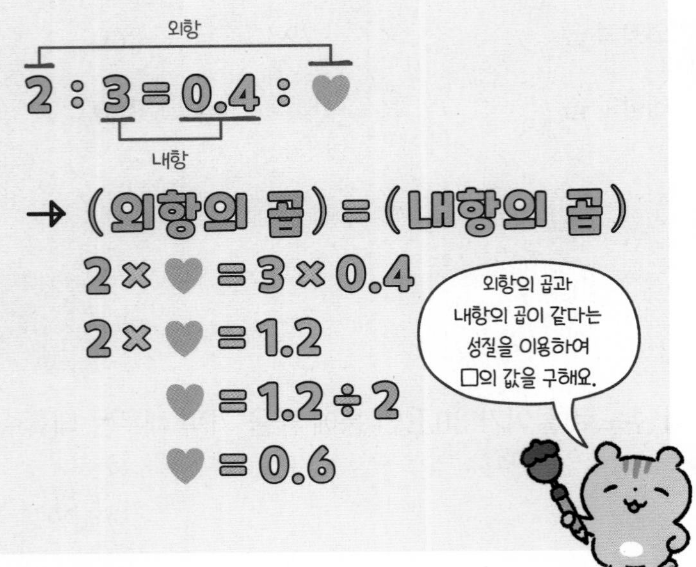

비례식의 성질을 이용하여 □ 안에 알맞은 수를 써넣으세요.

1

$5\times\square=\square$

$5 : 4 = 0.75 : \square$

$4\times0.75=3$

2

$\square\times7=\square$

$\square : 2.1 = 2 : 7$

$2.1\times2=4.2$

3

$1.8\times24=43.2$

$1.8 : \square = 8 : 24$

$\square\times8=\square$

4

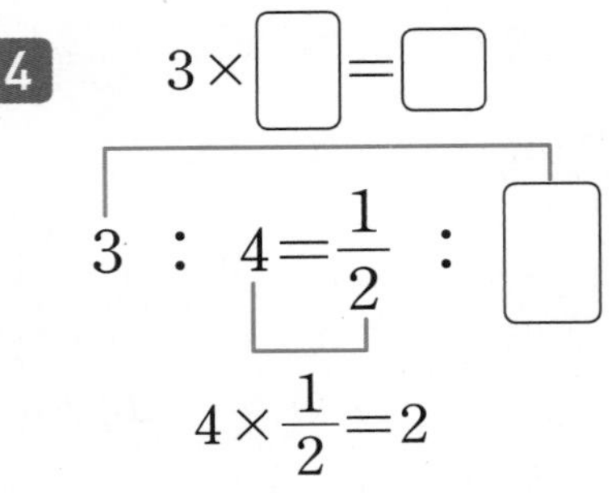

$3\times\square=\square$

$3 : 4 = \frac{1}{2} : \square$

$4\times\frac{1}{2}=2$

5

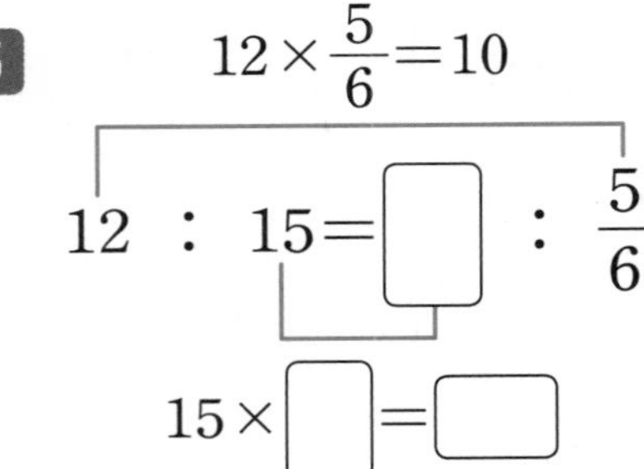

$12\times\frac{5}{6}=10$

$12 : 15 = \square : \frac{5}{6}$

$15\times\square=\square$

6

$\frac{1}{10}\times8=\frac{4}{5}$

$\frac{1}{10} : \frac{2}{5} = \square : 8$

$\frac{2}{5}\times\square=\square$

7

$1\frac{1}{6}\times18=21$

$1\frac{1}{6} : \square = 24 : 18$

$\square\times24=\square$

비례식의 성질을 이용하여 ♥의 값을 구하려고 합니다. □ 안에 알맞은 수를 써넣으세요.

8 $6:♥=0.3:0.25$

➡ $6\times\square=♥\times0.3$

$♥\times0.3=\square$

$♥=\square\div\square$

$♥=\square$

9 $17.5:7=♥:4$

➡ $17.5\times4=\square\times♥$

$\square\times♥=\square$

$♥=\square\div\square$

$♥=\square$

10 $2.4:3=1.6:♥$

➡ $\square\times♥=\square\times1.6$

$2.4\times♥=\square$

$♥=\square\div\square$

$♥=\square$

11 $13:16=\frac{5}{8}:♥$

➡ $13\times♥=16\times\square$

$13\times♥=\square$

$♥=\square\div13$

$♥=\square$

12 $\frac{1}{2}:\frac{3}{5}=10:♥$

➡ $\frac{1}{2}\times♥=\square\times10$

$\frac{1}{2}\times♥=\square$

$♥=\square\div\frac{1}{2}$

$♥=\square$

13 $♥:\frac{3}{4}=28:\frac{7}{9}$

➡ $♥\times\frac{7}{9}=\frac{3}{4}\times\square$

$♥\times\frac{7}{9}=\square$

$♥=\square\div\frac{7}{9}$

$♥=\square$

맞힌 개수

개 /13개

나의 학습 결과에 ○표 하세요.

맞힌 개수	0~2개	3~4개	5~11개	12~13개
학습 방법	다시 한번 풀어 봐요.	계산 연습이 필요해요.	틀린 문제를 확인해요.	실수하지 않도록 집중해요.

QR 빠른 정답 확인

3. 비례식의 성질 (2)

비례식의 성질을 이용하여 □ 안에 알맞은 수를 써넣으세요.

1 $3:8=\square:2.4$

2 $15:6=8:\square$

3 $9:\square=0.27:0.12$

4 $\square:18=1.44:0.64$

5 $9.2:6.9=\square:18$

6 $6.15:2.46=5:\square$

7 $3:\square=4:9$

8 $\square:0.98=2:0.28$

9 $4:7=\square:\frac{2}{3}$

10 $6:5=\frac{2}{5}:\square$

11 $16:\square=3\frac{1}{3}:4\frac{3}{8}$

12 $\square:20=\frac{1}{3}:\frac{4}{9}$

13 $\frac{7}{18}:\frac{7}{4}=\square:9$

14 $\frac{6}{25}:\frac{4}{5}=3:\square$

15 $\frac{5}{7}:\square=45:28$

16 $\square:2\frac{1}{4}=8:3$

연산 in 문장제

고구마 밭의 넓이와 감자 밭의 넓이의 비는 3 : 4입니다. 고구마 밭의 넓이가 $1.5\,m^2$일 때, 감자 밭의 넓이는 몇 m^2인지 구해 보세요.

감자 밭의 넓이를 $\square\,m^2$라고 하여 비례식을 세우면

$3 : 4 = 1.5 : \square$

(3 ← 고구마 밭, 4 ← 감자 밭, 1.5 ← 고구마 밭, □ ← 감자 밭)

⇨ $3\times\square=4\times1.5$, $3\times\square=6$, $\square=2$

따라서 감자 밭의 넓이는 $2\,m^2$입니다.

비례식	3	:	4	=	1.5	:	□
외항의 곱	3	×	2	=	6		
내항의 곱	4	×	1.5	=	6		

17 부침개를 만드는 데 밀가루와 튀김 가루를 4.5 : 5.5로 섞어서 만들려고 합니다. 튀김 가루를 220 g 넣었다면 밀가루는 몇 g을 넣어야 하는지 구해 보세요.

답 ______________

→

비례식		:		=		:	
외항의 곱		×		=			
내항의 곱		×		=			

18 민주와 희주가 같은 책을 1시간 동안 읽는 데 민주는 전체의 $\frac{1}{3}$, 희주는 전체의 $\frac{1}{4}$을 읽었습니다. 민주가 읽은 책의 쪽수가 36쪽일 때, 희주가 읽은 책의 쪽수는 몇 쪽인지 구해 보세요.

답 ______________

→

비례식		:		=		:	
외항의 곱		×		=			
내항의 곱		×		=			

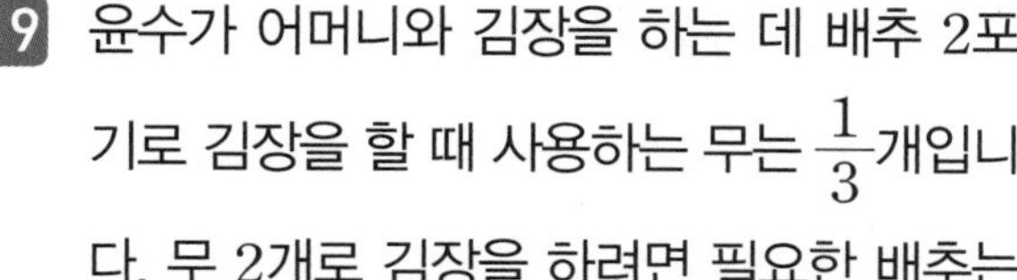

19 윤수가 어머니와 김장을 하는 데 배추 2포기로 김장을 할 때 사용하는 무는 $\frac{1}{3}$개입니다. 무 2개로 김장을 하려면 필요한 배추는 몇 포기인지 구해 보세요.

답 ______________

→

비례식		:		=		:	
외항의 곱		×		=			
내항의 곱		×		=			

맞힌 개수

개 /19개

나의 학습 결과에 ○표 하세요.

맞힌 개수	0~2개	3~6개	7~17개	18~19개
학습 방법	다시 한번 풀어 봐요.	계산 연습이 필요해요.	틀린 문제를 확인해요.	실수하지 않도록 집중해요.

QR 빠른 정답 확인

07 일차 4. 비례배분

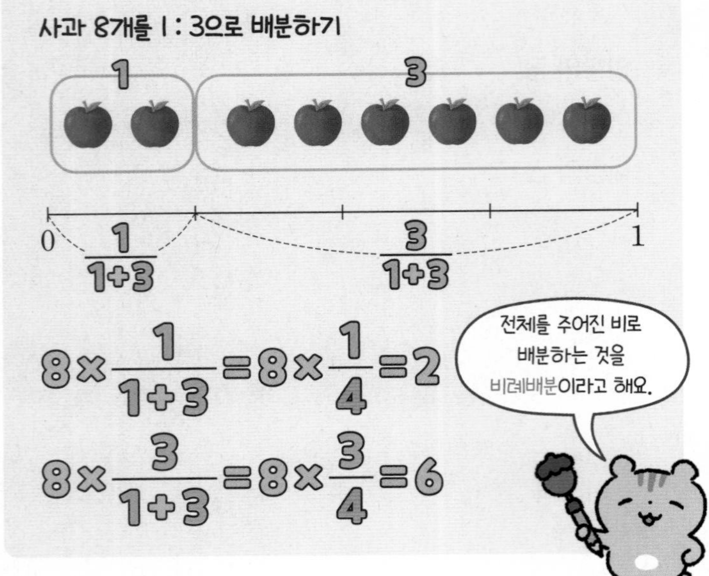

● (　) 안의 수를 □ 안의 비로 비례배분하려고 합니다. □ 안에 알맞은 수를 써넣으세요.

1 15　　7 : 8

➡ $15\times\frac{7}{\square}=\square$

$15\times\frac{\square}{\square}=\square$

2 24　　1 : 5

➡ $24\times\frac{\square}{\square}=\square$

$24\times\frac{5}{\square}=\square$

3 33　　5 : 6

➡ $33\times\frac{\square}{\square}=\square$

$33\times\frac{6}{\square}=\square$

4 42　　13 : 8

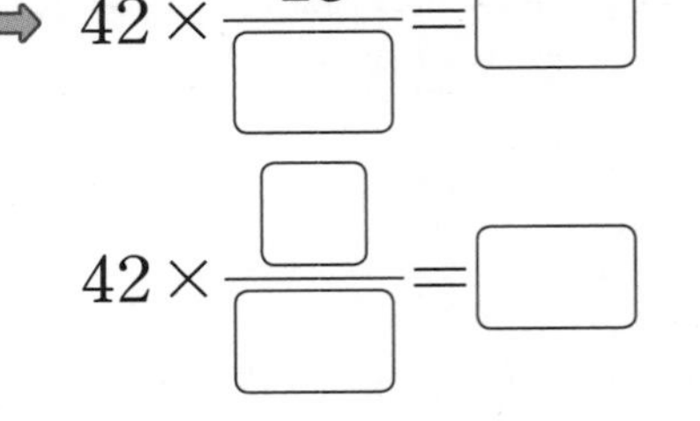

➡ $42\times\frac{13}{\square}=\square$

$42\times\frac{\square}{\square}=\square$

5 49　　2 : 5

➡ $49\times\frac{\square}{\square}=\square$

$49\times\frac{5}{\square}=\square$

6 65　　4 : 9

➡ $65\times\frac{4}{\square}=\square$

$65\times\frac{\square}{\square}=\square$

안의 수를 안의 비로 비례배분하여 (,) 안에 써넣으세요.

7 18 | 4 : 5
➡ (,)

8 28 | 6 : 1
➡ (,)

9 36 | 7 : 5
➡ (,)

10 40 | 3 : 7
➡ (,)

11 45 | 2 : 3
➡ (,)

12 55 | 9 : 2
➡ (,)

13 62 | 16 : 15
➡ (,)

14 70 | 11 : 3
➡ (,)

15 75 | 2 : 13
➡ (,)

16 86 | 20 : 23
➡ (,)

17 88 | 4 : 7
➡ (,)

18 99 | 19 : 14
➡ (,)

19 100 | 11 : 14
➡ (,)

20 114 | 13 : 6
➡ (,)

맞힌 개수

개 /20개

나의 학습 결과에 ○표 하세요.

맞힌 개수	0~2개	3~6개	7~18개	19~20개
학습 방법	다시 한번 풀어 봐요.	계산 연습이 필요해요.	틀린 문제를 확인해요.	실수하지 않도록 집중해요.

QR 빠른 정답 확인

08일차 4. 비례배분

안의 수를 안의 비로 비례배분하여 (,) 안에 써넣으세요.

1 9 7 : 2
➡ (,)

2 21 2 : 1
➡ (,)

3 32 5 : 3
➡ (,)

4 48 1 : 7
➡ (,)

5 60 4 : 11
➡ (,)

6 84 5 : 2
➡ (,)

7 95 16 : 3
➡ (,)

8 96 7 : 9
➡ (,)

9 112 11 : 5
➡ (,)

10 125 12 : 13
➡ (,)

11 130 9 : 4
➡ (,)

12 145 10 : 19
➡ (,)

13 168 17 : 7
➡ (,)

14 180 5 : 13
➡ (,)

연산 in 문장제

윤희와 동생이 20000원을 3 : 1로 나누어 가지려고 합니다. 윤희가 가지는 돈은 얼마인지 구해 보세요.

$$20000 \times \frac{3}{3+1} = 20000 \times \frac{3}{4} = \underline{15000}(\text{원})$$

↑ 윤희가 가지는 돈

15 연필 56자루를 지유와 지혜가 2 : 5로 나누어 가졌습니다. 지유가 가진 연필은 몇 자루인지 구해 보세요.

답 ________

16 바구니 안에 딸기 맛 사탕과 포도 맛 사탕이 8 : 7로 들어 있습니다. 바구니 안에 들어 있는 사탕이 모두 360개일 때, 포도 맛 사탕은 몇 개인지 구해 보세요.

답 ________

17 민희네 학교 6학년 전체 학생은 500명이고, 남학생 수와 여학생 수의 비는 13 : 12입니다. 민희네 학교 6학년 여학생은 몇 명인지 구해 보세요.

답 ________

18 15000원짜리 케이크를 사는 데 케이크 값을 준호와 형이 13 : 17로 나누어 내려고 합니다. 준호가 내야 하는 돈은 얼마인지 구해 보세요.

답 ________

19 어느 날 하루의 낮의 길이와 밤의 길이의 비는 7 : 5입니다. 낮의 길이는 몇 시간인지 구해 보세요.

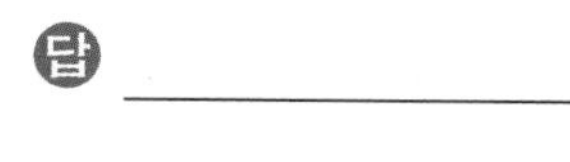

답 ________

맞힌 개수

개 /19개

나의 학습 결과에 ○표 하세요.

맞힌 개수	0~2개	3~6개	7~17개	18~19개
학습 방법	다시 한번 풀어 봐요.	계산 연습이 필요해요.	틀린 문제를 확인해요.	실수하지 않도록 집중해요.

QR 빠른 정답 확인

09 일차 연산&문장제 마무리

비례식의 성질을 이용하여 □ 안에 알맞은 수를 써넣으세요.

1 $1:4=\square:36$

2 $\square:20=6:15$

3 $16:12=4:\square$

4 $40:\square=10:19$

5 $2.8:\square=24:42$

6 $3.6:4.5=8:\square$

7 $8:7.2=\square:2.7$

8 $1.62:\square=1.44:16$

9 $0.75:0.25=\square:30$

10 $14:15=2.24:\square$

11 $\frac{1}{2}:\square=\frac{4}{5}:24$

12 $\square:\frac{1}{6}=2:3$

13 $10:2\frac{1}{3}=\square:1\frac{2}{5}$

14 $\frac{4}{9}:\square=52:27$

15 $\square:1\frac{3}{5}=40:112$

16 $5:\frac{1}{4}=8:\square$

안의 수를 안의 비로 비례배분하여 (,) 안에 써넣으세요.

17 18 2 : 7 ⇨ (,)

18 20 1 : 4 ⇨ (,)

19 52 8 : 5 ⇨ (,)

20 56 3 : 5 ⇨ (,)

21 63 4 : 3 ⇨ (,)

22 65 3 : 2 ⇨ (,)

23 76 3 : 1 ⇨ (,)

24 84 13 : 15 ⇨ (,)

25 99 6 : 5 ⇨ (,)

26 105 11 : 4 ⇨ (,)

27 126 2 : 5 ⇨ (,)

28 144 3 : 13 ⇨ (,)

29 195 20 : 19 ⇨ (,)

30 224 5 : 9 ⇨ (,)

31 255 7 : 10 ⇨ (,)

32 300 8 : 7 ⇨ (,)

33 초등학생의 미술관 입장료와 어른의 미술관 입장료의 비는 5 : 7입니다. 초등학생의 입장료가 6000원일 때 어른의 입장료는 얼마인지 구해 보세요.

답 ______

34 1000 mL짜리 우유 2통은 5200원입니다. 1000 mL짜리 우유 6통을 사려면 얼마가 필요한지 구해 보세요.

답 ______

35 승우와 선희가 주스를 0.2 : 0.25로 나누어 마셨습니다. 승우가 마신 주스가 540 mL일 때 선희가 마신 주스는 몇 mL인지 구해 보세요.

답 ______

36 밀가루와 설탕을 $3 : \frac{1}{3}$로 섞어서 쿠키를 만들려고 합니다. 설탕을 2컵 넣었다면 밀가루는 몇 컵을 넣어야 하는지 구해 보세요.

답 ______

37 수정이와 언니의 나이의 합은 30살이고, 수정이의 나이와 언니의 나이의 비는 7 : 8입니다. 언니의 나이는 몇 살인지 구해 보세요.

답 ______

38 미희네 가족과 형호네 가족이 텃밭에서 수확한 양파 70개를 가족 수의 비로 나누어 가지려고 합니다. 미희네 가족은 4명, 형호네 가족은 3명일 때, 미희네 가족이 가지는 양파는 몇 개인지 구해 보세요.

답 ______

39 길이가 200 cm인 털실을 윤서와 형우가 3 : 5로 나누어 가지려고 합니다. 윤서가 가지는 털실은 몇 cm인지 구해 보세요.

답 ______

연산 노트

맞힌 개수

개 /39개

나의 학습 결과에 ○표 하세요.

맞힌 개수	0~4개	5~16개	17~35개	36~39개
학습 방법	다시 한번 풀어 봐요.	계산 연습이 필요해요.	틀린 문제를 확인해요.	실수하지 않도록 집중해요.

QR 빠른 정답 확인

7

원의 넓이

학습 주제	학습 일차	맞힌 개수
1. 원주 구하기	01일차	/21
	02일차	/18
2. 지름 또는 반지름 구하기	03일차	/18
	04일차	/13
3. 원의 넓이	05일차	/24
	06일차	/18
4. 색칠한 부분의 넓이	07일차	/10
	08일차	/11
연산 & 문장제 마무리	09일차	/24

1. 원주 구하기

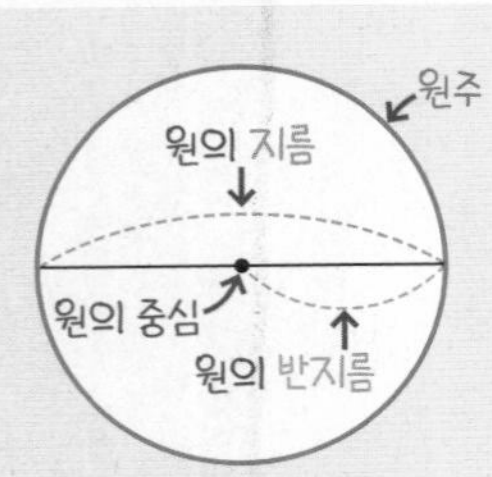

(원주) = (지름) × (원주율)
= (반지름) × 2 × (원주율)
지름

• 지름을 알 때 원주 구하기 (원주율: 3.14)

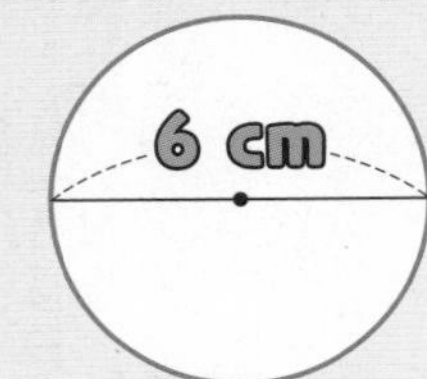

(원주) = (지름) × (원주율)
= 6 × 3.14 = 18.84 (cm)

• 반지름을 알 때 원주 구하기 (원주율: 3.14)

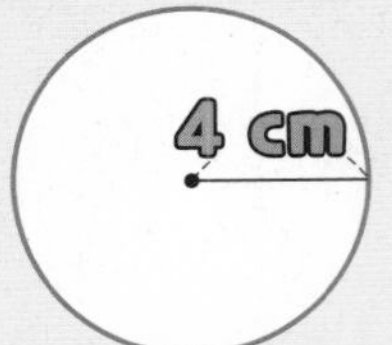

(원주) = (반지름) × 2 × (원주율)
지름
= 4 × 2 × 3.14 = 25.12 (cm)

원주를 구해 보세요. (원주율: 3)

원주율은 필요에 따라
3, 3.1, 3.14 등으로
어림하여 사용해요.

1
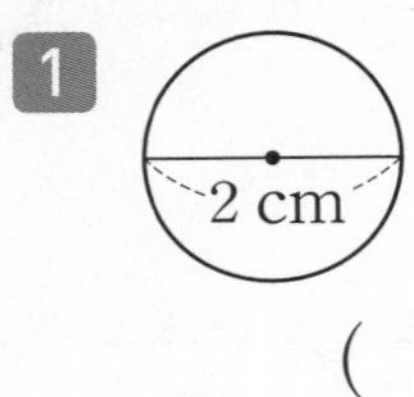

(　　　　　)

2
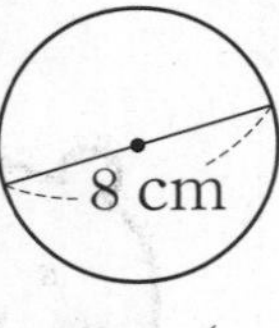

(　　　　　)

3
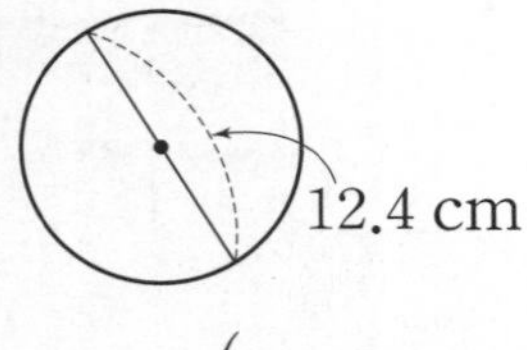

(　　　　　)

4
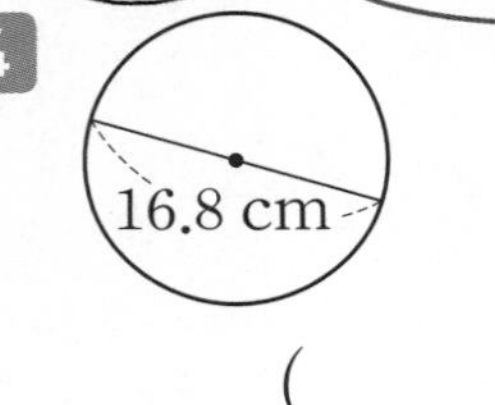

(　　　　　)

5
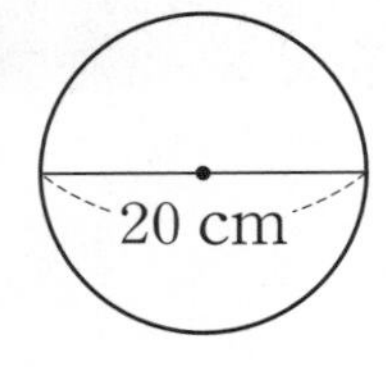

(　　　　　)

6
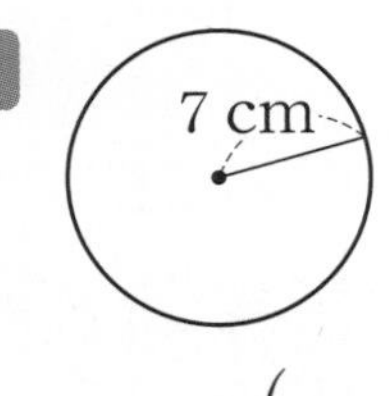

(　　　　　)

7
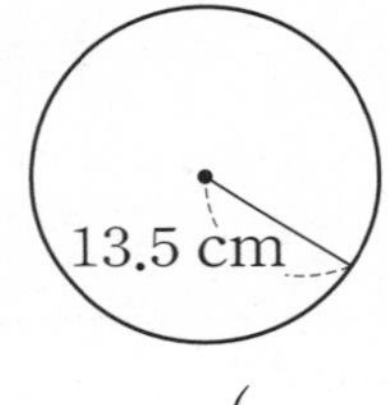

(　　　　　)

8
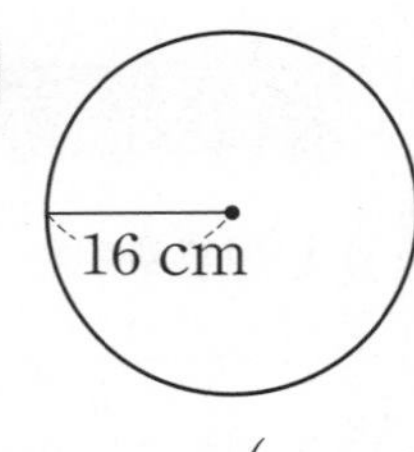

(　　　　　)

9
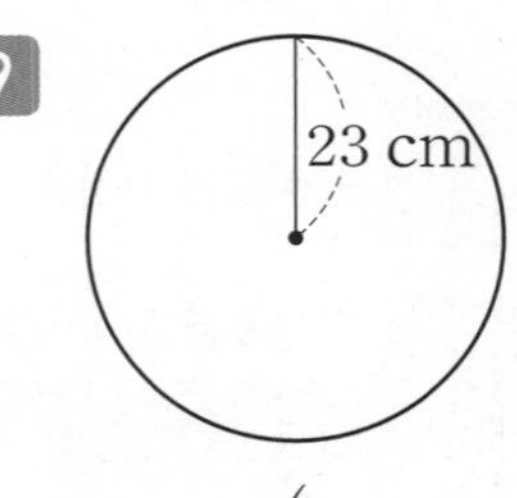

(　　　　　)

원주를 구해 보세요. (원주율: 3.1)

10
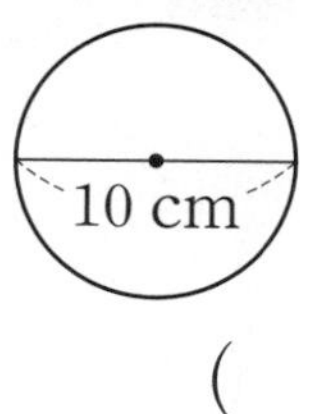

(　　　　　)

14
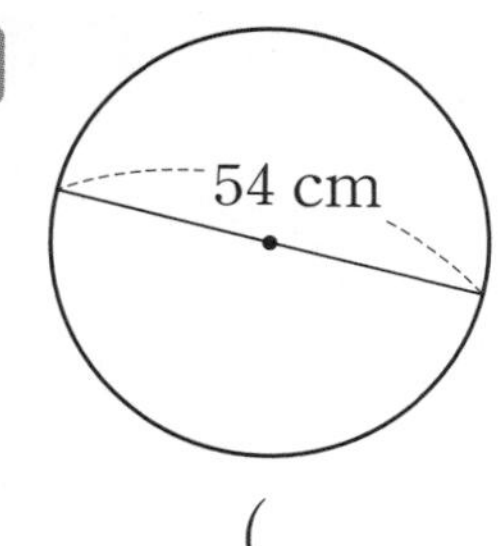

(　　　　　)

18
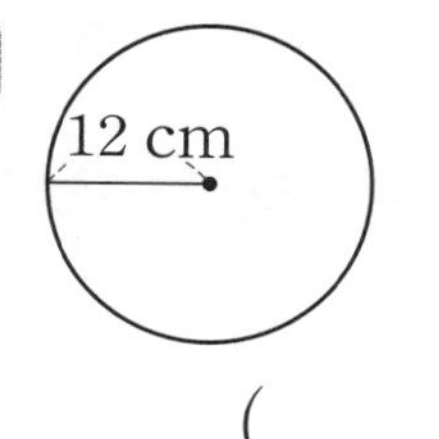

(　　　　　)

11
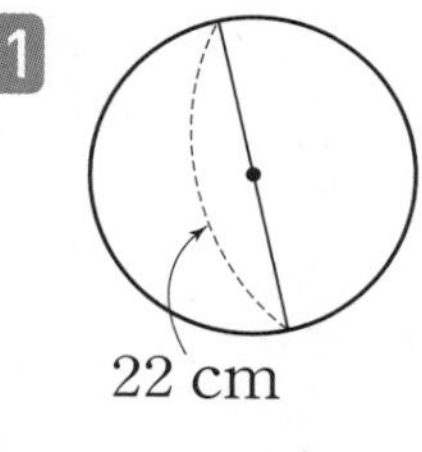

(　　　　　)

15
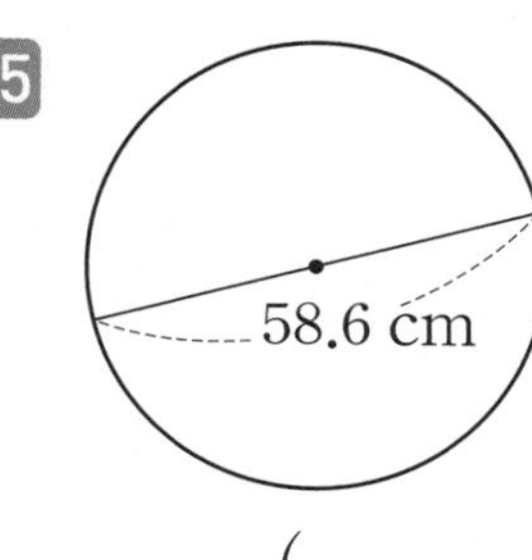

(　　　　　)

19
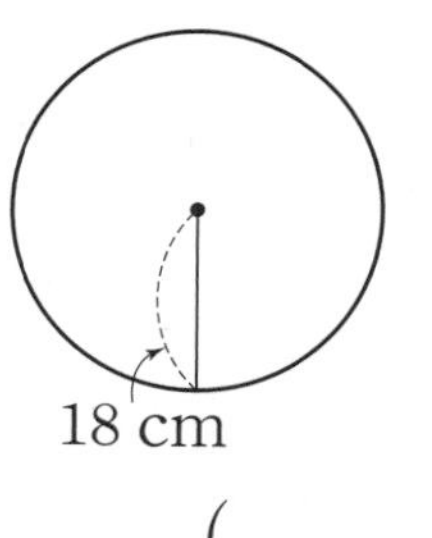

(　　　　　)

12
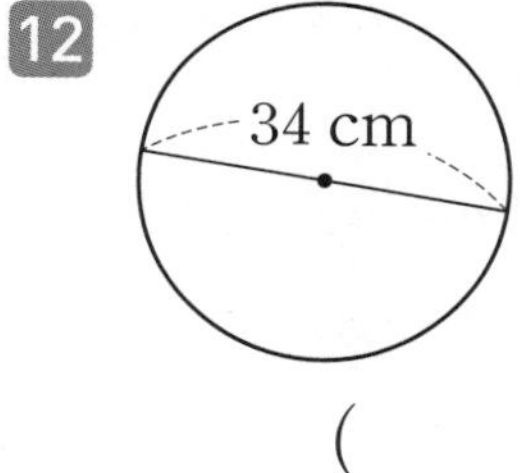

(　　　　　)

16
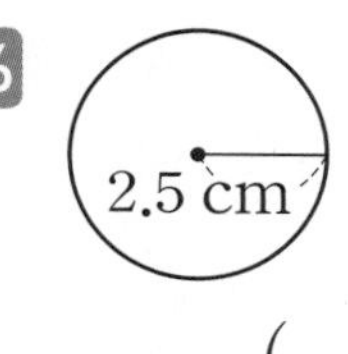

(　　　　　)

20
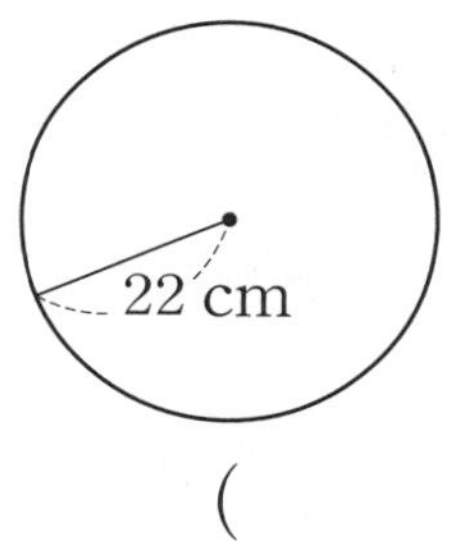

(　　　　　)

13
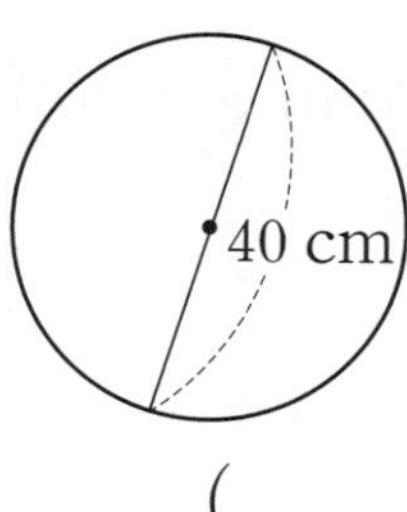

(　　　　　)

17
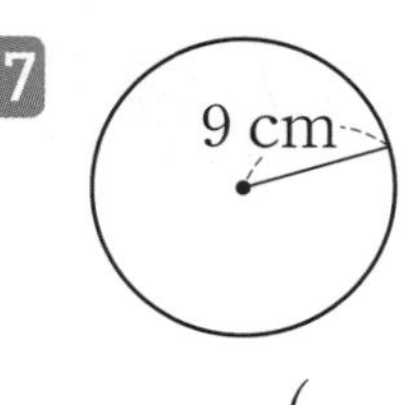

(　　　　　)

21
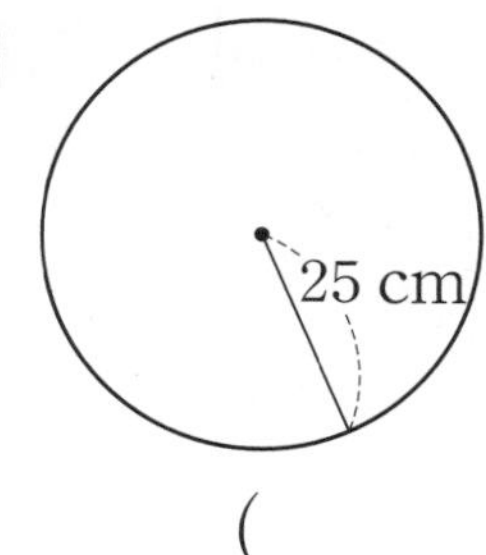

(　　　　　)

맞힌 개수

개 /21개

나의 학습 결과에 ○표 하세요.

맞힌 개수	0~2개	3~7개	8~19개	20~21개
학습 방법	다시 한번 풀어 봐요.	계산 연습이 필요해요.	틀린 문제를 확인해요.	실수하지 않도록 집중해요.

QR 빠른 정답 확인

1. 원주 구하기

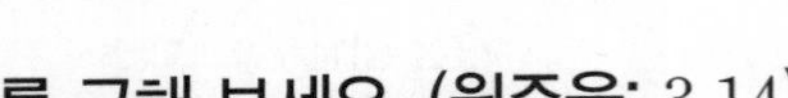

원주를 구해 보세요. (원주율: 3.14)

1 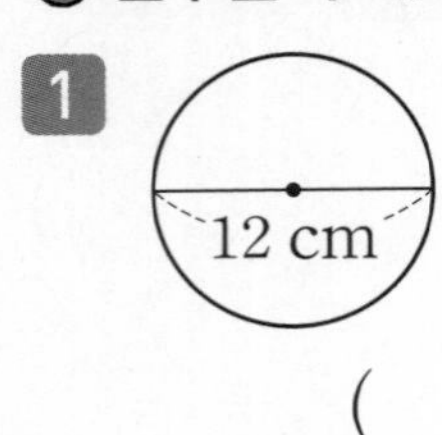

(　　　　　　)

2 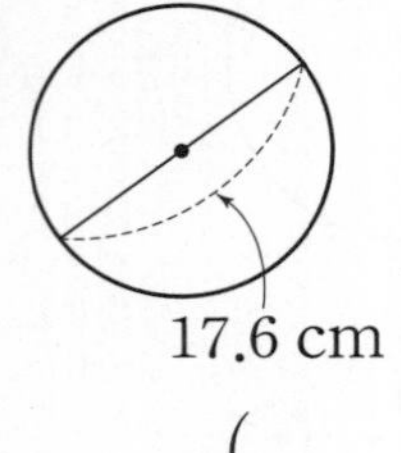

(　　　　　　)

3 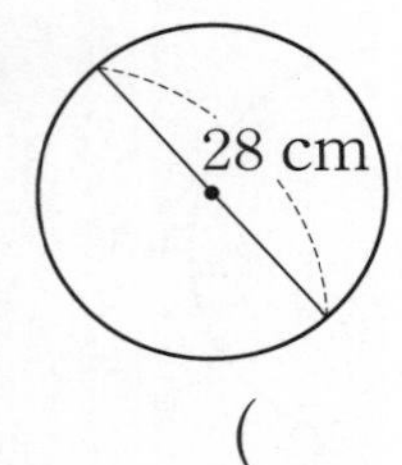

(　　　　　　)

4 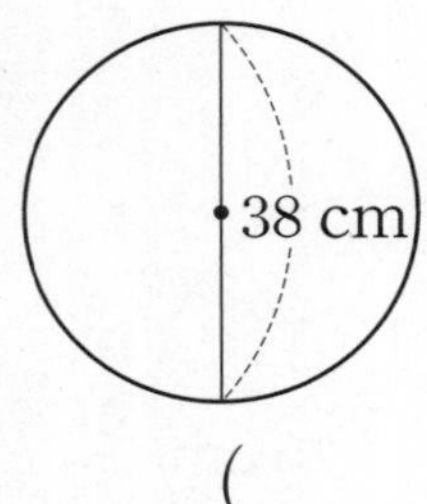

(　　　　　　)

5 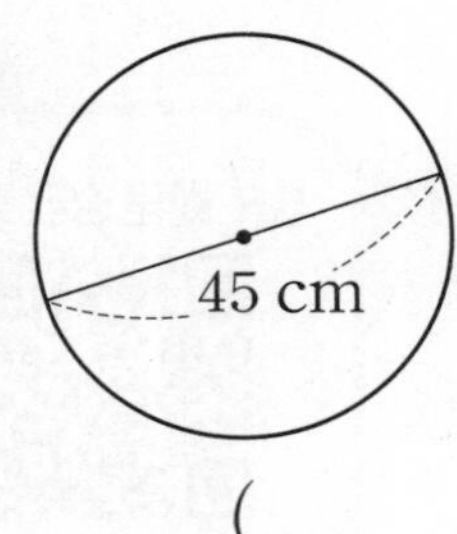

(　　　　　　)

6 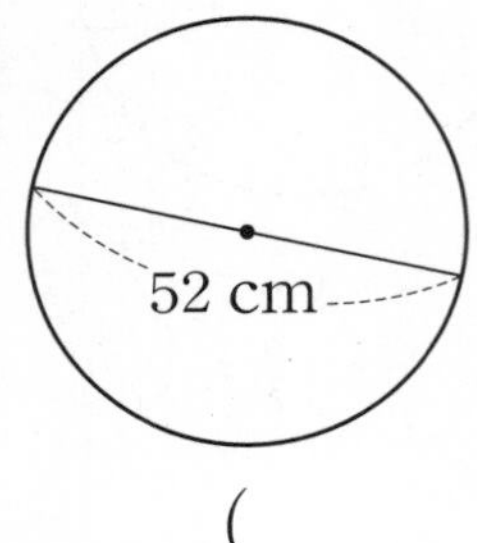

(　　　　　　)

7 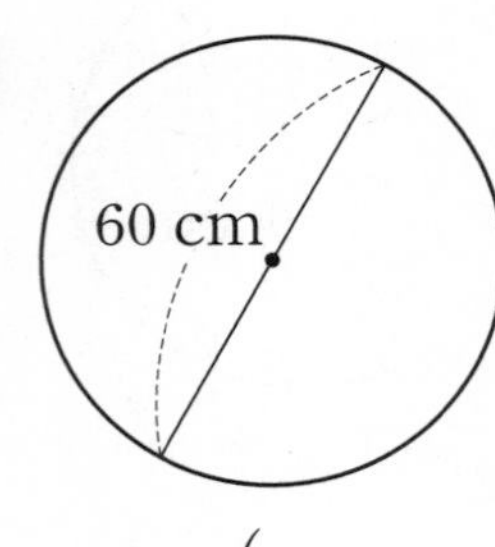

(　　　　　　)

8 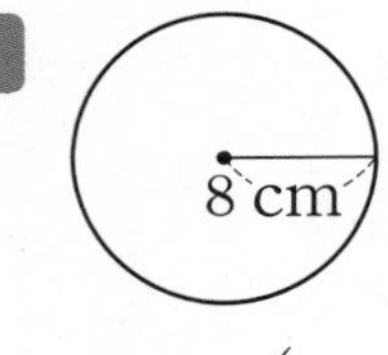

(　　　　　　)

9 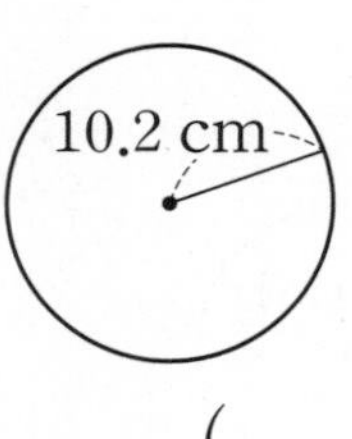

(　　　　　　)

10 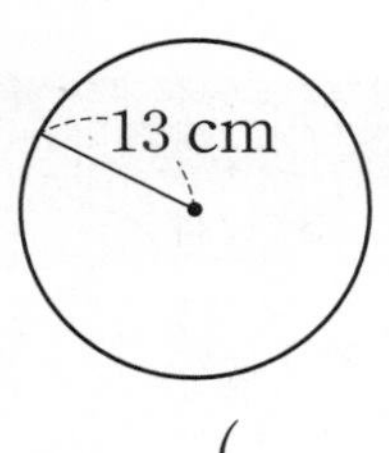

(　　　　　　)

11 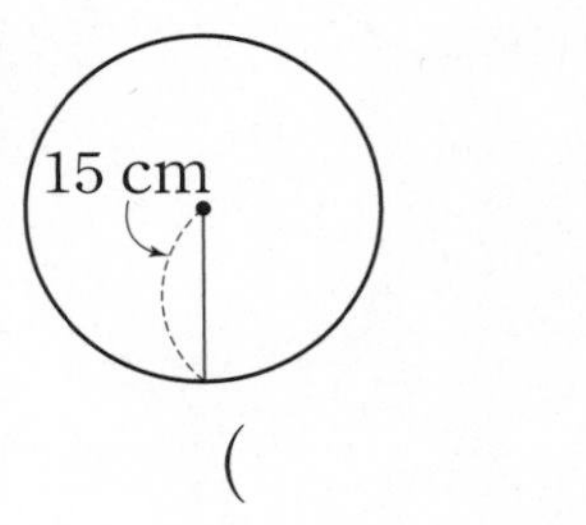

(　　　　　　)

12 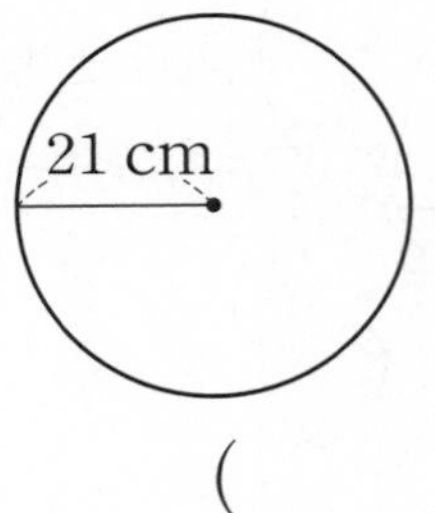

(　　　　　　)

13 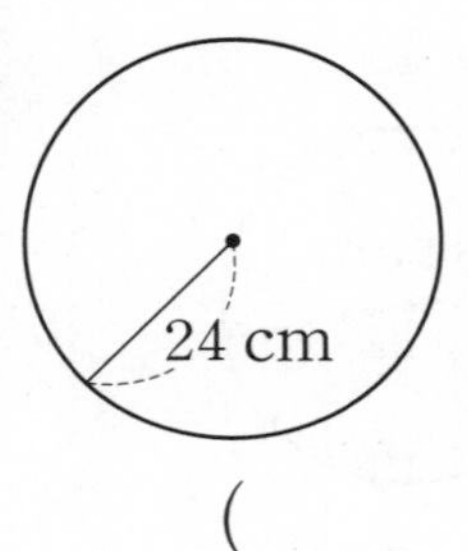

(　　　　　　)

14 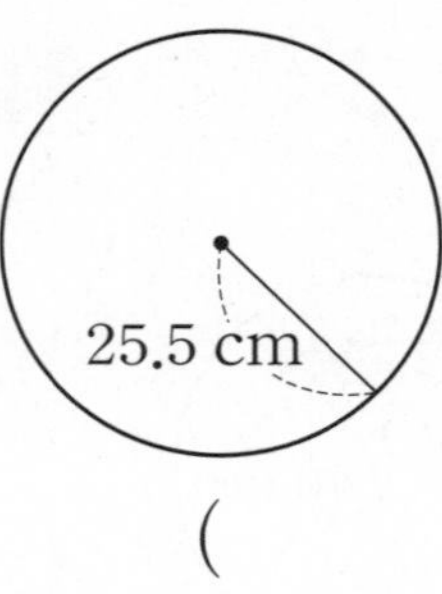

(　　　　　　)

15 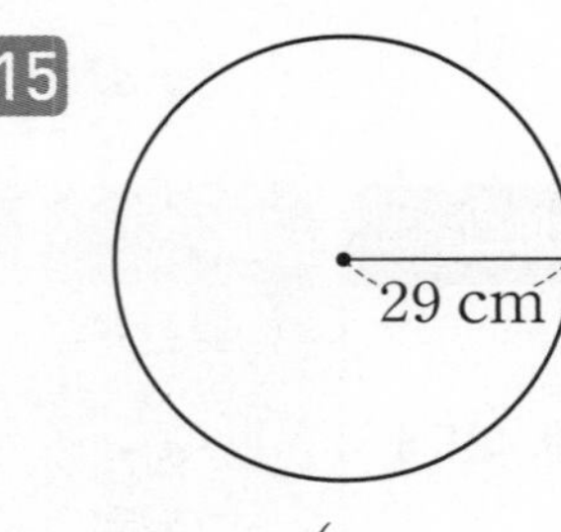

(　　　　　　)

연산 in 문장제

오른쪽 그림과 같은 원 모양의 시계의 지름은 56 cm입니다. 시계의 원주는 몇 cm인지 구해 보세요. (원주율: 3)

$56 \times 3 = 168$ (cm)

시계의 지름 / 원주율 / 시계의 원주

16 오른쪽 그림과 같은 원 모양의 호떡의 지름은 12.6 cm입니다. 호떡의 원주는 몇 cm인지 구해 보세요. (원주율: 3)

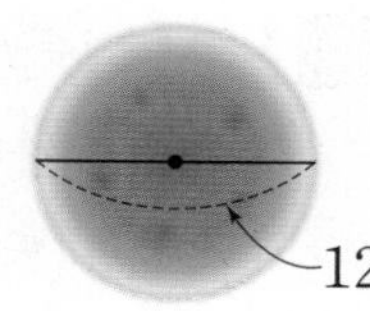

답 ______________

17 오른쪽 그림과 같은 원 모양의 냄비 받침의 반지름은 7.5 cm입니다. 냄비 받침의 원주는 몇 cm인지 구해 보세요. (원주율: 3.1)

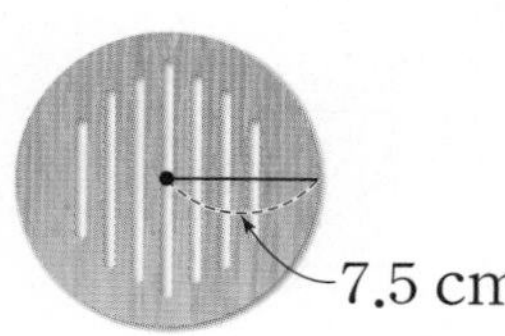

답 ______________

18 오른쪽 그림과 같은 원 모양의 자전거 바퀴의 반지름은 35 cm입니다. 자전거 바퀴의 원주는 몇 cm인지 구해 보세요. (원주율: 3.14)

답 ______________

맞힌 개수: 개 /18개

나의 학습 결과에 ○표 하세요.

맞힌 개수	0~2개	3~5개	6~16개	17~18개
학습 방법	다시 한번 풀어 봐요.	계산 연습이 필요해요.	틀린 문제를 확인해요.	실수하지 않도록 집중해요.

QR 빠른정답 확인

03 일차 2. 지름 또는 반지름 구하기

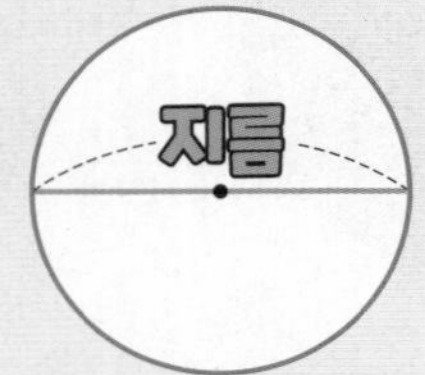

원주: 37.2 cm
원주율: 3.1

(지름) = (원주) ÷ (원주율)
= 37.2 ÷ 3.1
= 12 (cm)

원주: 18 cm
원주율: 3

(반지름) = (원주) ÷ (원주율) ÷ 2
= 18 ÷ 3 ÷ 2
= 3 (cm)

(원주) = (지름) × (원주율) 이므로 (지름) = (원주) ÷ (원주율) 이에요.

원의 지름을 구해 보세요. (원주율: 3)

1 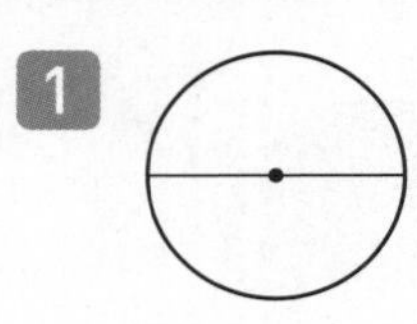

원주: 15 cm

(　　　　　)

2 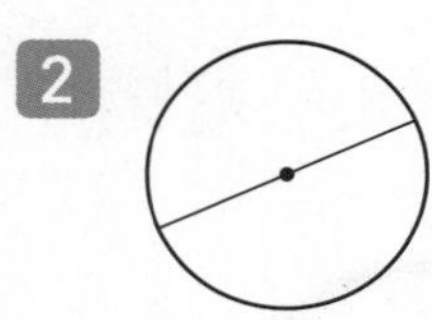

원주: 27 cm

(　　　　　)

3 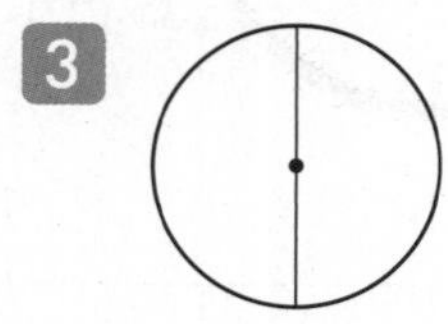

원주: 39 cm

(　　　　　)

4 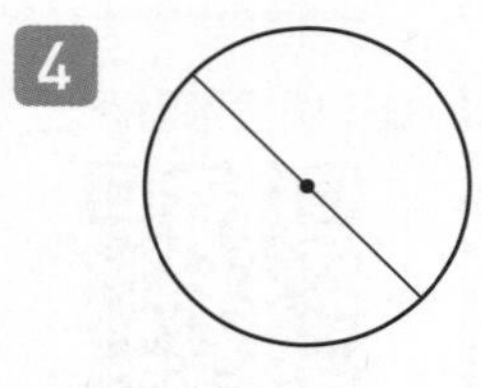

원주: 72 cm

(　　　　　)

원의 반지름을 구해 보세요. (원주율: 3)

5

원주: 36 cm

(　　　　　)

6 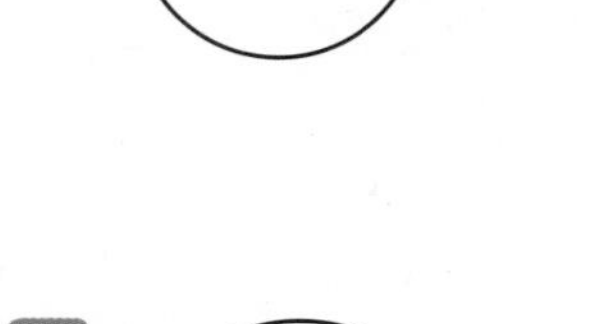

원주: 66 cm

(　　　　　)

7 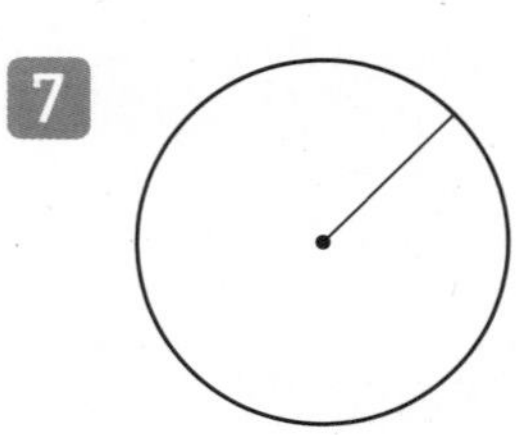

원주: 102 cm

(　　　　　)

8 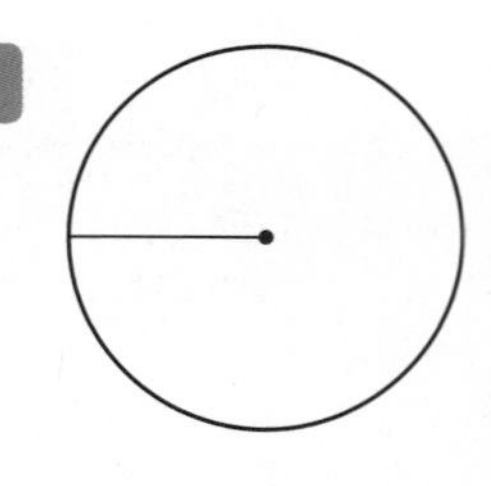

원주: 114 cm

(　　　　　)

원의 지름을 구해 보세요. (원주율: 3.1)

9 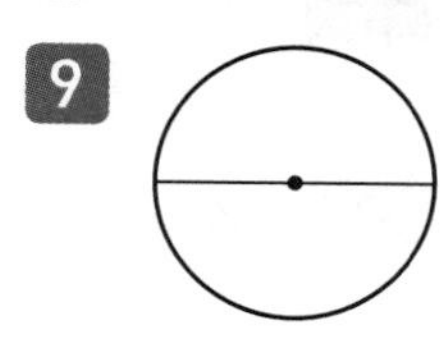

원주: 27.9 cm

(   )

10 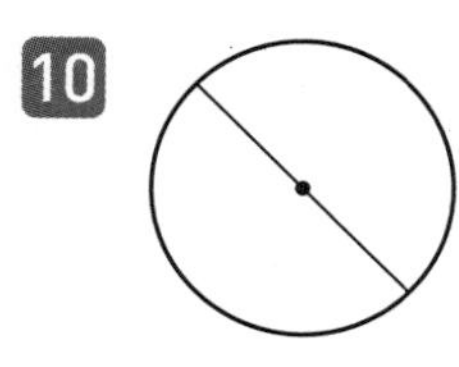

원주: 43.4 cm

(   )

11 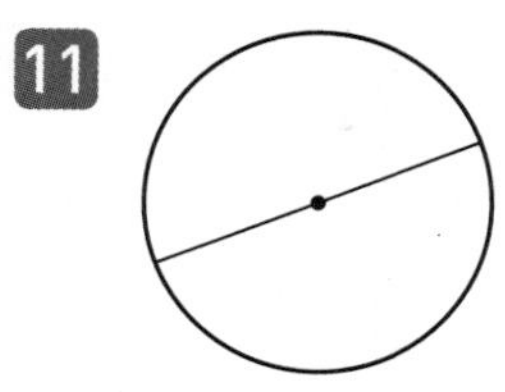

원주: 80.6 cm

(   )

12 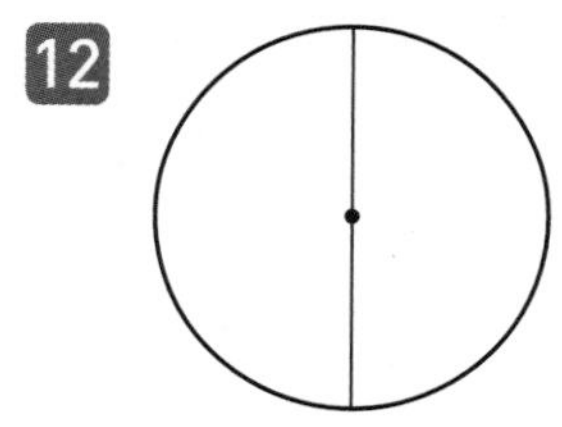

원주: 130.2 cm

(   )

13 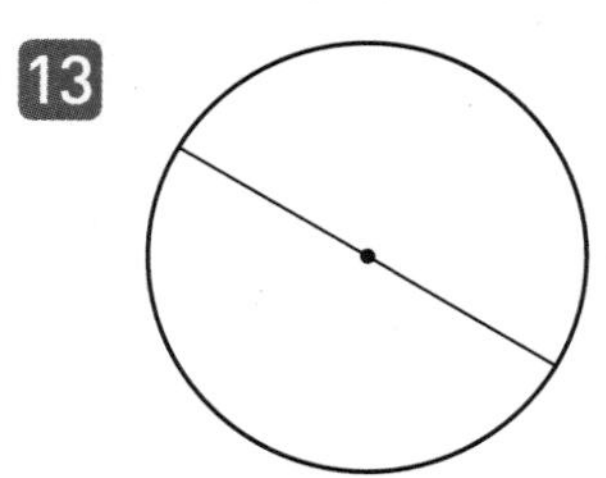

원주: 170.5 cm

(   )

원의 반지름을 구해 보세요. (원주율: 3.1)

14 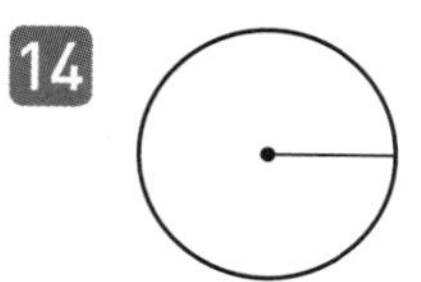

원주: 18.6 cm

(   )

15 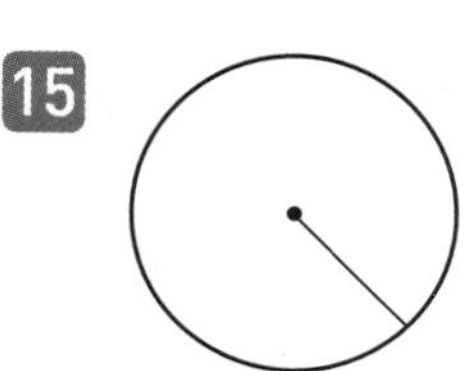

원주: 62 cm

(   )

16 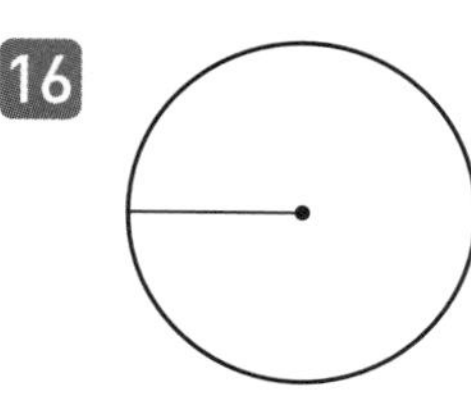

원주: 86.8 cm

(   )

17 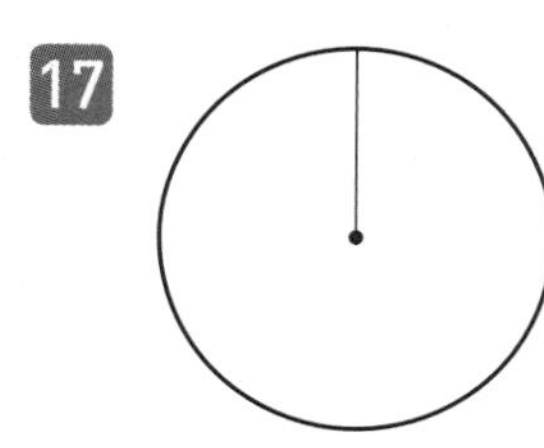

원주: 117.8 cm

(   )

18 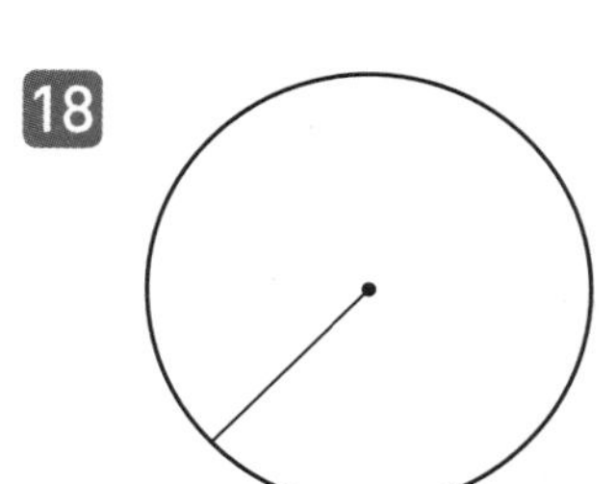

원주: 186 cm

(   )

맞힌 개수
개 /18개

나의 학습 결과에 ○표 하세요.

맞힌 개수	0~2개	3~5개	6~16개	17~18개
학습 방법	다시 한번 풀어 봐요.	계산 연습이 필요해요.	틀린 문제를 확인해요.	실수하지 않도록 집중해요.

QR 빠른 정답 확인

2. 지름 또는 반지름 구하기

원의 지름을 구해 보세요. (원주율: 3.14)

1
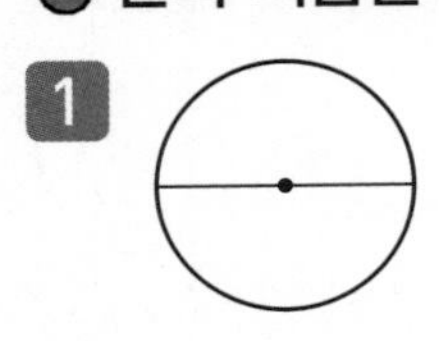

원주: 21.98 cm

(　　　　　　)

2
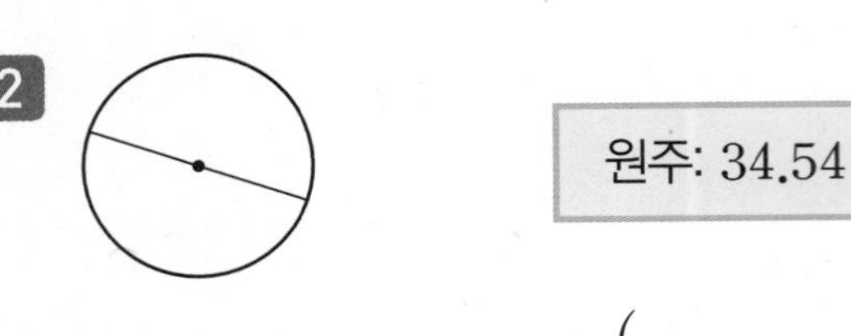

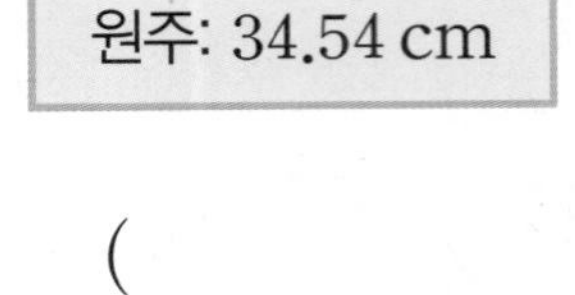

원주: 34.54 cm

(　　　　　　)

3
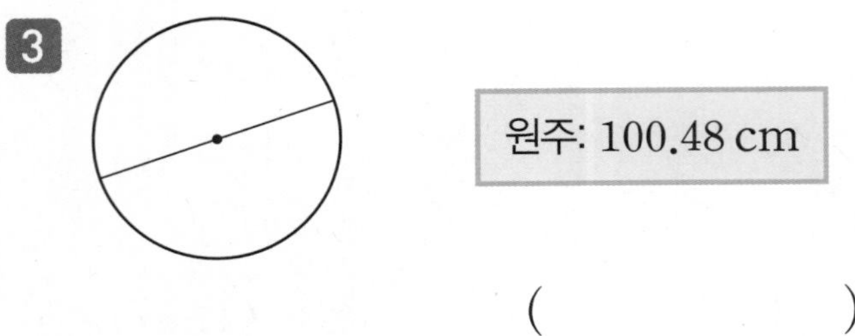

원주: 100.48 cm

(　　　　　　)

4
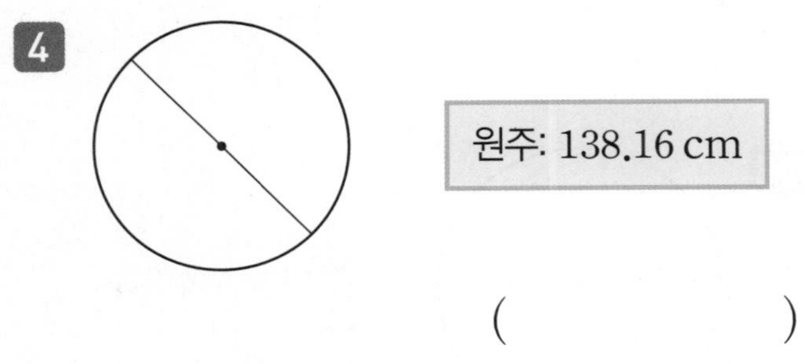

원주: 138.16 cm

(　　　　　　)

5
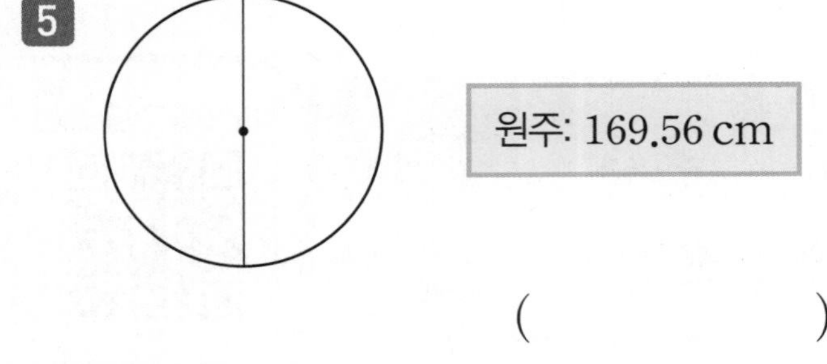

원주: 169.56 cm

(　　　　　　)

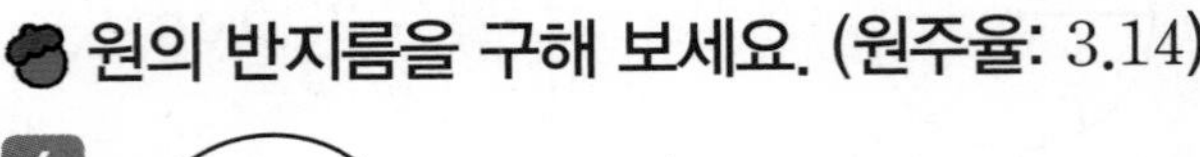

원의 반지름을 구해 보세요. (원주율: 3.14)

6
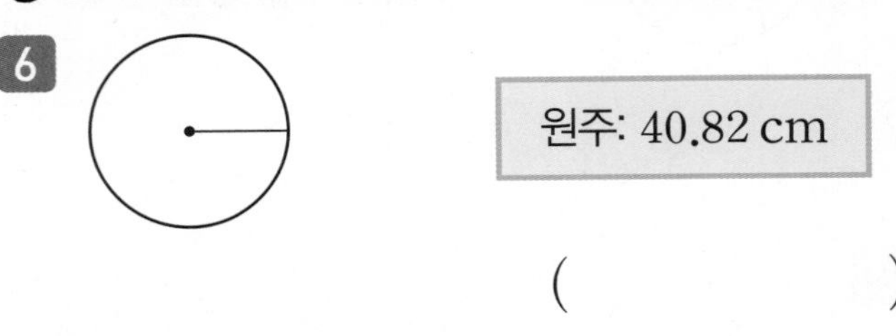

원주: 40.82 cm

(　　　　　　)

7
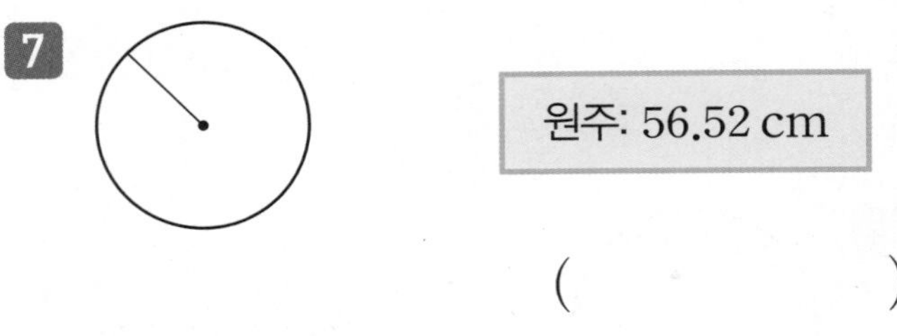

원주: 56.52 cm

(　　　　　　)

8
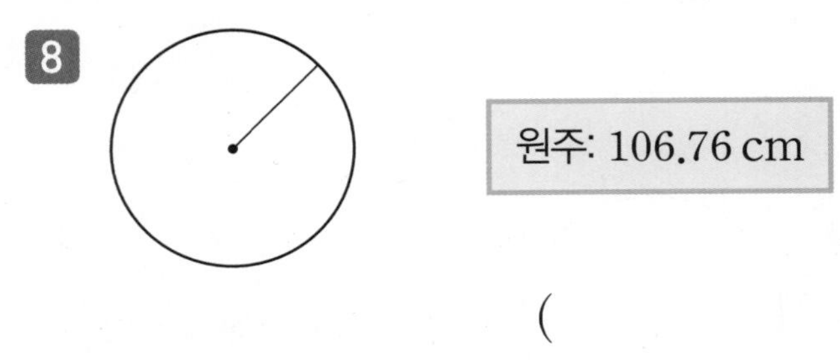

원주: 106.76 cm

(　　　　　　)

9
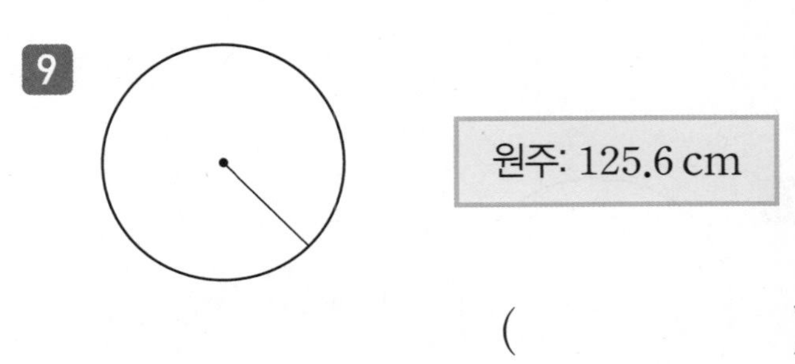

원주: 125.6 cm

(　　　　　　)

10
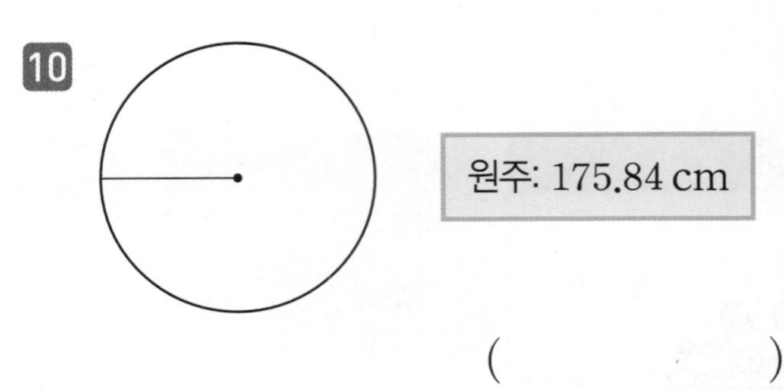

원주: 175.84 cm

(　　　　　　)

연산 in 문장제

오른쪽 그림과 같은 원 모양의 접시의 원주는 89.9 cm입니다. 접시의 지름은 몇 cm인지 구해 보세요. (원주율: 3.1)

$89.9 \div 3.1 = 29$ (cm)

89.9 ↑ 접시의 원주, 3.1 ↑ 원주율, 29 ↑ 접시의 지름

11 오른쪽 그림과 같은 원 모양의 와플의 원주는 48 cm입니다. 와플의 지름은 몇 cm인지 구해 보세요. (원주율: 3)

답 ______________

12 오른쪽 그림과 같은 원 모양의 소고의 원주는 58.9 cm입니다. 소고의 반지름은 몇 cm인지 구해 보세요. (원주율: 3.1)

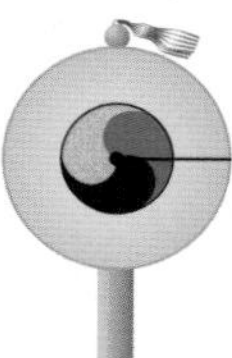

답 ______________

13 오른쪽 그림과 같은 원 모양의 거울의 원주는 157 cm입니다. 거울의 반지름은 몇 cm인지 구해 보세요. (원주율: 3.14)

답 ______________

맞힌 개수

개 /13개

나의 학습 결과에 ○표 하세요.

맞힌 개수	0~2개	3~4개	5~11개	12~13개
학습 방법	다시 한번 풀어 봐요.	계산 연습이 필요해요.	틀린 문제를 확인해요.	실수하지 않도록 집중해요.

QR 빠른 정답 확인

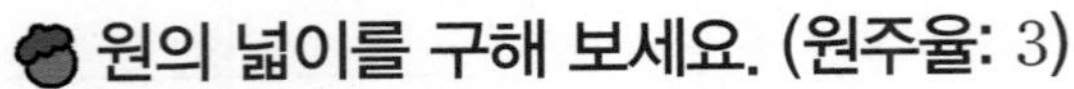

원의 넓이를 구해 보세요. (원주율: 3)

1
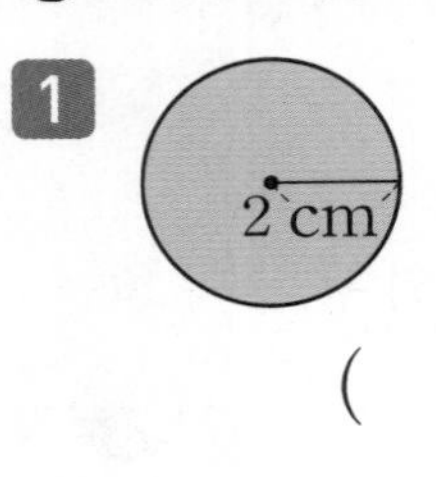

(　　　　　)

2

8 cm

(　　　　　)

3
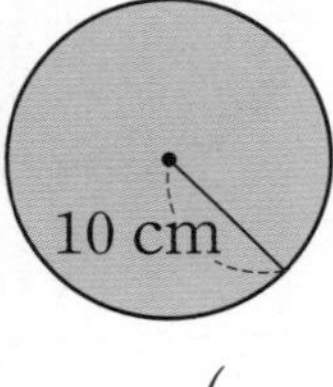

(　　　　　)

4
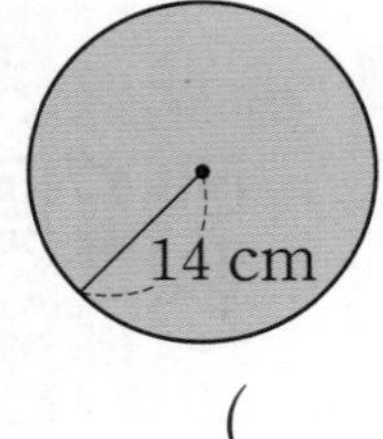

(　　　　　)

5
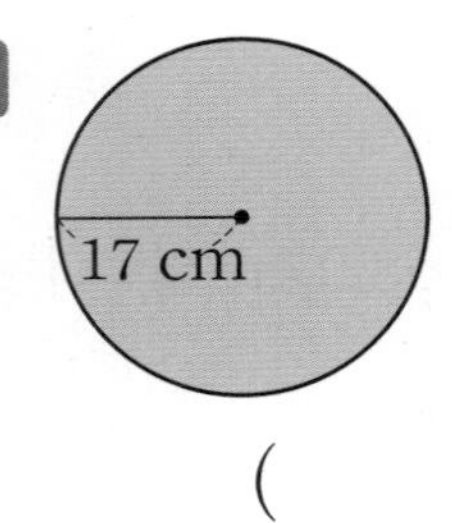

(　　　　　)

6
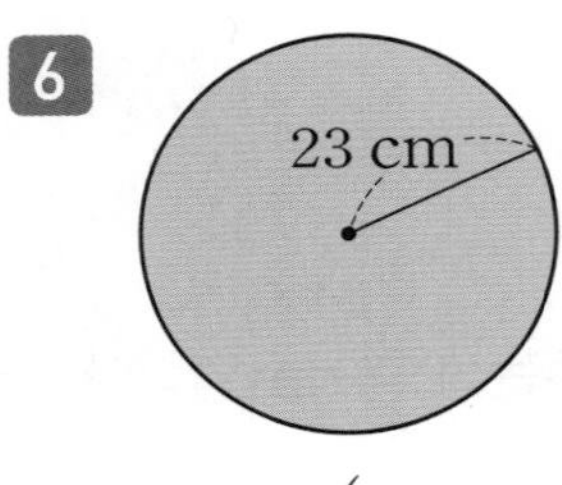

(　　　　　)

7
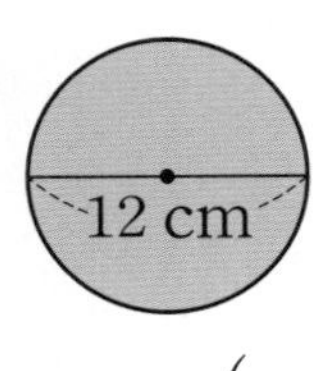

(　　　　　)

8
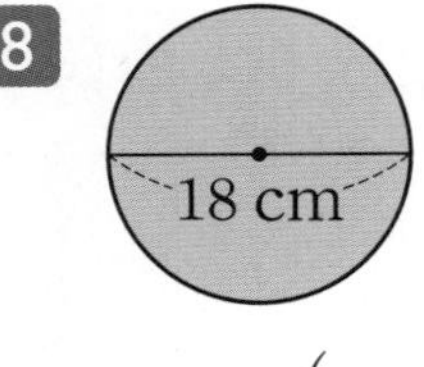

(　　　　　)

10
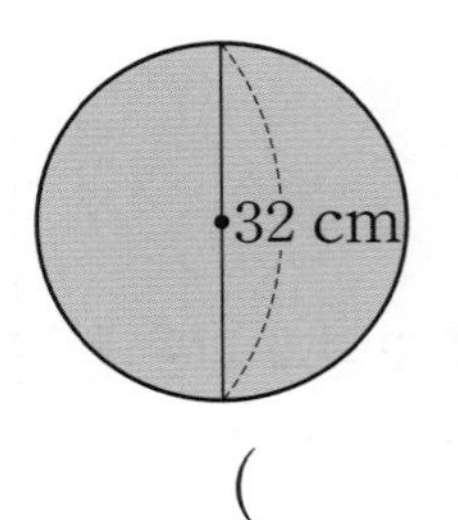

(　　　　　)

11
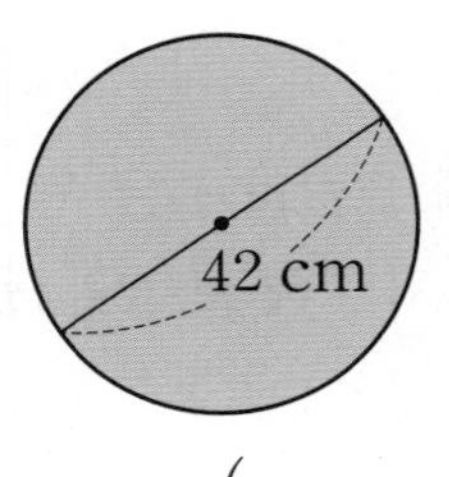

(　　　　　)

12
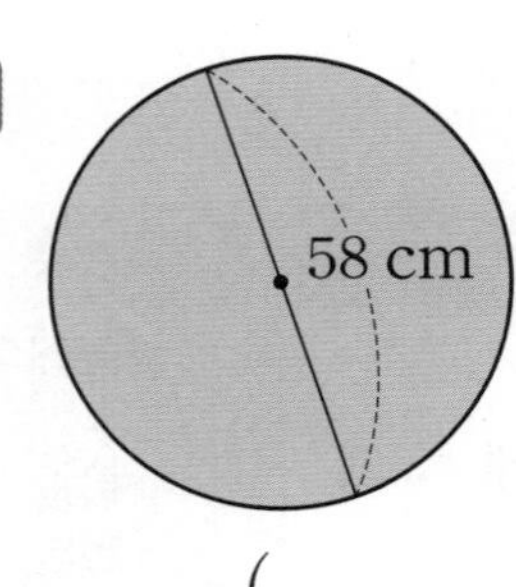

(　　　　　)

원의 넓이를 구해 보세요. (원주율: 3.1)

13

1 cm

(　　　　　　)

14

7 cm

(　　　　　　)

15

12 cm

(　　　　　　)

16

16 cm

(　　　　　　)

17

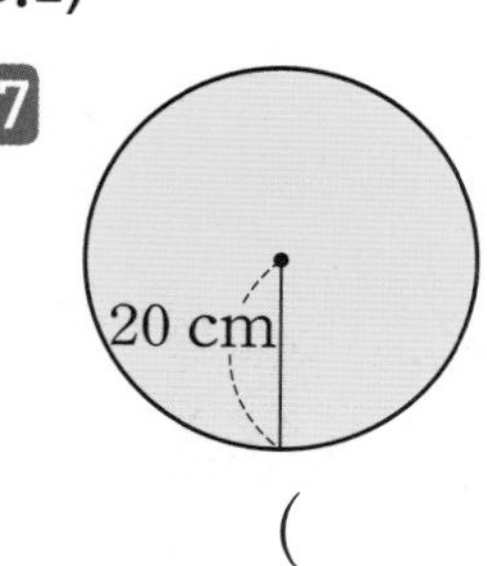

(　　　　　　)

18

28 cm

(　　　　　　)

19

8 cm

(　　　　　　)

20

20 cm

(　　　　　　)

21

36 cm

(　　　　　　)

22

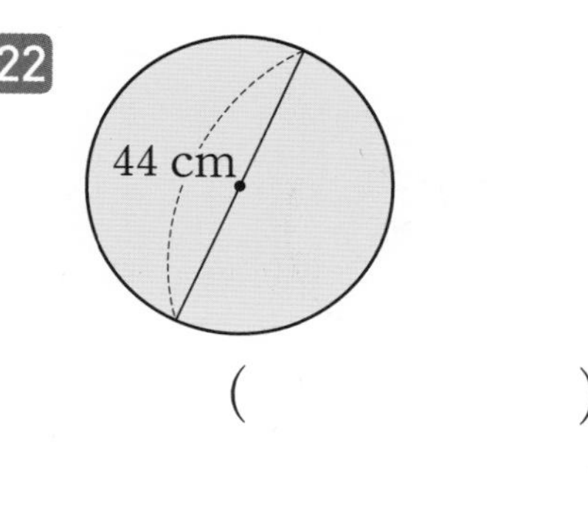

(　　　　　　)

23

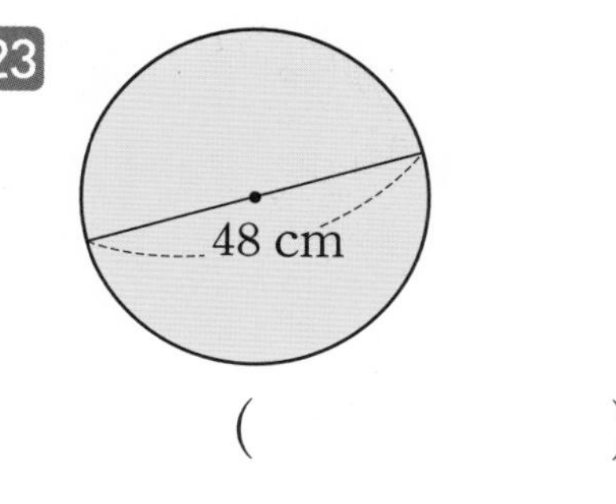

(　　　　　　)

24

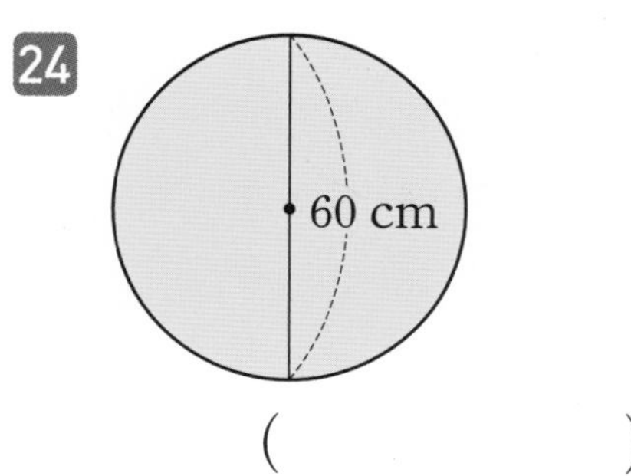

(　　　　　　)

맞힌 개수

개 /24개

나의 학습 결과에 ○표 하세요.

맞힌 개수	0~2개	3~8개	9~22개	23~24개
학습 방법	다시 한번 풀어 봐요.	계산 연습이 필요해요.	틀린 문제를 확인해요.	실수하지 않도록 집중해요.

QR 빠른 정답 확인

06 일차 3. 원의 넓이

원의 넓이를 구해 보세요. (원주율: 3.14)

1

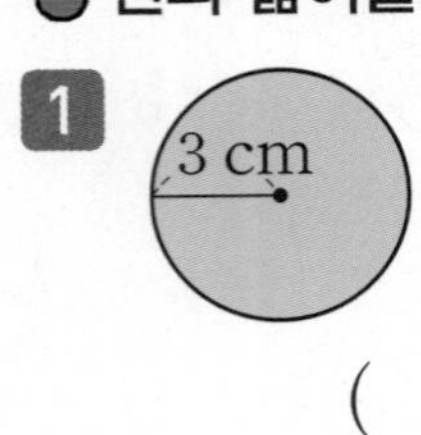

(　　　　　　)

2

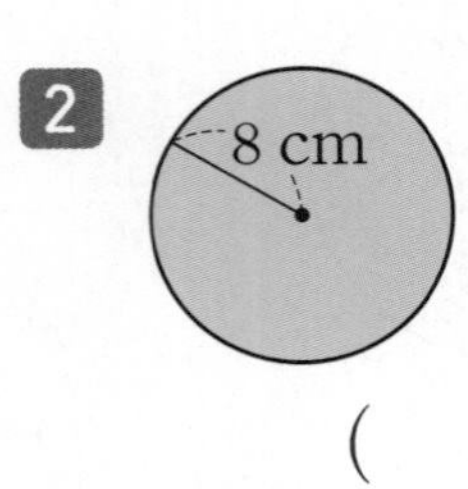

(　　　　　　)

3

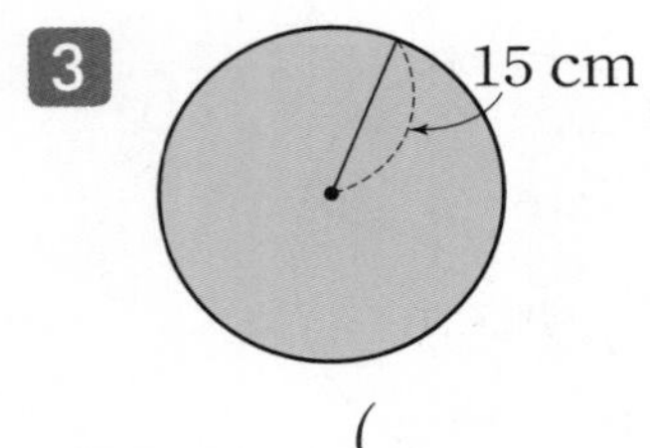

(　　　　　　)

4

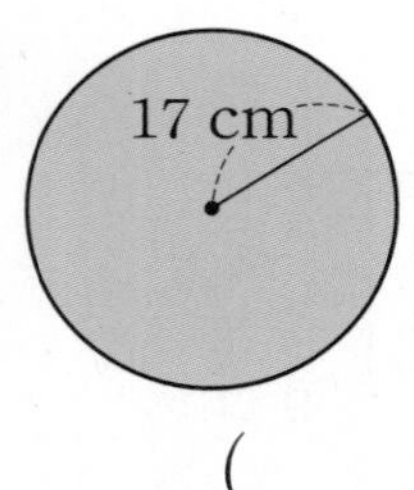

(　　　　　　)

5

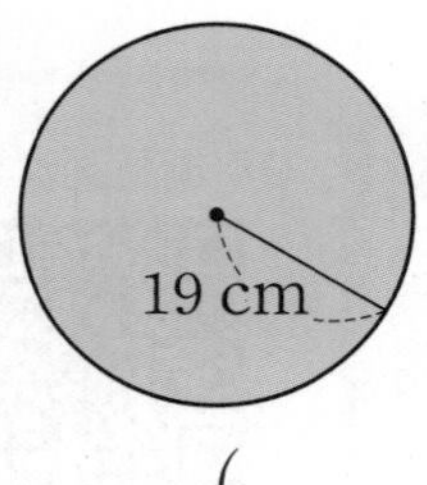

(　　　　　　)

6

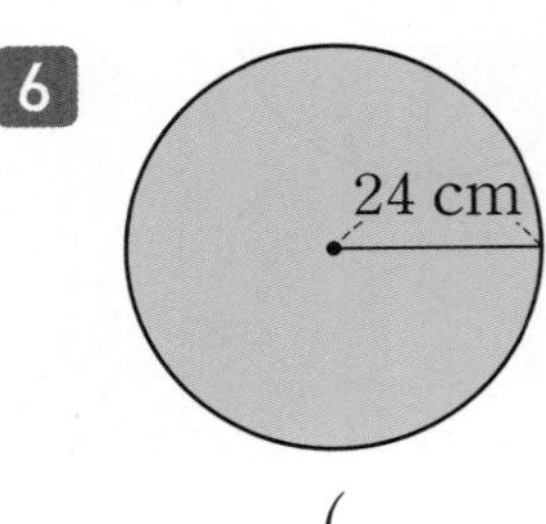

(　　　　　　)

7

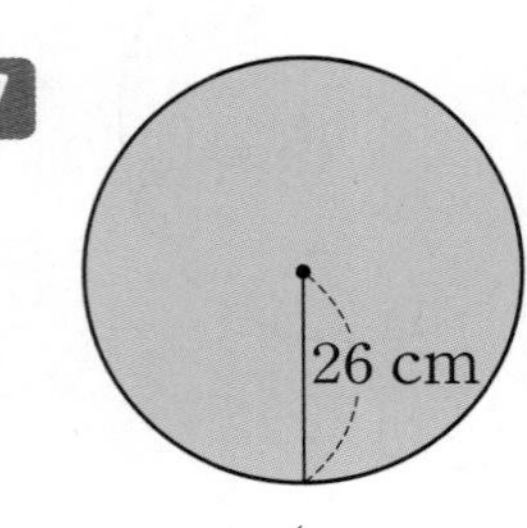

(　　　　　　)

8

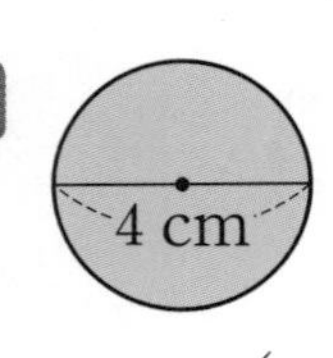

(　　　　　　)

9

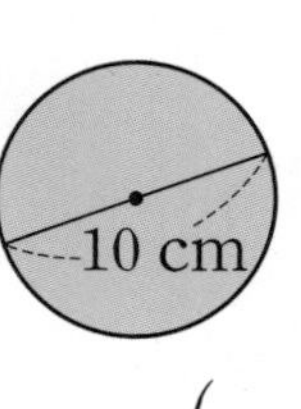

(　　　　　　)

10

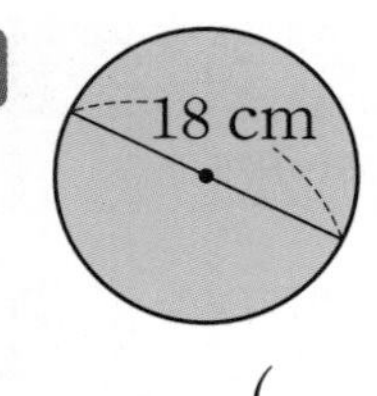

(　　　　　　)

11

24 cm

(　　　　　　)

12

28 cm

(　　　　　　)

13

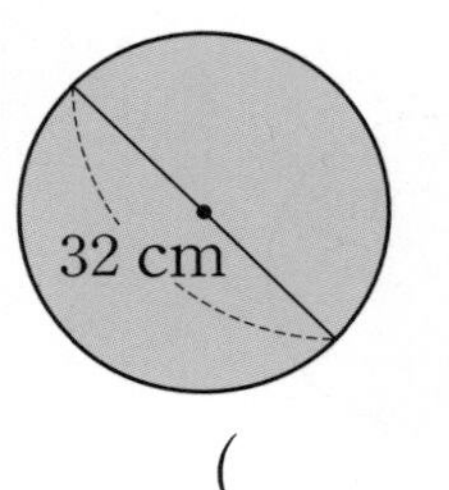

(　　　　　　)

14

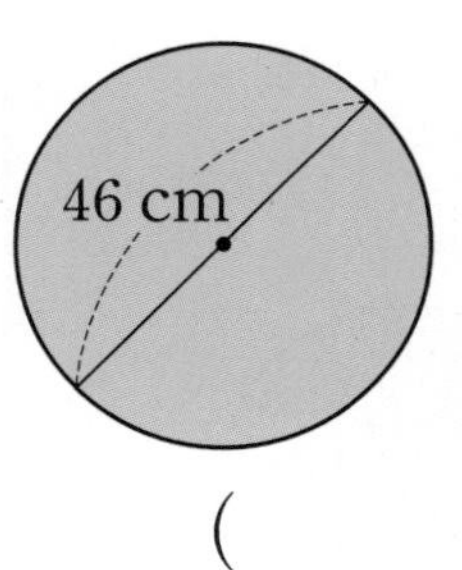

(　　　　　　)

15

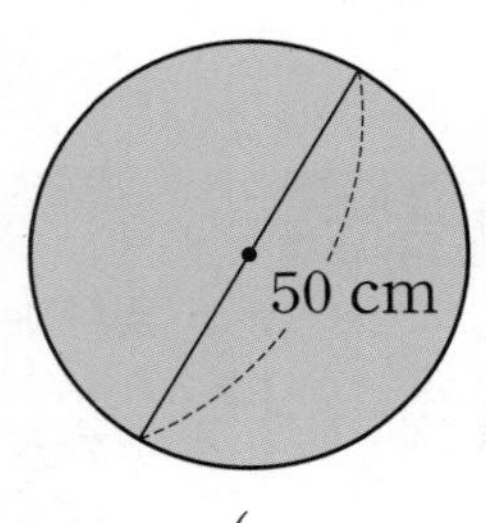

(　　　　　　)

연산 in 문장제

오른쪽 그림과 같은 우회전 표지판의 반지름은 30 cm입니다. 표지판의 넓이는 몇 cm^2인지 구해 보세요. (원주율: 3)

$30 \times 30 \times 3 = 2700(cm^2)$

(30: 표지판의 반지름, 30: 표지판의 반지름, 3: 원주율, 2700: 표지판의 넓이)

16 오른쪽 그림과 같은 원 모양의 병의 뚜껑 윗부분의 반지름은 4 cm입니다. 병의 뚜껑 윗부분의 넓이는 몇 cm^2인지 구해 보세요. (원주율: 3)

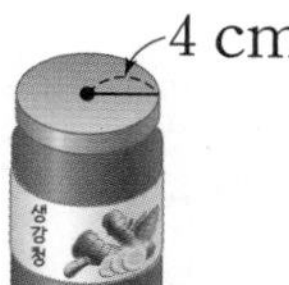

답 ______________

17 어머니께서 지름이 26 cm인 원 모양의 파전을 만드셨습니다. 파전의 넓이는 몇 cm^2인지 구해 보세요. (원주율: 3.1)

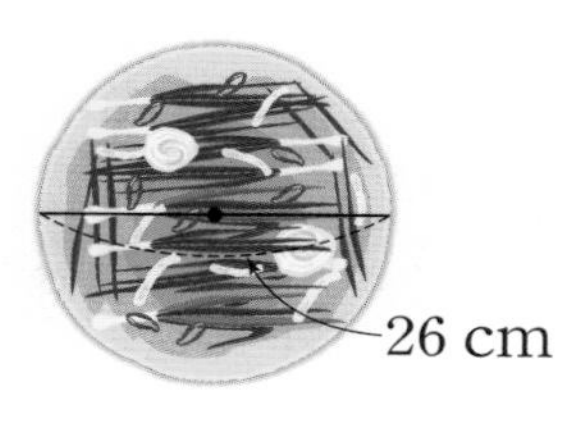

답 ______________

18 동물 보호 캠페인에 쓸 원 모양의 손 팻말을 만들려고 합니다. 오른쪽 그림과 같은 직사각형 모양의 종이를 잘라 만들 수 있는 가장 큰 원의 넓이는 몇 cm^2인지 구해 보세요. (원주율: 3.14)

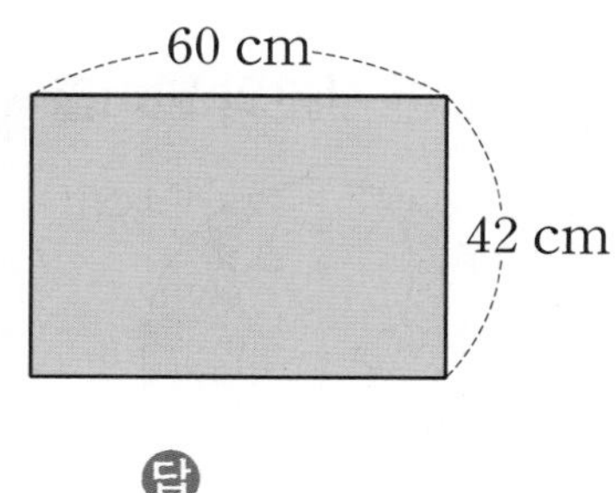

답 ______________

맞힌 개수

개 /18개

나의 학습 결과에 ○표 하세요.

맞힌 개수	0~2개	3~5개	6~16개	17~18개
학습 방법	다시 한번 풀어 봐요.	계산 연습이 필요해요.	틀린 문제를 확인해요.	실수하지 않도록 집중해요.

QR 빠른 정답 확인

07 일차 4. 색칠한 부분의 넓이

• 전체에서 부분을 빼어 색칠한 부분의 넓이 구하기 (원주율: 3.14)

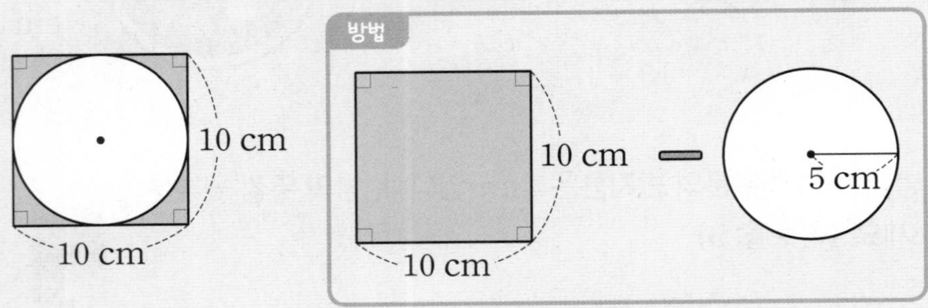

(색칠한 부분의 넓이)=(정사각형의 넓이)−(원의 넓이)

$=10\times10-5\times5\times3.14$

$=100-78.5=21.5\ (cm^2)$

• 도형을 옮겨 색칠한 부분의 넓이 구하기 (원주율: 3.14)

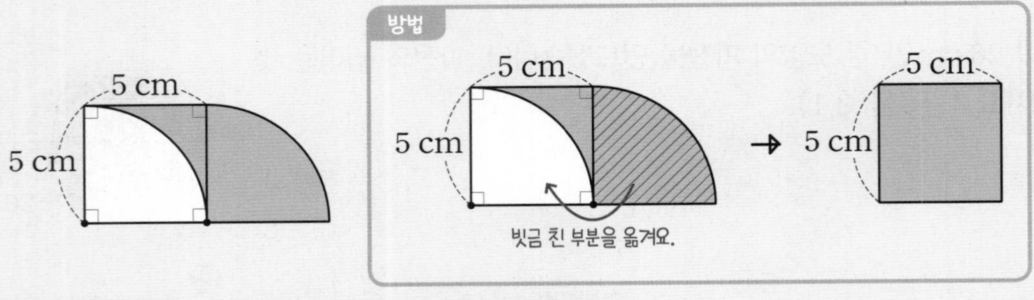

(색칠한 부분의 넓이)=(한 변의 길이가 5 cm인 정사각형의 넓이)

$=5\times5=25\ (cm^2)$

색칠한 부분의 넓이를 구하려고 합니다. □ 안에 알맞은 수를 써넣으세요. (원주율: 3)

1

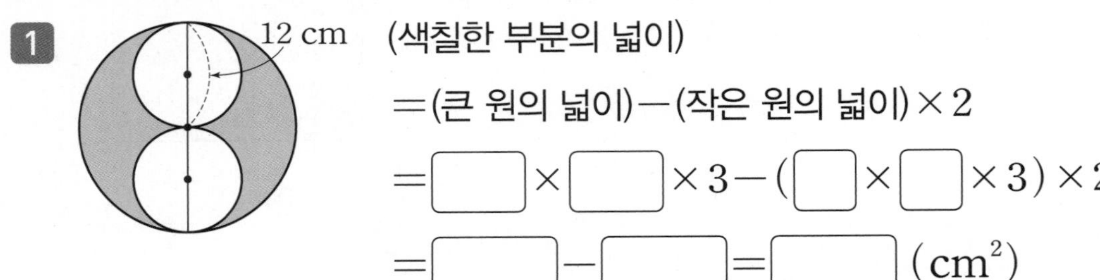

(색칠한 부분의 넓이)

=(큰 원의 넓이)−(작은 원의 넓이)×2

$=\square\times\square\times3-(\square\times\square\times3)\times2$

$=\square-\square=\square\ (cm^2)$

2

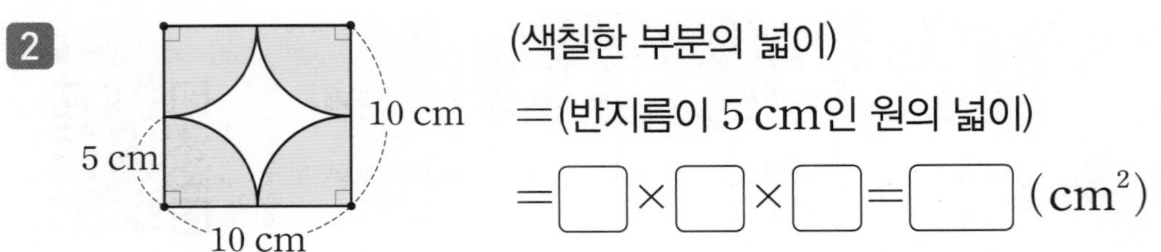

(색칠한 부분의 넓이)

=(반지름이 5 cm인 원의 넓이)

$=\square\times\square\times\square=\square\ (cm^2)$

색칠한 부분의 넓이를 구해 보세요. (원주율: 3)

3

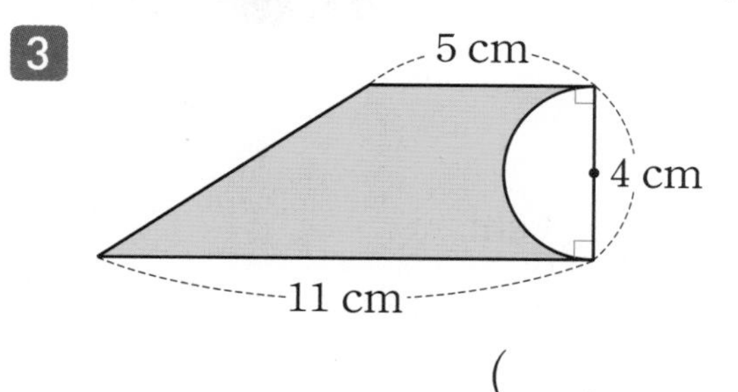

( )

4

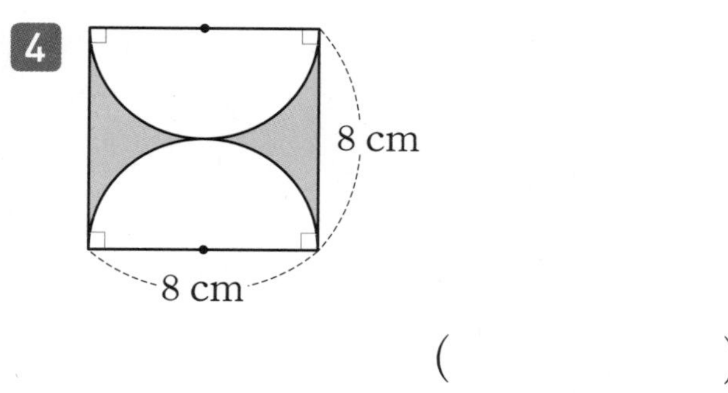

( )

5

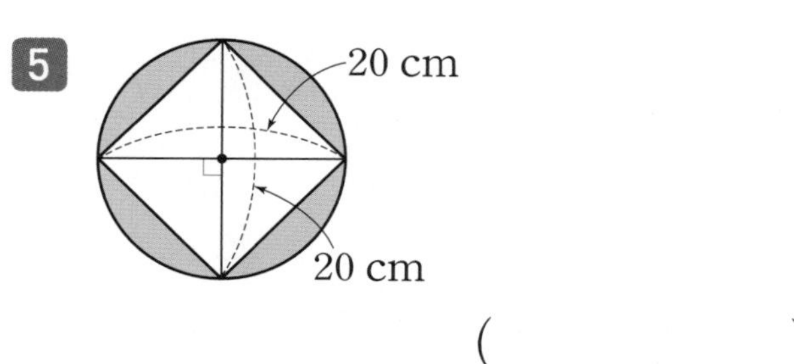

( )

6

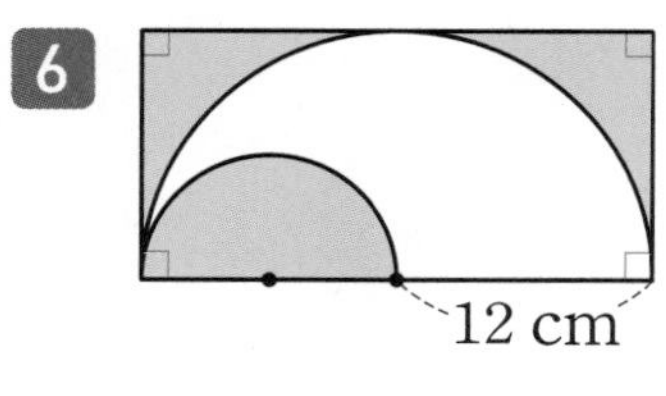

( )

7

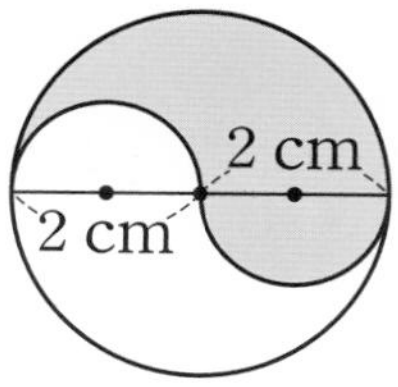

2 cm

2 cm

( )

8

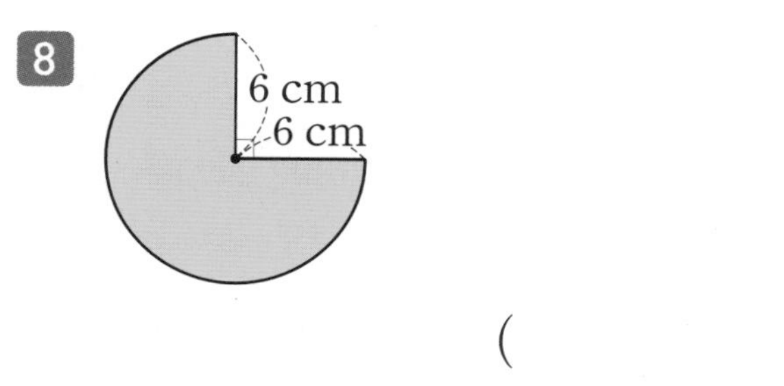

( )

9

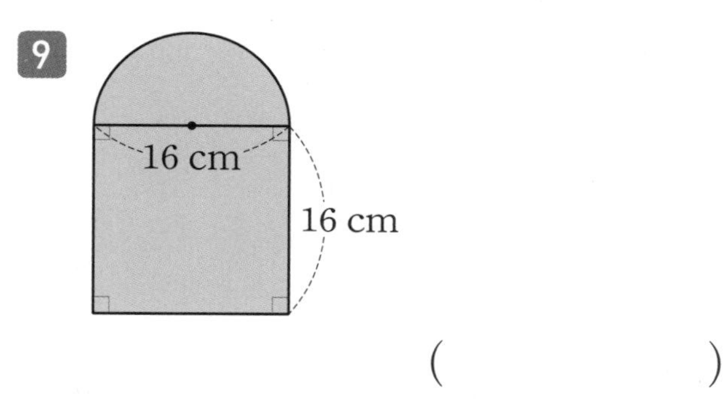

( )

10

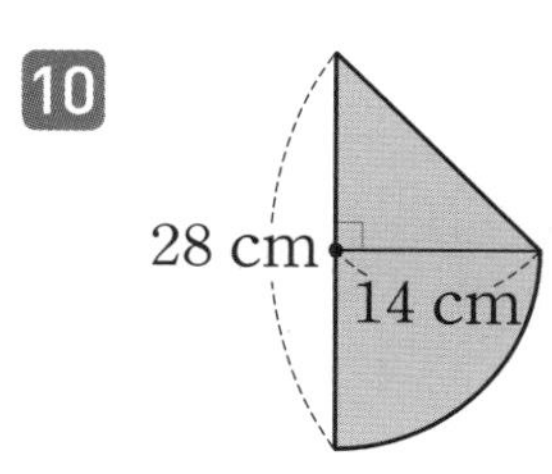

( )

맞힌 개수
개 /10개

나의 학습 결과에 ○표 하세요.

맞힌 개수	0～2개	3～4개	5～8개	9～10개
학습 방법	다시 한번 풀어 봐요.	계산 연습이 필요해요.	틀린 문제를 확인해요.	실수하지 않도록 집중해요.

QR 빠른 정답 확인

4. 색칠한 부분의 넓이

색칠한 부분의 넓이를 구해 보세요. (원주율: 3.1)

1
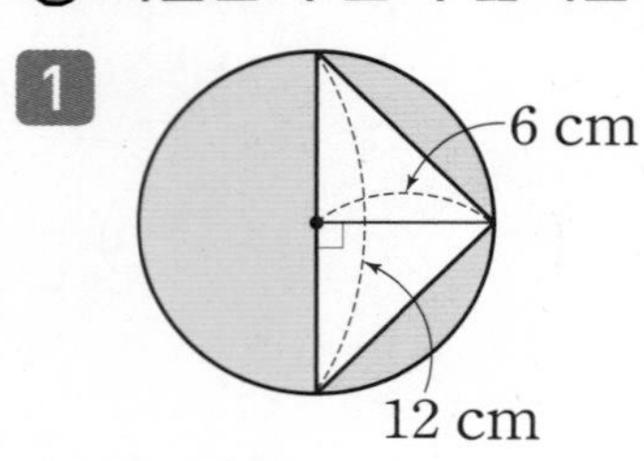

(　　　　　　)

5
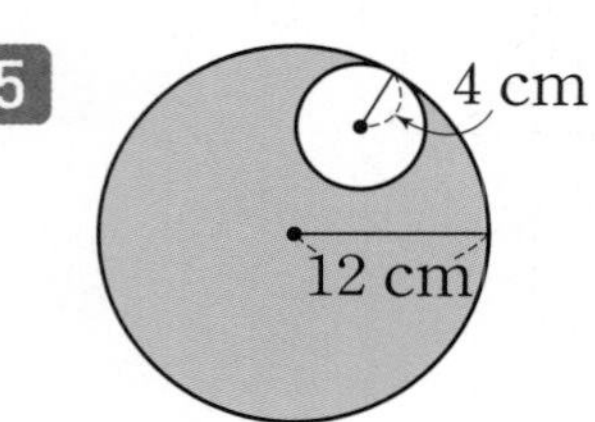

(　　　　　　)

2
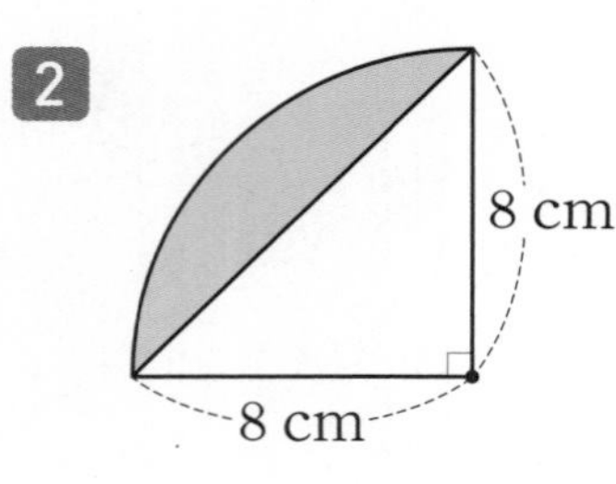

(　　　　　　)

6
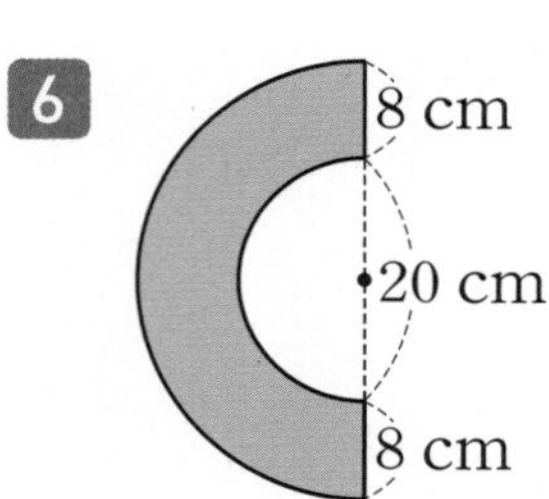

(　　　　　　)

3
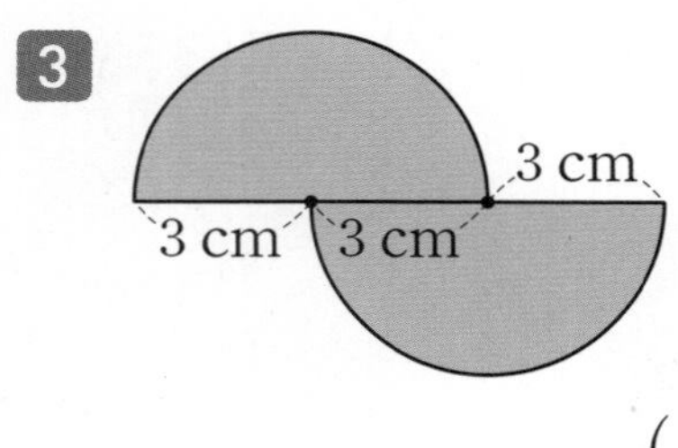

(　　　　　　)

7
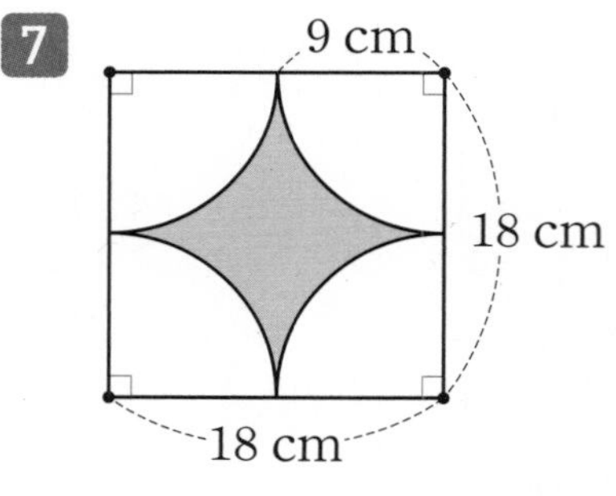

(　　　　　　)

4
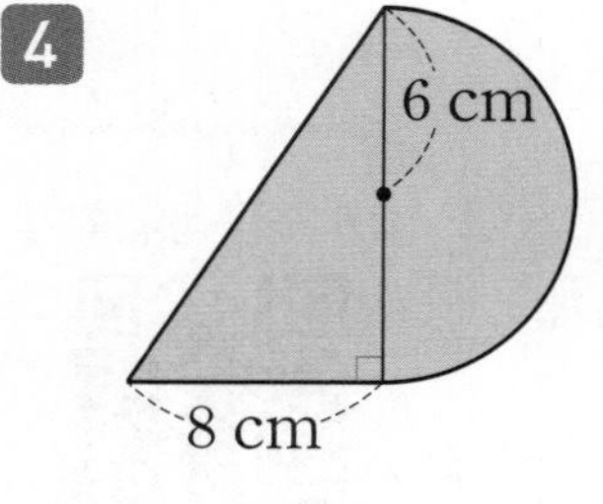

(　　　　　　)

8
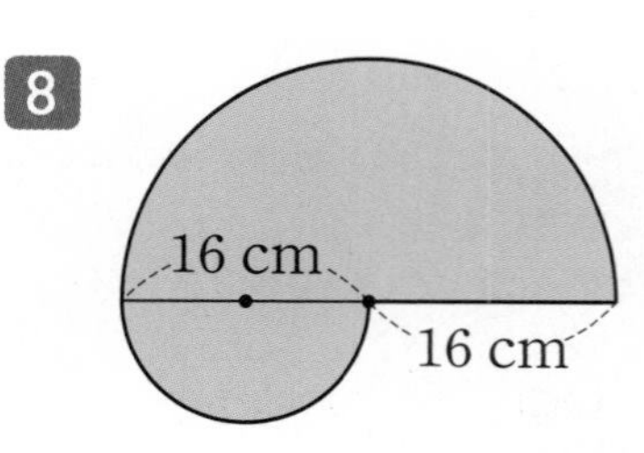

(　　　　　　)

연산 in 문장제

오른쪽 그림과 같이 정사각형 모양의 땅에 꽃밭과 원 모양의 분수대가 있습니다. 꽃밭의 넓이는 몇 m^2인지 구해 보세요. (원주율: 3)

$$\underset{\text{땅의 넓이}}{15\times15} - \underset{\text{분수대의 넓이}}{7\times7\times3} = 225 - 147 = \underset{\text{꽃밭의 넓이}}{78}\,(m^2)$$

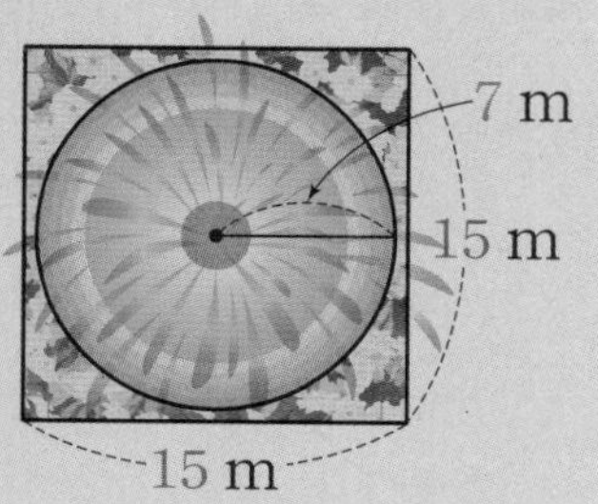

9 주호는 색종이를 오려서 오른쪽 그림과 같은 은행잎 모형을 만들었습니다. 만든 은행잎 모형의 넓이는 몇 cm^2인지 구해 보세요. (원주율: 3)

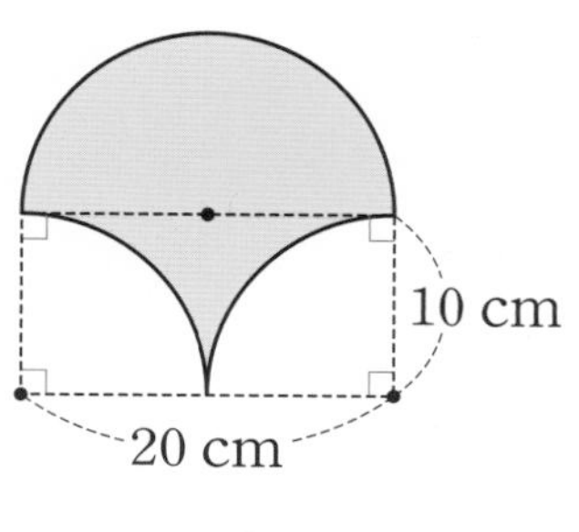

답 ____________

10 윤수는 종이를 오려서 오른쪽 색칠한 그림과 같은 부채를 만들었습니다. 부채의 넓이는 몇 cm^2인지 구해 보세요. (원주율: 3.1)

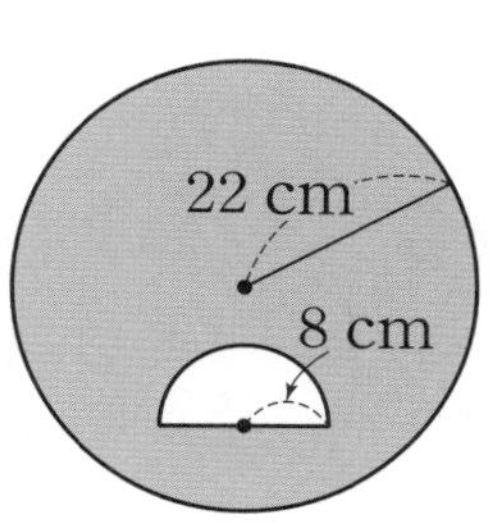

답 ____________

11 그림과 같이 직선 구간과 반원 모양의 곡선 구간으로 된 경주로가 있습니다. 경주로 부분의 넓이는 몇 m^2인지 구해 보세요. (원주율: 3.14)

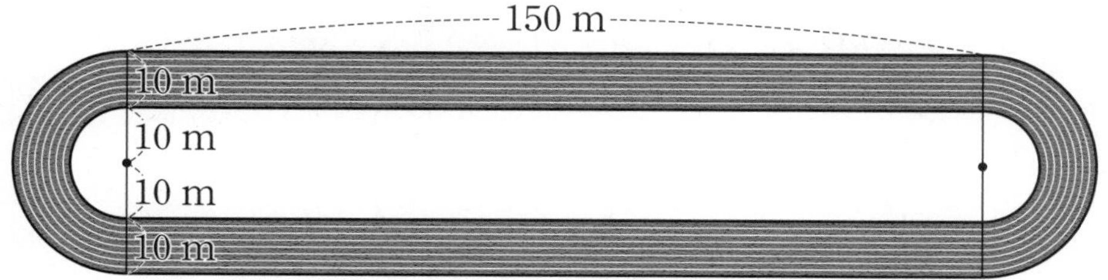

답 ____________

맞힌 개수

개 /11개

나의 학습 결과에 ○표 하세요.

맞힌 개수	0~2개	3~4개	5~9개	10~11개
학습 방법	다시 한번 풀어 봐요.	계산 연습이 필요해요.	틀린 문제를 확인해요.	실수하지 않도록 집중해요.

QR 빠른정답 확인

09 일차 연산&문장제 마무리

원주를 구해 보세요.

1

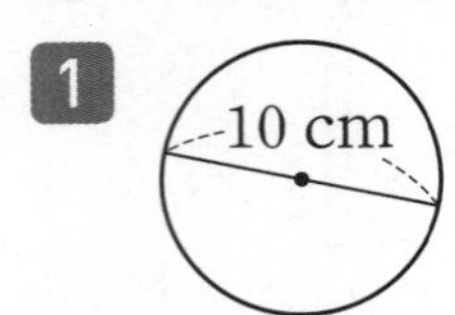

원주율: 3

(　　　　　　)

2

15 cm

원주율: 3

(　　　　　　)

3

13 cm

원주율: 3.1

(　　　　　　)

4

24 cm

원주율: 3.1

(　　　　　　)

5

10 cm

원주율: 3.14

(　　　　　　)

원의 지름을 구해 보세요.

6

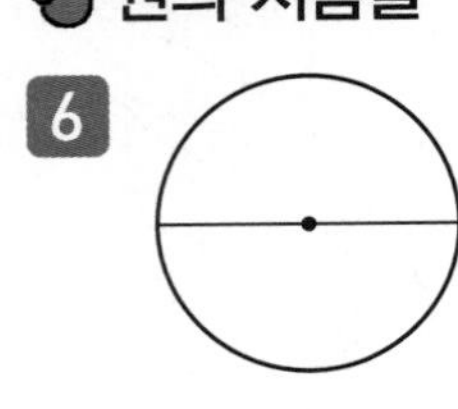

원주: 54 cm
원주율: 3

(　　　　　　)

7

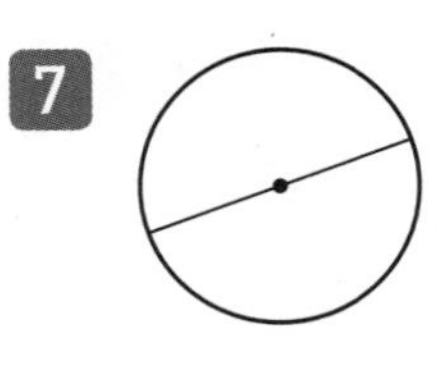

원주: 24.8 cm
원주율: 3.1

(　　　　　　)

8

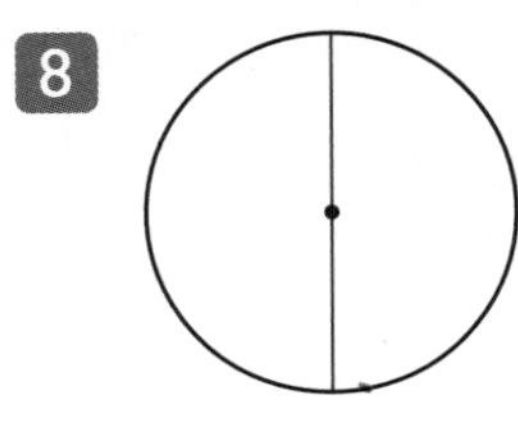

원주: 99.2 cm
원주율: 3.1

(　　　　　　)

9

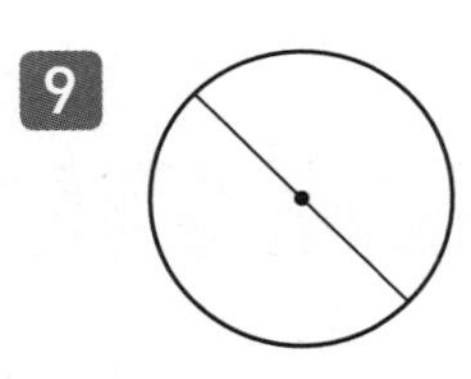

원주: 43.96 cm
원주율: 3.14

(　　　　　　)

10

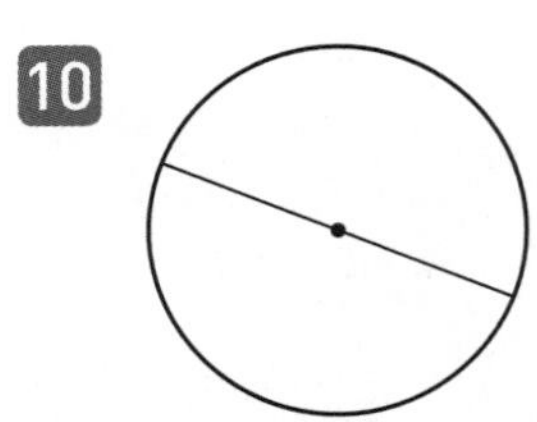

원주: 116.18 cm
원주율: 3.14

(　　　　　　)

원의 반지름을 구해 보세요.

11

원주: 78 cm
원주율: 3

(   )

12

원주: 126 cm
원주율: 3

(   )

13

원주: 49.6 cm
원주율: 3.1

(   )

14

원주: 6.28 cm
원주율: 3.14

(   )

15

원주: 75.36 cm
원주율: 3.14

(   )

원의 넓이를 구해 보세요.

16

3 cm

원주율: 3

(   )

17

14 cm

원주율: 3

(   )

18

9 cm

원주율: 3.1

(   )

19

28 cm

원주율: 3.1

(   )

20

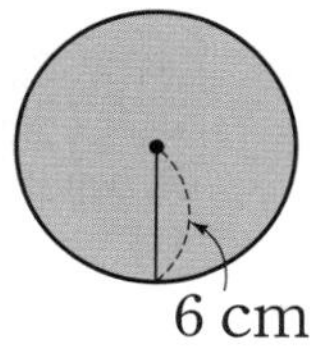

원주율: 3.14

(   )

정답 37쪽

21 오른쪽 그림과 같은 드론의 프로펠러의 길이는 22 cm입니다. 프로펠러가 돌 때 생기는 원의 원주는 몇 cm인지 구해 보세요. (원주율: 3.14)

답 ______________

22 그림과 같이 원을 만들어 자 위로 한 바퀴 굴렸더니 굴러간 거리가 12.4 cm이었습니다. 원의 지름은 몇 cm인지 구해 보세요. (원주율: 3.1)

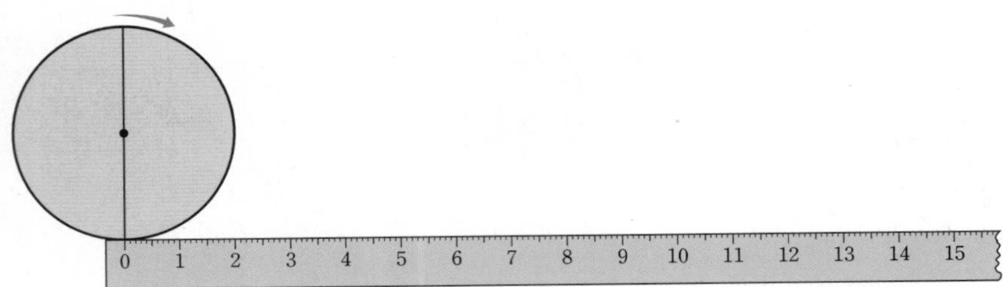

답 ______________

23 오른쪽 그림과 같은 대관람차 바퀴의 원주는 84 m입니다. 대관람차 바퀴의 반지름은 몇 m인지 구해 보세요. (원주율: 3)

답 ______________

24 오른쪽 그림과 같이 컴퍼스를 벌려서 원을 그렸습니다. 그린 원의 넓이는 몇 cm^2인지 구해 보세요. (원주율: 3.14)

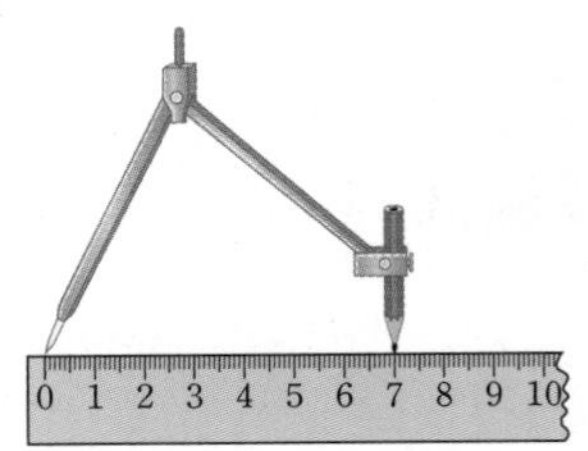

답 ______________

연산 노트

맞힌 개수

개 /24개

나의 학습 결과에 ○표 하세요.

맞힌 개수	0~2개	3~8개	9~22개	23~24개
학습 방법	다시 한번 풀어 봐요.	계산 연습이 필요해요.	틀린 문제를 확인해요.	실수하지 않도록 집중해요.

QR 빠른 정답 확인

연산 노트

연산 노트

풍산자 라인업

초등 풍산자로 개념을 적용하고 응용하여 연산, 유형, 서술형을 풀면 실력이 탄탄해집니다

처음 배우는 수학을 쉽게 접근하는 초등 풍산자 로드맵

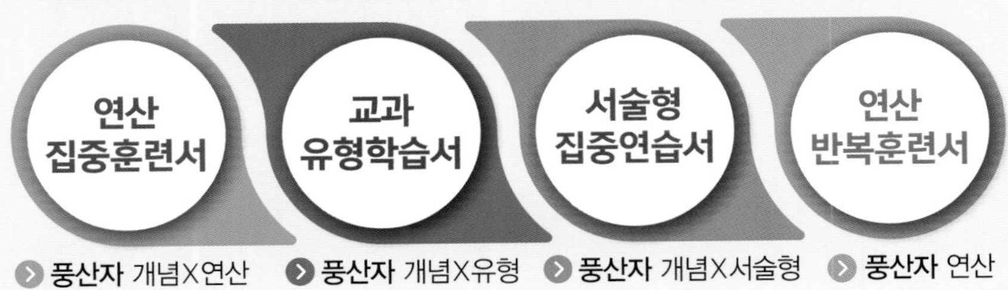

풍산자 개념X연산 · 풍산자 개념X유형 · 풍산자 개념X서술형 · 풍산자 연산

초등 풍산자 교재	하	중하	중	상
연산 집중훈련서 **풍산자 개념X연산**	개념 적용 연산 학습, 기초 실력 완성			
교과 유형학습서 **풍산자 개념X유형**		개념 응용 유형 학습, 기본 실력 완성		
서술형 집중연습서 **풍산자 개념X서술형**		개념 활용 서술형 연습, 문제 해결력 완성		
연산 반복훈련서 **풍산자 연산**	연산만 집중적으로 반복 학습			

하이라이트
지학사

풍산자 연산

정답

초등 수학
6-2

풍산자 연산

초등 연산의 모든 것

정답

초등 **수학** 6-2

정답

1. 분수의 나눗셈 (1)

01 일차 1. 분자끼리 나누어떨어지고 분모가 같은 (진분수)÷(진분수)

8쪽

1 4, 1, 4
2 10, 2, 5
3 12, 4, 3
4 20, 10, 2
5 $\frac{4}{1}$, 3
6 $\frac{11}{4}$, 2
7 $\frac{23}{7}$, 3
8 $\frac{55}{9}$, 4
9 3
10 4
11 11
12 9
13 2
14 5
15 2

9쪽

16 6
17 4
18 19
19 2
20 13
21 7
22 5
23 3
24 6
25 7
26 9
27 13
28 3
29 7
30 2
31 2
32 5
33 4
34 9
35 7
36 3

02 일차 1. 분자끼리 나누어떨어지고 분모가 같은 (진분수)÷(진분수)

10쪽

1 7
2 2
3 6
4 7
5 3
6 2
7 8
8 2
9 11
10 5
11 8
12 3
13 9
14 13
15 8
16 2
17 19
18 4
19 7
20 5
21 16

11쪽

22 2개
23 5배
24 4개
25 4배

03 일차 2. 분자끼리 나누어떨어지지 않고 분모가 같은 (진분수)÷(진분수)

12쪽

1 5, 2, 5, 2, 1

2 9, 12, 9, 3

3 7, 14, 7, 2

4 $\frac{5}{3}$, 4, 1, 1

5 $\frac{13}{8}$, 1

6 $\frac{27}{14}$, 8, 1, 1

7 $\frac{1}{4}$

8 $\frac{2}{3}$

9 $\frac{5}{3}\left(=1\frac{2}{3}\right)$

10 $\frac{7}{5}\left(=1\frac{2}{5}\right)$

11 $\frac{3}{2}\left(=1\frac{1}{2}\right)$

12 $\frac{4}{5}$

13 $\frac{3}{5}$

13쪽

14 $\frac{5}{6}$

15 $\frac{1}{5}$

16 $\frac{17}{7}\left(=2\frac{3}{7}\right)$

17 $\frac{5}{4}\left(=1\frac{1}{4}\right)$

18 $\frac{6}{19}$

19 $\frac{15}{11}\left(=1\frac{4}{11}\right)$

20 $\frac{1}{3}$

21 $\frac{7}{9}$

22 $\frac{10}{9}\left(=1\frac{1}{9}\right)$

23 $\frac{13}{17}$

24 $\frac{1}{3}$

25 $\frac{11}{5}\left(=2\frac{1}{5}\right)$

26 $\frac{13}{7}\left(=1\frac{6}{7}\right)$

27 $\frac{1}{2}$

28 $\frac{16}{3}\left(=5\frac{1}{3}\right)$

29 $\frac{9}{5}\left(=1\frac{4}{5}\right)$

30 $\frac{5}{3}\left(=1\frac{2}{3}\right)$

31 $\frac{4}{11}$

32 $\frac{1}{6}$

33 $\frac{27}{13}\left(=2\frac{1}{13}\right)$

34 $\frac{5}{7}$

04 일차 2. 분자끼리 나누어떨어지지 않고 분모가 같은 (진분수)÷(진분수)

14쪽

1 $\frac{5}{4}\left(=1\frac{1}{4}\right)$

2 $\frac{7}{10}$

3 $\frac{4}{7}$

4 $\frac{10}{3}\left(=3\frac{1}{3}\right)$

5 $\frac{14}{15}$

6 $\frac{2}{3}$

7 $\frac{12}{7}\left(=1\frac{5}{7}\right)$

8 $\frac{6}{5}\left(=1\frac{1}{5}\right)$

9 $\frac{11}{15}$

10 $\frac{15}{7}\left(=2\frac{1}{7}\right)$

11 $\frac{4}{5}$

12 $\frac{27}{20}\left(=1\frac{7}{20}\right)$

13 $\frac{17}{19}$

14 $\frac{13}{18}$

15 $\frac{1}{4}$

16 $\frac{9}{5}\left(=1\frac{4}{5}\right)$

17 $\frac{22}{13}\left(=1\frac{9}{13}\right)$

18 $\frac{28}{9}\left(=3\frac{1}{9}\right)$

19 $\frac{23}{6}\left(=3\frac{5}{6}\right)$

20 $\frac{30}{37}$

21 $\frac{4}{3}\left(=1\frac{1}{3}\right)$

15쪽

22 $\frac{4}{9}$배

23 $\frac{13}{11}\left(=1\frac{2}{11}\right)$ m

24 $\frac{3}{2}\left(=1\frac{1}{2}\right)$배

25 $\frac{3}{7}$ cm

05 일차 3. 통분을 이용한 분모가 다른 (진분수)÷(진분수)

16쪽

1 14, 20, 14, 20, 14, 7

2 32, 27, 32, 27, $\frac{32}{27}$, $1\frac{5}{27}$

3 4, 15, 4, 15, $\frac{4}{15}$

4 7, 28, 7, 7, 1

5 $\frac{4}{7}$

6 $\frac{12}{5}\left(=2\frac{2}{5}\right)$

7 $\frac{15}{8}\left(=1\frac{7}{8}\right)$

8 $\frac{35}{27}\left(=1\frac{8}{27}\right)$

9 $\frac{20}{21}$

10 $\frac{7}{40}$

11 $\frac{88}{81}\left(=1\frac{7}{81}\right)$

17쪽

12 $\frac{18}{55}$

13 $\frac{9}{22}$

14 $\frac{25}{48}$

15 $\frac{8}{39}$

16 $\frac{5}{24}$

17 $\frac{12}{17}$

18 $\frac{91}{72}\left(=1\frac{19}{72}\right)$

19 $\frac{13}{18}$

20 $\frac{4}{7}$

21 $\frac{3}{4}$

22 $\frac{54}{125}$

23 $\frac{3}{8}$

24 $\frac{38}{33}\left(=1\frac{5}{33}\right)$

25 $\frac{116}{93}\left(=1\frac{23}{93}\right)$

26 $\frac{17}{32}$

27 $\frac{2}{3}$

28 $\frac{1}{15}$

29 $\frac{99}{95}\left(=1\frac{4}{95}\right)$

30 $\frac{9}{82}$

31 $\frac{16}{27}$

32 $\frac{5}{9}$

06 일차 3. 통분을 이용한 분모가 다른 (진분수)÷(진분수)

18쪽

1 $\frac{4}{5}$

2 $\frac{5}{4}\left(=1\frac{1}{4}\right)$

3 $\frac{33}{20}\left(=1\frac{13}{20}\right)$

4 $\frac{45}{28}\left(=1\frac{17}{28}\right)$

5 $\frac{15}{16}$

6 $\frac{4}{15}$

7 $\frac{56}{75}$

8 $\frac{9}{11}$

9 $\frac{5}{9}$

10 $\frac{56}{65}$

11 $\frac{12}{7}\left(=1\frac{5}{7}\right)$

12 4

13 $\frac{27}{25}\left(=1\frac{2}{25}\right)$

14 $\frac{15}{17}$

15 $\frac{8}{9}$

16 $\frac{272}{95}\left(=2\frac{82}{95}\right)$

17 $\frac{85}{48}\left(=1\frac{37}{48}\right)$

18 $\frac{10}{27}$

19 $\frac{49}{45}\left(=1\frac{4}{45}\right)$

20 $\frac{11}{28}$

21 $\frac{5}{6}$

19쪽

22 $\frac{35}{16}\left(=2\frac{3}{16}\right)$배

23 2일

24 $\frac{72}{35}\left(=2\frac{2}{35}\right)$배

25 $\frac{50}{13}\left(=3\frac{11}{13}\right)$L

07 일차 4. 분수의 곱셈을 이용한 분모가 다른 (진분수)÷(진분수)

20쪽

1 $\frac{4}{3}$, $\frac{8}{15}$

2 $\frac{11}{2}$, 22, 3, 1

3 $\frac{12}{7}$, 4, 1, 1

4 $\frac{32}{9}$, 22, 2, 4

5 $\frac{8}{5}$, 52, 1, 7

6 $\frac{9}{5}$, 5, 1, 2

7 $\frac{14}{9}\left(=1\frac{5}{9}\right)$

8 $\frac{11}{10}\left(=1\frac{1}{10}\right)$

9 $\frac{15}{7}\left(=2\frac{1}{7}\right)$

10 $\frac{7}{2}\left(=3\frac{1}{2}\right)$

11 $\frac{25}{27}$

12 $\frac{28}{27}\left(=1\frac{1}{27}\right)$

13 $\frac{75}{52}\left(=1\frac{23}{52}\right)$

21쪽

14 $\frac{5}{12}$

15 $\frac{56}{5}\left(=11\frac{1}{5}\right)$

16 $\frac{77}{68}\left(=1\frac{9}{68}\right)$

17 $\frac{9}{38}$

18 $\frac{6}{5}\left(=1\frac{1}{5}\right)$

19 $\frac{16}{7}\left(=2\frac{2}{7}\right)$

20 $\frac{5}{8}$

21 $\frac{81}{92}$

22 $\frac{46}{21}\left(=2\frac{4}{21}\right)$

23 $\frac{39}{100}$

24 $\frac{42}{29}\left(=1\frac{13}{29}\right)$

25 $\frac{69}{40}\left(=1\frac{29}{40}\right)$

26 $\frac{28}{31}$

27 $\frac{17}{6}\left(=2\frac{5}{6}\right)$

28 $\frac{15}{49}$

29 $\frac{55}{36}\left(=1\frac{19}{36}\right)$

30 $\frac{1}{45}$

31 $\frac{7}{48}$

32 $\frac{15}{28}$

33 $\frac{1}{4}$

34 $\frac{10}{9}\left(=1\frac{1}{9}\right)$

08 일차 4. 분수의 곱셈을 이용한 분모가 다른 (진분수)÷(진분수)

22쪽

1 5

2 $\frac{3}{4}$

3 $\frac{50}{27}\left(=1\frac{23}{27}\right)$

4 $\frac{36}{35}\left(=1\frac{1}{35}\right)$

5 $\frac{112}{27}\left(=4\frac{4}{27}\right)$

6 $\frac{2}{5}$

7 $\frac{20}{11}\left(=1\frac{9}{11}\right)$

8 $\frac{68}{39}\left(=1\frac{29}{39}\right)$

9 $\frac{3}{4}$

10 $\frac{5}{4}\left(=1\frac{1}{4}\right)$

11 $\frac{70}{51}\left(=1\frac{19}{51}\right)$

12 $\frac{13}{16}$

13 $\frac{63}{76}$

14 $\frac{80}{91}$

15 $\frac{5}{6}$

16 $\frac{5}{12}$

17 $\frac{19}{26}$

18 $\frac{15}{16}$

19 $\frac{22}{37}$

20 $\frac{5}{4}\left(=1\frac{1}{4}\right)$

21 $\frac{117}{68}\left(=1\frac{49}{68}\right)$

23쪽

22 $\frac{17}{24}$배

23 $\frac{4}{9}$ m

24 6개

25 $\frac{32}{15}\left(=2\frac{2}{15}\right)$배

09 일차 5. (자연수)÷(진분수)

24쪽

1 2, 9, 2, 9, 18

2 3, 4, 2, 4, 8

3 5, 6, 3, 6, 18

4 $\frac{24}{11}$, 48, 4, 4

5 $\frac{22}{21}$, 66, 9, 3

6 16

7 $\frac{81}{10}\left(=8\frac{1}{10}\right)$

8 $\frac{13}{2}\left(=6\frac{1}{2}\right)$

9 $\frac{50}{9}\left(=5\frac{5}{9}\right)$

10 $\frac{45}{7}\left(=6\frac{3}{7}\right)$

11 $\frac{56}{5}\left(=11\frac{1}{5}\right)$

12 14

25쪽

13 $\frac{135}{4}\left(=33\frac{3}{4}\right)$

14 $\frac{65}{6}\left(=10\frac{5}{6}\right)$

15 $\frac{176}{7}\left(=25\frac{1}{7}\right)$

16 42

17 $\frac{70}{3}\left(=23\frac{1}{3}\right)$

18 $\frac{93}{2}\left(=46\frac{1}{2}\right)$

19 $\frac{85}{4}\left(=21\frac{1}{4}\right)$

20 $\frac{75}{4}\left(=18\frac{3}{4}\right)$

21 $\frac{74}{3}\left(=24\frac{2}{3}\right)$

22 $\frac{189}{5}\left(=37\frac{4}{5}\right)$

23 $\frac{57}{2}\left(=28\frac{1}{2}\right)$

24 55

25 28

26 $\frac{225}{7}\left(=32\frac{1}{7}\right)$

27 70

28 54

29 $\frac{322}{9}\left(=35\frac{7}{9}\right)$

30 57

31 45

32 $\frac{105}{2}\left(=52\frac{1}{2}\right)$

33 $\frac{153}{2}\left(=76\frac{1}{2}\right)$

10 일차 5. (자연수)÷(진분수)

26쪽

1 $\frac{50}{3}\left(=16\frac{2}{3}\right)$

2 $\frac{11}{3}\left(=3\frac{2}{3}\right)$

3 $\frac{48}{5}\left(=9\frac{3}{5}\right)$

4 $\frac{105}{8}\left(=13\frac{1}{8}\right)$

5 54

6 $\frac{196}{9}\left(=21\frac{7}{9}\right)$

7 12

8 $\frac{63}{4}\left(=15\frac{3}{4}\right)$

9 $\frac{45}{4}\left(=11\frac{1}{4}\right)$

10 $\frac{110}{7}\left(=15\frac{5}{7}\right)$

11 69

12 $\frac{78}{5}\left(=15\frac{3}{5}\right)$

13 $\frac{200}{9}\left(=22\frac{2}{9}\right)$

14 38

15 $\frac{70}{3}\left(=23\frac{1}{3}\right)$

16 $\frac{136}{5}\left(=27\frac{1}{5}\right)$

17 $\frac{400}{13}\left(=30\frac{10}{13}\right)$

18 $\frac{168}{5}\left(=33\frac{3}{5}\right)$

19 $\frac{116}{3}\left(=38\frac{2}{3}\right)$

20 60

21 72

27쪽

22 36장

23 15 kg

24 $\frac{51}{4}\left(=12\frac{3}{4}\right)$배

25 $\frac{115}{2}\left(=57\frac{1}{2}\right)$배

11 일차 6. (자연수)÷(가분수)

28쪽

1 $\frac{2}{3}$, 2
2 $\frac{9}{26}$, 18, 1, 5
3 $\frac{7}{12}$, $\frac{35}{12}$, $2\frac{11}{12}$
4 $\frac{10}{33}$, 30, 2, 8
5 $\frac{4}{11}$, 48, 4, 4
6 $\frac{3}{8}$, 6
7 $\frac{5}{18}$, 20, 6, 2
8 $\frac{5}{11}$
9 $\frac{8}{5}\left(=1\frac{3}{5}\right)$
10 $\frac{9}{4}\left(=2\frac{1}{4}\right)$
11 $\frac{28}{9}\left(=3\frac{1}{9}\right)$
12 $\frac{2}{3}$
13 $\frac{21}{4}\left(=5\frac{1}{4}\right)$
14 $\frac{9}{2}\left(=4\frac{1}{2}\right)$

29쪽

15 $\frac{70}{13}\left(=5\frac{5}{13}\right)$
16 $\frac{18}{7}\left(=2\frac{4}{7}\right)$
17 $\frac{36}{19}\left(=1\frac{17}{19}\right)$
18 $\frac{35}{6}\left(=5\frac{5}{6}\right)$
19 $\frac{21}{2}\left(=10\frac{1}{2}\right)$
20 $\frac{9}{2}\left(=4\frac{1}{2}\right)$
21 $\frac{45}{4}\left(=11\frac{1}{4}\right)$
22 $\frac{160}{13}\left(=12\frac{4}{13}\right)$
23 $\frac{9}{4}\left(=2\frac{1}{4}\right)$
24 $\frac{216}{17}\left(=12\frac{12}{17}\right)$
25 $\frac{275}{14}\left(=19\frac{9}{14}\right)$
26 $\frac{39}{5}\left(=7\frac{4}{5}\right)$
27 15
28 $\frac{98}{9}\left(=10\frac{8}{9}\right)$
29 $\frac{40}{9}\left(=4\frac{4}{9}\right)$
30 $\frac{544}{25}\left(=21\frac{19}{25}\right)$
31 $\frac{25}{3}\left(=8\frac{1}{3}\right)$
32 45
33 $\frac{92}{9}\left(=10\frac{2}{9}\right)$
34 42
35 $\frac{64}{9}\left(=7\frac{1}{9}\right)$

12 일차 6. (자연수)÷(가분수)

30쪽

1 $\frac{4}{9}$
2 $\frac{7}{4}\left(=1\frac{3}{4}\right)$
3 $\frac{9}{7}\left(=1\frac{2}{7}\right)$
4 $\frac{22}{9}\left(=2\frac{4}{9}\right)$
5 $\frac{21}{8}\left(=2\frac{5}{8}\right)$
6 $\frac{19}{4}\left(=4\frac{3}{4}\right)$
7 $\frac{14}{5}\left(=2\frac{4}{5}\right)$
8 $\frac{36}{5}\left(=7\frac{1}{5}\right)$
9 $\frac{27}{8}\left(=3\frac{3}{8}\right)$
10 $\frac{60}{11}\left(=5\frac{5}{11}\right)$
11 $\frac{15}{2}\left(=7\frac{1}{2}\right)$
12 $\frac{7}{4}\left(=1\frac{3}{4}\right)$
13 $\frac{55}{7}\left(=7\frac{6}{7}\right)$
14 $\frac{240}{17}\left(=14\frac{2}{17}\right)$
15 $\frac{81}{10}\left(=8\frac{1}{10}\right)$
16 6
17 $\frac{52}{5}\left(=10\frac{2}{5}\right)$
18 $\frac{200}{9}\left(=22\frac{2}{9}\right)$
19 $\frac{80}{3}\left(=26\frac{2}{3}\right)$
20 28
21 $\frac{126}{5}\left(=25\frac{1}{5}\right)$

31쪽

22 $\frac{50}{3}\left(=16\frac{2}{3}\right)$ km
23 $\frac{40}{3}\left(=13\frac{1}{3}\right)$배
24 12 km
25 $\frac{6}{5}\left(=1\frac{1}{5}\right)$ kg

13 일차 연산&문장제 마무리

32쪽

1 2

2 6

3 10

4 8

5 6

6 4

7 4

8 $\frac{7}{4}\left(=1\frac{3}{4}\right)$

9 $\frac{6}{13}$

10 $\frac{5}{8}$

11 $\frac{2}{5}$

12 $\frac{12}{19}$

13 $\frac{5}{3}\left(=1\frac{2}{3}\right)$

14 $\frac{5}{9}$

15 $\frac{4}{5}$

16 $\frac{4}{13}$

17 $\frac{21}{20}\left(=1\frac{1}{20}\right)$

18 $\frac{7}{9}$

19 $\frac{65}{132}$

20 $\frac{33}{16}\left(=2\frac{1}{16}\right)$

21 $\frac{4}{7}$

33쪽

22 $\frac{63}{25}\left(=2\frac{13}{25}\right)$

23 $\frac{24}{19}\left(=1\frac{5}{19}\right)$

24 $\frac{63}{46}\left(=1\frac{17}{46}\right)$

25 $\frac{1}{10}$

26 $\frac{36}{91}$

27 $\frac{5}{12}$

28 $\frac{5}{8}$

29 $\frac{12}{11}\left(=1\frac{1}{11}\right)$

30 7

31 $\frac{15}{2}\left(=7\frac{1}{2}\right)$

32 $\frac{144}{5}\left(=28\frac{4}{5}\right)$

33 $\frac{64}{5}\left(=12\frac{4}{5}\right)$

34 $\frac{64}{3}\left(=21\frac{1}{3}\right)$

35 $\frac{532}{9}\left(=59\frac{1}{9}\right)$

36 $\frac{117}{2}\left(=58\frac{1}{2}\right)$

37 $\frac{93}{2}\left(=46\frac{1}{2}\right)$

38 $\frac{12}{7}\left(=1\frac{5}{7}\right)$

39 $\frac{15}{2}\left(=7\frac{1}{2}\right)$

40 $\frac{27}{10}\left(=2\frac{7}{10}\right)$

41 $\frac{21}{4}\left(=5\frac{1}{4}\right)$

42 $\frac{119}{12}\left(=9\frac{11}{12}\right)$

43 $\frac{28}{3}\left(=9\frac{1}{3}\right)$

44 $\frac{10}{3}\left(=3\frac{1}{3}\right)$

45 $\frac{81}{2}\left(=40\frac{1}{2}\right)$

34쪽

46 5개

47 $\frac{7}{5}\left(=1\frac{2}{5}\right)$ m

48 $\frac{5}{4}\left(=1\frac{1}{4}\right)$배

49 3도막

50 $\frac{9}{10}$배

51 20개

52 $\frac{27}{2}\left(=13\frac{1}{2}\right)$ km

2. 분수의 나눗셈 (2)

01 일차 1. (진분수) ÷ (가분수)

36쪽

1 6, 15, 6, 15, 6, 2

2 14, 81, 14, 81, $\frac{14}{81}$

3 $\frac{2}{5}$, $\frac{4}{75}$

4 $\frac{3}{14}$, 2

5 $\frac{16}{27}$

6 $\frac{45}{68}$

7 $\frac{8}{77}$

8 $\frac{9}{80}$

9 $\frac{5}{12}$

10 $\frac{42}{85}$

11 $\frac{10}{33}$

37쪽

12 $\frac{25}{78}$

13 $\frac{24}{65}$

14 $\frac{1}{6}$

15 $\frac{28}{85}$

16 $\frac{36}{95}$

17 $\frac{13}{22}$

18 $\frac{10}{49}$

19 $\frac{6}{55}$

20 $\frac{22}{69}$

21 $\frac{1}{3}$

22 $\frac{2}{5}$

23 $\frac{5}{36}$

24 $\frac{15}{98}$

25 $\frac{70}{87}$

26 $\frac{1}{18}$

27 $\frac{33}{155}$

28 $\frac{5}{24}$

29 $\frac{4}{99}$

30 $\frac{1}{84}$

31 $\frac{9}{32}$

32 $\frac{4}{63}$

02 일차 1. (진분수) ÷ (가분수)

38쪽

1 $\frac{4}{15}$

2 $\frac{27}{80}$

3 $\frac{19}{63}$

4 $\frac{2}{5}$

5 $\frac{21}{44}$

6 $\frac{1}{4}$

7 $\frac{4}{27}$

8 $\frac{25}{147}$

9 $\frac{33}{85}$

10 $\frac{15}{64}$

11 $\frac{2}{27}$

12 $\frac{49}{76}$

13 $\frac{57}{130}$

14 $\frac{1}{14}$

15 $\frac{5}{32}$

16 $\frac{3}{16}$

17 $\frac{7}{48}$

18 $\frac{5}{16}$

19 $\frac{30}{203}$

20 $\frac{3}{35}$

21 $\frac{25}{44}$

39쪽

22 $\frac{14}{45}$배

23 $\frac{9}{28}$배

24 $\frac{3}{10}$ kg

25 $\frac{2}{23}$ m

03 일차

2. (진분수) ÷ (대분수)

40쪽

1 7, 5, 14, 5, 14, $\frac{5}{14}$

2 11, 9, 22, 9, 22, $\frac{9}{22}$

3 20, $\frac{9}{20}$, 9

4 7, $\frac{4}{7}$, 1

5 $\frac{3}{58}$

6 $\frac{16}{33}$

7 $\frac{9}{26}$

8 $\frac{18}{55}$

41쪽

9 $\frac{11}{28}$

10 $\frac{28}{51}$

11 $\frac{45}{88}$

12 $\frac{7}{27}$

13 $\frac{15}{56}$

14 $\frac{32}{75}$

15 $\frac{3}{32}$

16 $\frac{1}{8}$

17 $\frac{80}{247}$

18 $\frac{2}{15}$

19 $\frac{1}{7}$

20 $\frac{30}{77}$

21 $\frac{15}{92}$

22 $\frac{5}{64}$

23 $\frac{6}{55}$

24 $\frac{3}{13}$

25 $\frac{13}{21}$

26 $\frac{15}{16}$

27 $\frac{52}{87}$

28 $\frac{2}{9}$

29 $\frac{14}{155}$

04 일차

2. (진분수) ÷ (대분수)

42쪽

1 $\frac{3}{10}$

2 $\frac{5}{14}$

3 $\frac{1}{6}$

4 $\frac{21}{100}$

5 $\frac{4}{9}$

6 $\frac{66}{91}$

7 $\frac{49}{60}$

8 $\frac{10}{33}$

9 $\frac{3}{14}$

10 $\frac{3}{4}$

11 $\frac{56}{143}$

12 $\frac{1}{18}$

13 $\frac{13}{85}$

14 $\frac{17}{33}$

15 $\frac{4}{95}$

16 $\frac{2}{77}$

17 $\frac{9}{10}$

18 $\frac{13}{46}$

19 $\frac{3}{20}$

20 $\frac{8}{39}$

21 $\frac{35}{232}$

43쪽

22 $\frac{8}{25}$배

23 $\frac{4}{49}$ L

24 $\frac{1}{6}$시간

25 $\frac{4}{35}$배

05 일차 3. (가분수)÷(진분수)

44쪽

1 28, 9, 28, 9, $\frac{28}{9}$, $3\frac{1}{9}$

2 196, 80, 196, 80, 196, 49, 2, 9

3 $\frac{5}{3}$, 15, 7, 1

4 $\frac{9}{4}$, 19, 2, 3

5 $\frac{55}{4}\left(=13\frac{3}{4}\right)$

6 $\frac{22}{5}\left(=4\frac{2}{5}\right)$

7 $\frac{26}{5}\left(=5\frac{1}{5}\right)$

8 $\frac{28}{15}\left(=1\frac{13}{15}\right)$

9 $\frac{75}{4}\left(=18\frac{3}{4}\right)$

10 $\frac{57}{28}\left(=2\frac{1}{28}\right)$

11 $\frac{63}{40}\left(=1\frac{23}{40}\right)$

45쪽

12 $\frac{20}{9}\left(=2\frac{2}{9}\right)$

13 $\frac{81}{20}\left(=4\frac{1}{20}\right)$

14 $\frac{26}{11}\left(=2\frac{4}{11}\right)$

15 $\frac{34}{9}\left(=3\frac{7}{9}\right)$

16 $\frac{22}{13}\left(=1\frac{9}{13}\right)$

17 $\frac{24}{7}\left(=3\frac{3}{7}\right)$

18 $\frac{8}{3}\left(=2\frac{2}{3}\right)$

19 $\frac{49}{8}\left(=6\frac{1}{8}\right)$

20 $\frac{140}{51}\left(=2\frac{38}{51}\right)$

21 $\frac{117}{76}\left(=1\frac{41}{76}\right)$

22 $\frac{55}{28}\left(=1\frac{27}{28}\right)$

23 $\frac{65}{11}\left(=5\frac{10}{11}\right)$

24 $\frac{70}{23}\left(=3\frac{1}{23}\right)$

25 $\frac{77}{32}\left(=2\frac{13}{32}\right)$

26 $\frac{36}{25}\left(=1\frac{11}{25}\right)$

27 $\frac{42}{13}\left(=3\frac{3}{13}\right)$

28 $\frac{77}{4}\left(=19\frac{1}{4}\right)$

29 $\frac{21}{5}\left(=4\frac{1}{5}\right)$

30 $\frac{81}{56}\left(=1\frac{25}{56}\right)$

31 $\frac{18}{5}\left(=3\frac{3}{5}\right)$

32 $\frac{42}{37}\left(=1\frac{5}{37}\right)$

06 일차 3. (가분수)÷(진분수)

46쪽

1 $\frac{15}{4}\left(=3\frac{3}{4}\right)$

2 10

3 $\frac{105}{16}\left(=6\frac{9}{16}\right)$

4 $\frac{51}{5}\left(=10\frac{1}{5}\right)$

5 $\frac{88}{21}\left(=4\frac{4}{21}\right)$

6 $\frac{52}{21}\left(=2\frac{10}{21}\right)$

7 $\frac{99}{16}\left(=6\frac{3}{16}\right)$

8 $\frac{35}{27}\left(=1\frac{8}{27}\right)$

9 $\frac{87}{20}\left(=4\frac{7}{20}\right)$

10 $\frac{8}{3}\left(=2\frac{2}{3}\right)$

11 $\frac{17}{9}\left(=1\frac{8}{9}\right)$

12 $\frac{6}{5}\left(=1\frac{1}{5}\right)$

13 $\frac{32}{11}\left(=2\frac{10}{11}\right)$

14 6

15 $\frac{184}{135}\left(=1\frac{49}{135}\right)$

16 $\frac{22}{19}\left(=1\frac{3}{19}\right)$

17 $\frac{23}{16}\left(=1\frac{7}{16}\right)$

18 $\frac{80}{27}\left(=2\frac{26}{27}\right)$

19 $\frac{24}{11}\left(=2\frac{2}{11}\right)$

20 $\frac{25}{21}\left(=1\frac{4}{21}\right)$

21 $\frac{6}{5}\left(=1\frac{1}{5}\right)$

47쪽

22 6개

23 $\frac{55}{9}\left(=6\frac{1}{9}\right)$배

24 $\frac{80}{21}\left(=3\frac{17}{21}\right)$분

25 $\frac{22}{5}\left(=4\frac{2}{5}\right)$배

07 일차 4. (가분수)÷(가분수)

48쪽

1 63, 63, 63, 9, 2, 1

2 18, 18, 18, 6, 1, 1

3 14, 15, 14, 15, $\frac{14}{15}$

4 6, 66, 1, 31

5 5, 10, 1, 3

6 25, 35, 4, 3

49쪽

7 $\frac{4}{5}$

8 $\frac{14}{3}\left(=4\frac{2}{3}\right)$

9 $\frac{27}{16}\left(=1\frac{11}{16}\right)$

10 $\frac{16}{15}\left(=1\frac{1}{15}\right)$

11 $\frac{10}{7}\left(=1\frac{3}{7}\right)$

12 $\frac{20}{27}$

13 $\frac{9}{50}$

14 $\frac{8}{21}$

15 $\frac{81}{58}\left(=1\frac{23}{58}\right)$

16 $\frac{9}{11}$

17 $\frac{35}{48}$

18 $\frac{99}{133}$

19 $\frac{117}{80}\left(=1\frac{37}{80}\right)$

20 $\frac{7}{22}$

21 $\frac{26}{17}\left(=1\frac{9}{17}\right)$

22 $\frac{46}{93}$

23 $\frac{7}{4}\left(=1\frac{3}{4}\right)$

24 $\frac{19}{56}$

25 $\frac{6}{11}$

26 $\frac{50}{69}$

27 $\frac{15}{14}\left(=1\frac{1}{14}\right)$

08 일차 4. (가분수)÷(가분수)

50쪽

1 $\frac{65}{22}\left(=2\frac{21}{22}\right)$

2 $\frac{14}{13}\left(=1\frac{1}{13}\right)$

3 $\frac{10}{11}$

4 $\frac{5}{3}\left(=1\frac{2}{3}\right)$

5 $\frac{69}{32}\left(=2\frac{5}{32}\right)$

6 $\frac{15}{56}$

7 $\frac{35}{48}$

8 $\frac{3}{2}\left(=1\frac{1}{2}\right)$

9 $\frac{12}{5}\left(=2\frac{2}{5}\right)$

10 $\frac{6}{5}\left(=1\frac{1}{5}\right)$

11 $\frac{93}{68}\left(=1\frac{25}{68}\right)$

12 $\frac{17}{39}$

13 $\frac{20}{49}$

14 $\frac{12}{35}$

15 $\frac{7}{8}$

16 $\frac{16}{17}$

17 $\frac{36}{35}\left(=1\frac{1}{35}\right)$

18 $\frac{4}{9}$

19 $\frac{20}{33}$

20 $\frac{64}{161}$

21 $\frac{18}{25}$

51쪽

22 $\frac{36}{35}\left(=1\frac{1}{35}\right)$배

23 $\frac{62}{81}$ m

24 4개

25 $\frac{7}{16}$시간

09 일차

5. (가분수)÷(대분수)

52쪽

1 18, 36, 55, 55, 1, 19

2 7, 49, 49, 49, 1, 49

3 32, $\frac{9}{32}$, 3

4 7, 7, 28, 1, 28

5 25, $\frac{6}{25}$, 27

53쪽

6 $\frac{12}{11}\left(=1\frac{1}{11}\right)$

7 $\frac{35}{34}\left(=1\frac{1}{34}\right)$

8 $\frac{81}{100}$

9 $\frac{5}{21}$

10 $\frac{10}{21}$

11 $\frac{13}{60}$

12 $\frac{20}{9}\left(=2\frac{2}{9}\right)$

13 $\frac{52}{95}$

14 $\frac{8}{7}\left(=1\frac{1}{7}\right)$

15 $\frac{5}{2}\left(=2\frac{1}{2}\right)$

16 $\frac{4}{13}$

17 $\frac{45}{77}$

18 $\frac{21}{10}\left(=2\frac{1}{10}\right)$

19 $\frac{7}{10}$

20 $\frac{14}{45}$

21 $\frac{6}{5}\left(=1\frac{1}{5}\right)$

22 $\frac{4}{7}$

23 $\frac{24}{23}\left(=1\frac{1}{23}\right)$

24 $\frac{9}{10}$

25 $\frac{49}{108}$

26 $\frac{35}{31}\left(=1\frac{4}{31}\right)$

10 일차

5. (가분수)÷(대분수)

54쪽

1 $\frac{15}{32}$

2 $\frac{7}{3}\left(=2\frac{1}{3}\right)$

3 $\frac{21}{26}$

4 $\frac{32}{75}$

5 $\frac{10}{3}\left(=3\frac{1}{3}\right)$

6 $\frac{25}{6}\left(=4\frac{1}{6}\right)$

7 $\frac{81}{76}\left(=1\frac{5}{76}\right)$

8 $\frac{8}{33}$

9 $\frac{4}{5}$

10 $\frac{100}{99}\left(=1\frac{1}{99}\right)$

11 $\frac{7}{18}$

12 $\frac{24}{49}$

13 $\frac{3}{10}$

14 $\frac{13}{36}$

15 $\frac{3}{4}$

16 $\frac{49}{38}\left(=1\frac{11}{38}\right)$

17 $\frac{3}{5}$

18 $\frac{39}{68}$

19 $\frac{21}{92}$

20 $\frac{31}{38}$

21 $\frac{49}{54}$

55쪽

22 $\frac{14}{69}$배

23 $\frac{25}{39}$배

24 $\frac{27}{10}\left(=2\frac{7}{10}\right)$ km

25 $\frac{16}{25}$ kg

11 일차

6. (대분수)÷(진분수)

56쪽

1 3, 15, 2, 15, 2, 15, 7, 1

2 14, 14, 6, 14, 6, 14, 7, 2, 1

3 4, 4, $\frac{11}{7}$, $\frac{44}{21}$, $2\frac{2}{21}$

4 10, 10, $\frac{14}{5}$, 4

5 33, 33, 15, 9, 4, 1

57쪽

6 $\frac{15}{8}\left(=1\frac{7}{8}\right)$

7 $\frac{125}{12}\left(=10\frac{5}{12}\right)$

8 9

9 $\frac{28}{15}\left(=1\frac{13}{15}\right)$

10 $\frac{44}{7}\left(=6\frac{2}{7}\right)$

11 $\frac{22}{3}\left(=7\frac{1}{3}\right)$

12 $\frac{95}{18}\left(=5\frac{5}{18}\right)$

13 $\frac{42}{11}\left(=3\frac{9}{11}\right)$

14 $\frac{133}{54}\left(=2\frac{25}{54}\right)$

15 $\frac{77}{39}\left(=1\frac{38}{39}\right)$

16 $\frac{68}{21}\left(=3\frac{5}{21}\right)$

17 $\frac{20}{9}\left(=2\frac{2}{9}\right)$

18 $\frac{9}{8}\left(=1\frac{1}{8}\right)$

19 $\frac{45}{17}\left(=2\frac{11}{17}\right)$

20 $\frac{112}{57}\left(=1\frac{55}{57}\right)$

21 $\frac{19}{3}\left(=6\frac{1}{3}\right)$

22 $\frac{27}{2}\left(=13\frac{1}{2}\right)$

23 $\frac{3}{2}\left(=1\frac{1}{2}\right)$

24 $\frac{32}{21}\left(=1\frac{11}{21}\right)$

25 $\frac{27}{4}\left(=6\frac{3}{4}\right)$

26 $\frac{11}{4}\left(=2\frac{3}{4}\right)$

12 일차

6. (대분수)÷(진분수)

58쪽

1 $\frac{25}{4}\left(=6\frac{1}{4}\right)$

2 $\frac{9}{2}\left(=4\frac{1}{2}\right)$

3 $\frac{55}{14}\left(=3\frac{13}{14}\right)$

4 $\frac{189}{50}\left(=3\frac{39}{50}\right)$

5 $\frac{44}{15}\left(=2\frac{14}{15}\right)$

6 $\frac{20}{3}\left(=6\frac{2}{3}\right)$

7 $\frac{27}{10}\left(=2\frac{7}{10}\right)$

8 $\frac{7}{6}\left(=1\frac{1}{6}\right)$

9 $\frac{28}{5}\left(=5\frac{3}{5}\right)$

10 $\frac{36}{11}\left(=3\frac{3}{11}\right)$

11 $\frac{45}{8}\left(=5\frac{5}{8}\right)$

12 34

13 $\frac{10}{3}\left(=3\frac{1}{3}\right)$

14 $\frac{45}{8}\left(=5\frac{5}{8}\right)$

15 $\frac{48}{17}\left(=2\frac{14}{17}\right)$

16 $\frac{126}{19}\left(=6\frac{12}{19}\right)$

17 $\frac{9}{4}\left(=2\frac{1}{4}\right)$

18 $\frac{43}{6}\left(=7\frac{1}{6}\right)$

19 $\frac{105}{44}\left(=2\frac{17}{44}\right)$

20 $\frac{62}{27}\left(=2\frac{8}{27}\right)$

21 $\frac{16}{5}\left(=3\frac{1}{5}\right)$

59쪽

22 $\frac{43}{6}\left(=7\frac{1}{6}\right)$배

23 $\frac{91}{12}\left(=7\frac{7}{12}\right)$배

24 $\frac{11}{9}\left(=1\frac{2}{9}\right)$L

25 $\frac{52}{35}\left(=1\frac{17}{35}\right)$시간

13 일차

7. (대분수)÷(가분수)

60쪽

1 3, 9, 8, 9, 8, $\frac{9}{8}$, $1\frac{1}{8}$

2 22, 88, 99, 88, 99, 88, 8

3 11, 11, $\frac{6}{13}$, 33, 2, 7

4 39, 39, 8, 52, 1, 19

61쪽

5 $\frac{3}{2}\left(=1\frac{1}{2}\right)$

6 $\frac{135}{88}\left(=1\frac{47}{88}\right)$

7 $\frac{28}{75}$

8 $\frac{8}{9}$

9 $\frac{36}{23}\left(=1\frac{13}{23}\right)$

10 $\frac{45}{44}\left(=1\frac{1}{44}\right)$

11 $\frac{35}{36}$

12 $\frac{28}{15}\left(=1\frac{13}{15}\right)$

13 $\frac{50}{99}$

14 $\frac{25}{8}\left(=3\frac{1}{8}\right)$

15 $\frac{56}{65}$

16 $\frac{216}{133}\left(=1\frac{83}{133}\right)$

17 $\frac{16}{63}$

18 $\frac{35}{72}$

19 $\frac{5}{42}$

20 $\frac{14}{19}$

21 $\frac{14}{5}\left(=2\frac{4}{5}\right)$

22 $\frac{2}{3}$

23 $\frac{25}{38}$

24 $\frac{44}{63}$

25 $\frac{28}{29}$

14 일차

7. (대분수)÷(가분수)

62쪽

1 $\frac{42}{13}\left(=3\frac{3}{13}\right)$

2 $\frac{56}{51}\left(=1\frac{5}{51}\right)$

3 $\frac{39}{14}\left(=2\frac{11}{14}\right)$

4 $\frac{33}{16}\left(=2\frac{1}{16}\right)$

5 $\frac{15}{8}\left(=1\frac{7}{8}\right)$

6 $\frac{25}{21}\left(=1\frac{4}{21}\right)$

7 $\frac{5}{12}$

8 $\frac{23}{30}$

9 $\frac{21}{25}$

10 $\frac{5}{14}$

11 $\frac{6}{13}$

12 $\frac{102}{115}$

13 $\frac{3}{4}$

14 $\frac{15}{34}$

15 $\frac{28}{15}\left(=1\frac{13}{15}\right)$

16 $\frac{3}{19}$

17 $\frac{13}{22}$

18 $\frac{2}{3}$

19 $\frac{7}{8}$

20 $\frac{4}{15}$

21 $\frac{5}{6}$

63쪽

22 $\frac{172}{165}\left(=1\frac{7}{165}\right)$배

23 $\frac{3}{8}$분

24 $\frac{2}{9}$ cm

25 $\frac{343}{108}\left(=3\frac{19}{108}\right)$배

15 일차

8. (대분수)÷(대분수)

64쪽

1 5, 14, 45, 28, 45, 28, $\frac{45}{28}$, $1\frac{17}{28}$

2 18, 27, 36, 27, 36, 27, 36, 4, 1, 1

3 4, 4, 15, $\frac{28}{45}$

4 45, 25, 45, 25, 27, 1, 7

65쪽

5 $\frac{91}{24}\left(=3\frac{19}{24}\right)$

6 $\frac{32}{45}$

7 $\frac{81}{64}\left(=1\frac{17}{64}\right)$

8 $\frac{4}{27}$

9 $\frac{20}{33}$

10 $\frac{3}{5}$

11 $\frac{21}{8}\left(=2\frac{5}{8}\right)$

12 $\frac{115}{84}\left(=1\frac{31}{84}\right)$

13 $\frac{3}{2}\left(=1\frac{1}{2}\right)$

14 $\frac{13}{22}$

15 $\frac{15}{32}$

16 $\frac{7}{10}$

17 $\frac{19}{18}\left(=1\frac{1}{18}\right)$

18 $\frac{32}{85}$

19 $\frac{20}{27}$

20 $\frac{1}{6}$

21 $\frac{58}{69}$

22 $\frac{50}{77}$

23 $\frac{16}{45}$

24 $\frac{7}{16}$

25 $\frac{77}{240}$

16 일차

8. (대분수)÷(대분수)

66쪽

1 $\frac{99}{56}\left(=1\frac{43}{56}\right)$

2 $\frac{20}{27}$

3 $\frac{35}{36}$

4 $\frac{11}{25}$

5 $\frac{35}{39}$

6 $\frac{16}{15}\left(=1\frac{1}{15}\right)$

7 $\frac{5}{6}$

8 $\frac{20}{21}$

9 $\frac{63}{40}\left(=1\frac{23}{40}\right)$

10 $\frac{5}{11}$

11 $\frac{4}{9}$

12 $\frac{3}{2}\left(=1\frac{1}{2}\right)$

13 $\frac{4}{5}$

14 $\frac{1}{6}$

15 $\frac{8}{17}$

16 $\frac{6}{25}$

17 $\frac{4}{3}\left(=1\frac{1}{3}\right)$

18 $\frac{35}{99}$

19 $\frac{21}{20}\left(=1\frac{1}{20}\right)$

20 $\frac{21}{50}$

21 $\frac{4}{3}\left(=1\frac{1}{3}\right)$

67쪽

22 $\frac{63}{20}\left(=3\frac{3}{20}\right)$ km

23 16병

24 $\frac{44}{9}\left(=4\frac{8}{9}\right)$배

25 $\frac{1925}{36}\left(=53\frac{17}{36}\right)$배

17 일차 연산&문장제 마무리

68쪽

1 $\frac{11}{16}$

2 $\frac{7}{10}$

3 $\frac{5}{48}$

4 $\frac{13}{33}$

5 $\frac{25}{144}$

6 $\frac{4}{15}$

7 $\frac{4}{21}$

8 $\frac{3}{7}$

9 $\frac{64}{231}$

10 $\frac{48}{85}$

11 28

12 $\frac{297}{16}\left(=18\frac{9}{16}\right)$

13 $\frac{77}{30}\left(=2\frac{17}{30}\right)$

14 8

15 $\frac{20}{3}\left(=6\frac{2}{3}\right)$

16 $\frac{22}{13}\left(=1\frac{9}{13}\right)$

17 $\frac{63}{50}\left(=1\frac{13}{50}\right)$

18 $\frac{85}{48}\left(=1\frac{37}{48}\right)$

19 $\frac{7}{8}$

20 $\frac{52}{35}\left(=1\frac{17}{35}\right)$

21 $\frac{20}{33}$

69쪽

22 $\frac{81}{35}\left(=2\frac{11}{35}\right)$

23 $\frac{200}{33}\left(=6\frac{2}{33}\right)$

24 $\frac{12}{23}$

25 $\frac{3}{14}$

26 $\frac{56}{135}$

27 $\frac{36}{77}$

28 $\frac{21}{40}$

29 $\frac{7}{3}\left(=2\frac{1}{3}\right)$

30 $\frac{60}{7}\left(=8\frac{4}{7}\right)$

31 $\frac{319}{48}\left(=6\frac{31}{48}\right)$

32 $\frac{31}{6}\left(=5\frac{1}{6}\right)$

33 $\frac{27}{8}\left(=3\frac{3}{8}\right)$

34 $\frac{104}{99}\left(=1\frac{5}{99}\right)$

35 $\frac{3}{2}\left(=1\frac{1}{2}\right)$

36 $\frac{27}{28}$

37 $\frac{88}{25}\left(=3\frac{13}{25}\right)$

38 $\frac{9}{4}\left(=2\frac{1}{4}\right)$

39 $\frac{37}{60}$

40 $\frac{9}{11}$

41 $\frac{25}{33}$

42 $\frac{3}{8}$

43 $\frac{203}{96}\left(=2\frac{11}{96}\right)$

44 $\frac{15}{4}\left(=3\frac{3}{4}\right)$

45 $\frac{10}{9}\left(=1\frac{1}{9}\right)$

70쪽

46 $\frac{55}{72}$배

47 12개

48 15상자

49 $\frac{69}{128}$배

50 $\frac{42}{5}\left(=8\frac{2}{5}\right)$ kg

51 $\frac{20}{3}\left(=6\frac{2}{3}\right)$ km

3. 소수의 나눗셈 (1)

01 일차 1. 자연수의 나눗셈을 이용한 (소수)÷(소수)

72쪽

1 56, 2, 28 / 28
2 96, 3, 32 / 32
3 105, 15, 7 / 7
4 253, 11, 23 / 23
5 10 / 216, 8, 27 / 27
6 10 / 304, 16, 19 / 19
7 10 / 414, 23, 18 / 18
8 10 / 558, 18, 31 / 31
9 10 / 609, 29, 21 / 21

73쪽

10 28, 4, 7 / 7
11 297, 27, 11 / 11
12 968, 44, 22 / 22
13 2338, 167, 14 / 14
14 7668, 213, 36 / 36
15 100 / 168, 6, 28 / 28
16 100 / 552, 12, 46 / 46
17 100 / 1955, 115, 17 / 17
18 100 / 2847, 73, 39 / 39
19 100 / 9275, 371, 25 / 25

02 일차 1. 자연수의 나눗셈을 이용한 (소수)÷(소수)

74쪽

1 9, 9
2 7, 7
3 6, 6
4 8, 8
5 18, 18
6 22, 22
7 11, 11
8 21, 21
9 34, 34
10 27, 27
11 16, 16
12 7, 7
13 14, 14
14 12, 12
15 27, 27
16 25, 25
17 21, 21
18 39, 39
19 22, 22
20 17, 17
21 21, 21

75쪽

22 7개
23 18도막
24 27개
25 16개

03 일차 2. (소수 한 자리 수)÷(소수 한 자리 수) (1)

76쪽

1 10, 10, 81, 9
2 10, 10, 288, 12
3 455, 13, 455, 13, 35
4 5
5 6
6 3
7 26
8 9
9 4
10 7
11 19
12 16
13 6
14 17
15 15
16 13
17 11

77쪽

18 9
19 13
20 19
21 6
22 4
23 9
24 8
25 9
26 16
27 3
28 7
29 7
30 4
31 11
32 15
33 8
34 8
35 16
36 21
37 23
38 32

2. (소수 한 자리 수)÷(소수 한 자리 수) (1)

78쪽

1 3
2 9
3 12
4 36
5 27
6 11
7 14
8 9
9 4
10 3
11 8
12 16
13 13
14 18
15 7
16 9
17 17
18 12
19 16
20 24
21 9

79쪽

22 12개
23 15개
24 26도막

05 일차

3. (소수 한 자리 수)÷(소수 한 자리 수) (2)

80쪽

1 3
2 6
3 11
4 18
5 32
6 19
7 27
8 9
9 7
10 4
11 6
12 19
13 12
14 21

81쪽

15 11
16 5
17 7
18 23
19 13
20 12
21 16
22 7
23 12
24 16
25 2
26 14
27 4
28 12
29 8
30 11
31 9
32 23
33 17
34 33
35 13

3. (소수 한 자리 수)÷(소수 한 자리 수) (2)

82쪽

1 8
2 4
3 19
4 27
5 12
6 5
7 8
8 6
9 23
10 17
11 16
12 8
13 41
14 14
15 16
16 19
17 7
18 13
19 14
20 8
21 21

83쪽

22 6개
23 9개
24 12개
25 14도막

4. (소수 두 자리 수)÷(소수 두 자리 수) (1)

84쪽

1 168, 14, 168, 14, 12
2 795, 53, 795, 53, 15
3 882, 126, 882, 126, 7
4 5
5 6
6 4
7 7
8 12
9 19
10 17
11 24
12 19
13 24
14 6
15 22
16 13
17 18

85쪽

18 2
19 7
20 4
21 12
22 17
23 11
24 9
25 13
26 43
27 65
28 53
29 35
30 28
31 31
32 15
33 7
34 16
35 37
36 13
37 11
38 27

08 일차

4. (소수 두 자리 수)÷(소수 두 자리 수) (1)

86쪽

1 7
2 4
3 14
4 9
5 17
6 21
7 13
8 23
9 16
10 21
11 8
12 7
13 15
14 7
15 11
16 6
17 15
18 9
19 12
20 18
21 37

87쪽

22 13분
23 7시간
24 25개

5. (소수 두 자리 수)÷(소수 두 자리 수) (2)

88쪽

1 8
2 4
3 13
4 27
5 7
6 7
7 12
8 12
9 6
10 7
11 14
12 32
13 21
14 35
15 43

89쪽

16 5
17 7
18 21
19 8
20 16
21 27
22 16
23 4
24 9
25 14
26 23
27 25
28 37
29 31
30 5
31 9
32 6
33 12
34 34
35 29
36 13

10 일차 5. (소수 두 자리 수)÷(소수 두 자리 수) (2)

90쪽

1 45
2 13
3 9
4 17
5 15
6 36
7 21
8 7
9 4
10 8
11 31
12 6
13 16
14 11
15 12
16 9
17 22
18 43
19 7
20 19
21 15

91쪽

22 22도막
23 17개
24 26개

11 일차 6. (소수 두 자리 수)÷(소수 한 자리 수) (1)

92쪽

1 0.9
2 1.1
3 3.2
4 5.3
5 9.7
6 13.6

93쪽

7 0.7
8 1.2
9 4.6
10 2.4
11 1.7
12 3.4
13 1.9
14 2.9
15 6.2
16 5.6
17 4.5
18 3.3
19 8.6
20 9.4
21 3.7
22 6.4
23 3.6
24 2.2
25 3.8
26 2.3
27 4.7

12 일차 6. (소수 두 자리 수)÷(소수 한 자리 수) (1)

94쪽

1 17.4
2 1.8
3 8.7
4 4.2
5 5.8
6 4.6
7 6.4
8 0.4
9 9.1
10 0.6
11 4.1
12 2.9
13 12.4
14 2.6
15 5.8
16 3.9
17 6.7
18 3.1
19 7.3
20 8.2
21 11.8

95쪽

22 1.2배
23 3.2 kg
24 4.3분

13 일차 7. (소수 두 자리 수)÷(소수 한 자리 수) (2)

96쪽

1 3.4
2 1.6
3 1.3
4 2.9
5 5.3
6 3.2
7 7.9

97쪽

8 6.2
9 4.7
10 2.4
11 1.4
12 0.8
13 3.9
14 0.7
15 4.9
16 1.2
17 7.6
18 1.7
19 7.3
20 32.4
21 6.1
22 0.4
23 6.4
24 3.1
25 1.3
26 3.7
27 4.1
28 4.6

14 일차 7. (소수 두 자리 수)÷(소수 한 자리 수) (2)

98쪽

1 2.3
2 3.6
3 3.3
4 5.7
5 5.9
6 12.8
7 4.3
8 0.5
9 12.9
10 7.4
11 5.8
12 13.4
13 3.8
14 1.5
15 9.4
16 3.7
17 2.5
18 2.1
19 3.6
20 14.9
21 14.3

99쪽

22 1.6배
23 9.7배
24 7.4 kg

15 일차 연산&문장제 마무리

100쪽

1 7
2 5
3 3
4 2
5 12
6 3
7 6
8 9
9 6
10 18
11 9
12 9
13 16
14 12
15 42
16 18
17 12
18 24
19 36
20 27
21 26

101쪽

22 4
23 7
24 14
25 15
26 34
27 22
28 13
29 17
30 1.3
31 0.7
32 0.4
33 1.7
34 9.6
35 3.5
36 3.8
37 12.4
38 1.9
39 1.3
40 14.8
41 7.3
42 3.4
43 2.9
44 3.2
45 5.2

102쪽

46 14개
47 6개
48 17명
49 12개
50 0.9배
51 1.8배
52 2.6배

4. 소수의 나눗셈 (2)

01 일차 1. (자연수) ÷ (소수 한 자리 수) (1)

104쪽

1 50, 2, 50, 2, 25
2 80, 5, 80, 5, 16
3 150, 3, 150, 3, 50
4 210, 15, 210, 15, 14
5 270, 18, 270, 18, 15
6 560, 35, 560, 35, 16
7 800, 16, 800, 16, 50
8 2
9 10
10 15
11 4
12 5
13 12
14 50

105쪽

15 22
16 20
17 4
18 6
19 55
20 20
21 35
22 45
23 6
24 35
25 12
26 32
27 24
28 50
29 36
30 40
31 15
32 25
33 34
34 26
35 35

02 일차 1. (자연수) ÷ (소수 한 자리 수) (1)

106쪽

1 10
2 2
3 20
4 20
5 75
6 4
7 8
8 4
9 58
10 5
11 26
12 30
13 24
14 50
15 16
16 15
17 12
18 28
19 22
20 16
21 45

107쪽

22 14개
23 15병
24 16개
25 30분

03 일차 2. (자연수) ÷ (소수 한 자리 수) (2)

108쪽

1 5
2 38
3 15
4 8
5 14
6 32
7 6
8 5
9 25
10 20
11 68
12 30
13 20

109쪽

14 15
15 22
16 58
17 14
18 32
19 46
20 84
21 5
22 12
23 15
24 46
25 4
26 10
27 24
28 30
29 22
30 26
31 8
32 38
33 40
34 38

04 일차 2. (자연수)÷(소수 한 자리 수) (2)

110쪽

1 36
2 5
3 25
4 8
5 60
6 18
7 15
8 30
9 15
10 54
11 30
12 55
13 32
14 65
15 8
16 5
17 20
18 92
19 34
20 62
21 22

111쪽

22 4배
23 20개
24 5개
25 25개

05 일차 3. (자연수)÷(소수 두 자리 수) (1)

112쪽

1 900, 45, 900, 45, 20
2 3900, 52, 3900, 52, 75
3 4100, 205, 4100, 205, 20
4 6300, 175, 6300, 175, 36
5 9400, 235, 9400, 235, 40
6 10400, 325, 10400, 325, 32
7 17300, 346, 17300, 346, 50

113쪽

8 4
9 16
10 12
11 25
12 20
13 8
14 48
15 25
16 40
17 50
18 25
19 28
20 24
21 80
22 56
23 60
24 52
25 44
26 75
27 50
28 75

06 일차 3. (자연수)÷(소수 두 자리 수) (1)

114쪽

1 24
2 4
3 12
4 40
5 50
6 52
7 40
8 20
9 8
10 75
11 16
12 20
13 25
14 32
15 28
16 25
17 25
18 75
19 50
20 36
21 48

115쪽

22 25개
23 75개
24 96배

4. (자연수)÷(소수 두 자리 수) (2)

116쪽

1 4
2 25
3 75
4 36
5 75
6 75

117쪽

7 8
8 68
9 4
10 60
11 25
12 20
13 12
14 25
15 16
16 40
17 75
18 25
19 28
20 52
21 32
22 50
23 25
24 40
25 24
26 50
27 24

4. (자연수)÷(소수 두 자리 수) (2)

118쪽

1 60
2 20
3 25
4 40
5 16
6 44
7 50
8 4
9 56
10 8
11 50
12 25
13 12
14 52
15 40
16 32
17 52
18 75
19 28
20 36
21 75

119쪽

22 4배
23 8개
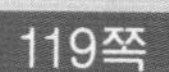
24 25도막
25 75개

5. 몫을 반올림하여 나타내기 (1)

120쪽

1 1
2 22
3 1.9
4 6.1
5 3
6 1
7 4
8 1
9 2

121쪽

10 4
11 3
12 5
13 6
14 6
15 2.3
16 1.6
17 1.7
18 1.6
19 1.9
20 1.4
21 4.1
22 3.8
23 9.4
24 5.9

10일차 5. 몫을 반올림하여 나타내기 (1)

122쪽

1 4, 4.3
2 1, 0.8
3 1, 1.1
4 2, 2.5
5 2, 1.6
6 1, 1.2
7 1, 0.8
8 7, 6.9
9 5, 5.1
10 3, 2.8
11 6, 5.8
12 7, 7.3

123쪽

13 7.6 km
14 0.3분

11일차 6. 몫을 반올림하여 나타내기 (2)

124쪽

1 0.56
2 0.51
3 1.21
4 3.83
5 1.571
6 1.654
7 0.417
8 1.177
9 12.714

125쪽

10 0.27
11 1.16
12 0.61
13 2.11
14 32.33
15 2.63
16 2.571
17 1.032
18 3.392
19 6.967
20 1.895
21 2.158

12일차 6. 몫을 반올림하여 나타내기 (2)

126쪽

1 1.27, 1.273
2 1.93, 1.933
3 2.38, 2.385
4 1.32, 1.324
5 1.37, 1.371
6 2.06, 2.062
7 1.14, 1.135
8 1.34, 1.343
9 4.67, 4.667
10 2.23, 2.229
11 1.94, 1.936
12 11.21, 11.214

127쪽

13 0.67 L
14 1.929 g
15 8.29배
16 6.615배

13 일차 7. 나누어 주고 남는 양 구하기

128쪽

1 6, 0.7
2 3, 1.2
3 7, 2.8
4 3, 5.4
5 5, 3.1
6 8, 1.3
7 21, 0.6
8 7, 1.2
9 2, 6.7
10 8, 0.1
11 7, 4.6
12 6, 0.5

129쪽

13 8, 3.7
14 10, 3.3
15 43, 1.1
16 20, 1.8
17 18, 1.2
18 4, 2.4
19 19, 1.5
20 8, 2.8
21 21, 0.1
22 10, 1.7
23 11, 2.3
24 16, 2.6
25 28, 2.5
26 17, 1.9
27 23, 6.3

14 일차 7. 나누어 주고 남는 양 구하기

130쪽

1 1, 1.7
2 2, 2.4
3 2, 1.3
4 10, 0.9
5 7, 6.7
6 11, 5.5
7 15, 3.2
8 21, 1.1
9 17, 4.4
10 15, 3.8
11 9, 1.7
12 13, 3.7
13 8, 0.4
14 11, 6.8
15 19, 2.2

131쪽

16 2개, 5.8 kg
17 8개, 2.2 L
18 7도막, 7.5 m
19 23상자, 2.6 kg

15 일차 연산&문장제 마무리

132쪽

1 5
2 18
3 55
4 28
5 70
6 15
7 20
8 15
9 40
10 36
11 4
12 8
13 40
14 25
15 75
16 50
17 24
18 16
19 12
20 25
21 20

133쪽

22 2, 2.5
23 4, 3.7
24 1, 1.4
25 7, 6.5
26 5, 5.1
27 6, 5.6
28 0.57, 0.571
29 3.33, 3.333
30 1.51, 1.508
31 2.76, 2.764
32 9.35, 9.346
33 8.18, 8.176
34 1, 5.9
35 5, 3.5
36 16, 2.7
37 19, 1.3
38 10, 3.6
39 31, 0.8

134쪽

40 20개
41 15개
42 25개
43 1.9 kg
44 3배
45 1.19배
46 14통, 0.5 L

5. 비의 성질

01 일차 1. 비의 성질

136쪽

1 10, 4 / 2
2 40, 15 / 5
3 176, 136 / 8
4 11 / 275, 374
5 6 / 186, 96
6 15 / 600, 495
7 7 / 406, 441
8 9 / 648, 495

137쪽

9 3, 1 / 2
10 5, 4 / 3
11 2, 6 / 11
12 4, 3 / 7
13 4, 6 / 8
14 7, 5 / 5
15 10 / 4, 2
16 6 / 8, 9
17 4 / 14, 9
18 12 / 5, 7
19 15 / 5, 6
20 9 / 11, 12

02 일차 1. 비의 성질

138쪽

1 35
2 180
3 42
4 588
5 108
6 120
7 830
8 567
9 1
10 5
11 5
12 9
13 6
14 11
15 15
16 14

139쪽

17 15개
18 2개
19 3자루

03 일차 2. 자연수의 비를 간단한 자연수의 비로 나타내기

140쪽

1. 4, 5 / 2
2. 5 / 4, 7
3. 3, 4 / 13
4. 9 / 9, 7
5. 3, 3, 8
6. 7, 2, 1
7. 6, 4, 9
8. 2, 18, 19
9. 15, 3, 5
10. 5, 10, 9

141쪽

11. 6, 11, 4
12. 17, 5, 12
13. 13, 7, 2
14. 10, 10, 9
15. 24, 5, 8
16. 19, 8, 7
17. 1 : 7
18. 5 : 1
19. 25 : 36
20. 7 : 9
21. 8 : 11
22. 13 : 7
23. 11 : 9

04 일차 2. 자연수의 비를 간단한 자연수의 비로 나타내기

142쪽

1. 1 : 8
2. 2 : 17
3. 9 : 2
4. 5 : 24
5. 24 : 13
6. 12 : 19
7. 28 : 51
8. 7 : 3
9. 8 : 15
10. 49 : 40
11. 14 : 15
12. 42 : 23
13. 32 : 27
14. 23 : 18
15. 35 : 19
16. 16 : 21
17. 76 : 85
18. 19 : 15
19. 17 : 2
20. 68 : 33
21. 56 : 55

143쪽

22. 6 : 7
23. 7 : 8
24. 57 : 53
25. 17 : 16

05 일차 3. 소수의 비를 간단한 자연수의 비로 나타내기

144쪽

1. 10, 2
2. 10, 15, 3, 15, 12, 5
3. 10, 56, 56, 8, 7, 6
4. 100, 19, 14
5. 100, 18, 2, 18, 14, 9
6. 100, 102, 102, 6, 17, 31
7. 100, 70, 27
8. 100, 80, 80, 4, 11, 20

145쪽

9. 2 : 3
10. 15 : 28
11. 27 : 32
12. 6 : 7
13. 16 : 15
14. 13 : 18
15. 9 : 8
16. 3 : 2
17. 11 : 6
18. 45 : 29
19. 3 : 5
20. 21 : 16
21. 18 : 13
22. 32 : 37
23. 40 : 19
24. 18 : 23
25. 10 : 3
26. 9 : 10
27. 17 : 15
28. 29 : 34
29. 43 : 25

3. 소수의 비를 간단한 자연수의 비로 나타내기

146쪽

1. 2:9
2. 5:11
3. 7:8
4. 9:14
5. 13:6
6. 17:9
7. 41:33
8. 5:14
9. 28:19
10. 19:6
11. 16:37
12. 68:25
13. 45:28
14. 32:21
15. 15:14
16. 8:37
17. 28:9
18. 35:43
19. 8:15
20. 25:22
21. 42:5

147쪽

22. 1:6
23. 11:9
24. 172:181

07 일차

4. 분수의 비를 간단한 자연수의 비로 나타내기

148쪽

1. 12, 8, 3
2. 45, 40, 40, 4, 3, 10
3. 7, 30, 25, 42
4. 70, 21, 45, 45, 3, 15, 49
5. 11, 56, 88, 21
6. 10, 48, 160, 160, 5, 32, 9
7. 16, 4, 21, 28, 28, 4, 12, 7

149쪽

8. 5:9
9. 36:35
10. 6:5
11. 21:10
12. 36:25
13. 15:8
14. 1:6
15. 3:10
16. 7:18
17. 13:98
18. 7:4
19. 85:22
20. 49:6
21. 91:24
22. 16:15
23. 13:22
24. 44:21
25. 75:64
26. 14:5
27. 63:58
28. 7:5

4. 분수의 비를 간단한 자연수의 비로 나타내기

150쪽

1. 5:6
2. 9:10
3. 20:3
4. 14:3
5. 27:17
6. 5:6
7. 20:9
8. 10:21
9. 12:23
10. 4:21
11. 7:30
12. 76:33
13. 18:7
14. 14:5
15. 12:11
16. 26:19
17. 27:11
18. 33:58
19. 16:11
20. 53:68
21. 20:19

151쪽

22. 3:2
23. 35:186
24. 57:28
25. 77:10

09 일차

5. 소수와 분수의 비를 간단한 자연수의 비로 나타내기

152쪽

1 10, 3, 4
2 100, 336, 336, 4, 53, 84
3 100, 90, 90, 2, 45, 16
4 10, 25, 12

153쪽

5 1 : 1
6 5 : 3
7 42 : 5
8 9 : 5
9 28 : 15
10 18 : 25
11 248 : 65
12 19 : 2
13 3 : 5
14 75 : 76
15 35 : 8
16 5 : 18
17 11 : 81
18 25 : 24
19 50 : 369
20 32 : 81
21 50 : 27
22 34 : 77
23 16 : 39
24 2 : 1
25 8 : 5

10 일차

5. 소수와 분수의 비를 간단한 자연수의 비로 나타내기

154쪽

1 9 : 5
2 175 : 16
3 49 : 110
4 27 : 20
5 27 : 20
6 72 : 85
7 37 : 21
8 184 : 325
9 256 : 225
10 177 : 128
11 8 : 15
12 5 : 63
13 50 : 39
14 125 : 288
15 11 : 21
16 65 : 18
17 45 : 52
18 19 : 16
19 50 : 27
20 2 : 1
21 350 : 209

155쪽

22 21 : 25
23 86 : 75
24 5 : 3

11 일차

연산&문장제 마무리

156쪽

1 1 : 4
2 5 : 6
3 1 : 3
4 2 : 5
5 3 : 2
6 6 : 7
7 7 : 5
8 11 : 9
9 19 : 9
10 2 : 1
11 13 : 8
12 10 : 3
13 4 : 7
14 5 : 3
15 3 : 7
16 13 : 29
17 8 : 7
18 15 : 2
19 50 : 21
20 17 : 20
21 69 : 50

157쪽

22 9 : 7
23 12 : 7
24 24 : 35
25 10 : 21
26 51 : 23
27 73 : 10
28 45 : 77
29 86 : 51
30 63 : 40
31 12 : 1
32 153 : 40
33 9 : 2
34 12 : 25
35 126 : 65
36 27 : 32
37 12 : 25
38 8 : 5
39 1 : 15
40 5 : 9
41 1 : 4
42 19 : 2
43 5 : 6
44 50 : 23
45 20 : 21

158쪽

46 9 : 8
47 3 : 4
48 13 : 27
49 30 : 41
50 1 : 6
51 12 : 13

6. 비례식과 비례배분

01 일차 1. 비례식

160쪽

1 1, 6 / 2, 3
2 4, 10 / 5, 8
3 7, 15 / 3, 35
4 10, 6 / 12, 5
5 14, 9 / 63, 2
6 25, 3 / 15, 5
7 32, 9 / 36, 8
8 40, 19 / 38, 20

161쪽

9 5, 15
10 4, 14
11 30, 55
12 36, 16
13 30, 16
14 66, 69
15 2, 3
16 15, 20
17 10, 16
18 8, 20
19 16, 24
20 8, 7

02 일차 1. 비례식

162쪽

1 2, 63 / 9, 14
2 8, 12 / 16, 6
3 13, 51 / 17, 39
4 20, 27 / 18, 30
5 24, 10 / 30, 8
6 예 17, 13, 34, 26
7 예 3, 7, 12, 28
8 예 16, 40, 22, 55
9 예 14, 12, 35, 30
10 예 9, 2, 27, 6

163쪽

11 예 3 : 8=6 : 16
12 예 20 : 30=40 : 60
13 예 40 : 25=80 : 50

03 일차 2. 비례식의 성질 (1)

164쪽

1 4 / 4, 36
2 15 / 15, 120
3 36, 252 / 36
4 9, 378 / 9
5 72, 1080 / 72
6 95 / 95, 1995
7 25, 50 / 25
8 33 / 33, 594

165쪽

9 20, 40, 40, 8
10 13, 104, 104, 4
11 27, 432, 432, 48
12 17, 1020, 1020, 68
13 20, 480, 480, 160
14 14, 490, 490, 10
15 16, 1008, 1008, 36
16 35, 1050, 1050, 21

04 일차 2. 비례식의 성질 (1)

166쪽

1 24
2 15
3 80
4 26
5 12
6 2
7 63
8 40
9 6
10 18
11 16
12 42
13 25
14 9
15 44
16 57

167쪽

17 12분
18 4500원
19 12 L

05 일차 3. 비례식의 성질 (2)

168쪽

1 0.6, 3 / 0.6
2 0.6, 4.2 / 0.6
3 5.4 / 5.4, 43.2
4 $\frac{2}{3}$, 2 / $\frac{2}{3}$
5 $\frac{2}{3}$ / $\frac{2}{3}$, 10
6 2 / 2, $\frac{4}{5}$
7 $\frac{7}{8}$ / $\frac{7}{8}$, 21

169쪽

8 0.25, 1.5, 1.5, 0.3, 5
9 7, 7, 70, 70, 7, 10
10 2.4, 3, 4.8, 4.8, 2.4, 2
11 $\frac{5}{8}$, 10, 10, $\frac{10}{13}$
12 $\frac{3}{5}$, 6, 6, 12
13 28, 21, 21, 27

06 일차 3. 비례식의 성질 (2)

170쪽

1 0.9
2 3.2
3 4
4 40.5
5 24
6 2
7 6.75
8 7
9 $\frac{8}{21}$
10 $\frac{1}{3}$
11 21
12 15
13 2
14 10
15 $\frac{4}{9}$
16 6

171쪽

17 180 g
18 27쪽
19 12포기

07 일차 4. 비례배분

172쪽

1. 15, 7 / $\frac{8}{15}$, 8
2. $\frac{1}{6}$, 4 / 6, 20
3. $\frac{5}{11}$, 15 / 11, 18
4. 21, 26 / $\frac{8}{21}$, 16
5. $\frac{2}{7}$, 14 / 7, 35
6. 13, 20 / $\frac{9}{13}$, 45

173쪽

7. 8, 10
8. 24, 4
9. 21, 15
10. 12, 28
11. 18, 27
12. 45, 10
13. 32, 30
14. 55, 15
15. 10, 65
16. 40, 46
17. 32, 56
18. 57, 42
19. 44, 56
20. 78, 36

08 일차 4. 비례배분

174쪽

1. 7, 2
2. 14, 7
3. 20, 12
4. 6, 42
5. 16, 44
6. 60, 24
7. 80, 15
8. 42, 54
9. 77, 35
10. 60, 65
11. 90, 40
12. 50, 95
13. 119, 49
14. 50, 130

175쪽

15. 16자루
16. 168개
17. 240명
18. 6500원
19. 14시간

09 일차 연산&문장제 마무리

176쪽

1. 9
2. 8
3. 3
4. 76
5. 4.9
6. 10
7. 3
8. 18
9. 90
10. 2.4
11. 15
12. $\frac{1}{9}$
13. 6
14. $\frac{3}{13}$
15. $\frac{4}{7}$
16. $\frac{2}{5}$

177쪽

17. 4, 14
18. 4, 16
19. 32, 20
20. 21, 35
21. 36, 27
22. 39, 26
23. 57, 19
24. 39, 45
25. 54, 45
26. 77, 28
27. 36, 90
28. 27, 117
29. 100, 95
30. 80, 144
31. 105, 150
32. 160, 140

178쪽

33. 8400원
34. 15600원
35. 675 mL
36. 18컵
37. 16살
38. 40개
39. 75 cm

7. 원의 넓이

01 일차 1. 원주 구하기

180쪽

1. 6 cm
2. 24 cm
3. 37.2 cm
4. 50.4 cm
5. 60 cm
6. 42 cm
7. 81 cm
8. 96 cm
9. 138 cm

181쪽

10. 31 cm
11. 68.2 cm
12. 105.4 cm
13. 124 cm
14. 167.4 cm
15. 181.66 cm
16. 15.5 cm
17. 55.8 cm
18. 74.4 cm
19. 111.6 cm
20. 136.4 cm
21. 155 cm

02 일차 1. 원주 구하기

182쪽

1. 37.68 cm
2. 55.264 cm
3. 87.92 cm
4. 119.32 cm
5. 141.3 cm
6. 163.28 cm
7. 188.4 cm
8. 50.24 cm
9. 64.056 cm
10. 81.64 cm
11. 94.2 cm
12. 131.88 cm
13. 150.72 cm
14. 160.14 cm
15. 182.12 cm

183쪽

16. 37.8 cm
17. 46.5 cm
18. 219.8 cm

03 일차 2. 지름 또는 반지름 구하기

184쪽

1. 5 cm
2. 9 cm
3. 13 cm
4. 24 cm
5. 6 cm
6. 11 cm
7. 17 cm
8. 19 cm

185쪽

9. 9 cm
10. 14 cm
11. 26 cm
12. 42 cm
13. 55 cm
14. 3 cm
15. 10 cm
16. 14 cm
17. 19 cm
18. 30 cm

2. 지름 또는 반지름 구하기

186쪽

1 7 cm
2 11 cm
3 32 cm
4 44 cm
5 54 cm
6 6.5 cm
7 9 cm
8 17 cm
9 20 cm
10 28 cm

187쪽

11 16 cm
12 9.5 cm
13 25 cm

05 일차

3. 원의 넓이

188쪽

1 $12 cm^2$
2 $192 cm^2$
3 $300 cm^2$
4 $588 cm^2$
5 $867 cm^2$
6 $1587 cm^2$
7 $108 cm^2$
8 $243 cm^2$
9 $507 cm^2$
10 $768 cm^2$
11 $1323 cm^2$
12 $2523 cm^2$

189쪽

13 $3.1 cm^2$
14 $151.9 cm^2$
15 $446.4 cm^2$
16 $793.6 cm^2$
17 $1240 cm^2$
18 $2430.4 cm^2$
19 $49.6 cm^2$
20 $310 cm^2$
21 $1004.4 cm^2$
22 $1500.4 cm^2$
23 $1785.6 cm^2$
24 $2790 cm^2$

06 일차

3. 원의 넓이

190쪽

1 $28.26 cm^2$
2 $200.96 cm^2$
3 $706.5 cm^2$
4 $907.46 cm^2$
5 $1133.54 cm^2$
6 $1808.64 cm^2$
7 $2122.64 cm^2$
8 $12.56 cm^2$
9 $78.5 cm^2$
10 $254.34 cm^2$
11 $452.16 cm^2$
12 $615.44 cm^2$
13 $803.84 cm^2$
14 $1661.06 cm^2$
15 $1962.5 cm^2$

191쪽

16 $48 cm^2$
17 $523.9 cm^2$
18 $1384.74 cm^2$

07 일차 4. 색칠한 부분의 넓이

192쪽

1 12, 12, 6, 6, 432, 216, 216
2 5, 5, 3, 75

193쪽

3 26 cm^2
4 16 cm^2
5 100 cm^2
6 126 cm^2
7 6 cm^2
8 81 cm^2
9 352 cm^2
10 245 cm^2

08 일차 4. 색칠한 부분의 넓이

194쪽

1 75.6 cm^2
2 17.6 cm^2
3 27.9 cm^2
4 103.8 cm^2
5 396.8 cm^2
6 347.2 cm^2
7 72.9 cm^2
8 496 cm^2

195쪽

9 200 cm^2
10 1401.2 cm^2
11 3942 m^2

09 일차 연산&문장제 마무리

196쪽

1 30 cm
2 90 cm
3 40.3 cm
4 148.8 cm
5 62.8 cm
6 18 cm
7 8 cm
8 32 cm
9 14 cm
10 37 cm

197쪽

11 13 cm
12 21 cm
13 8 cm
14 1 cm
15 12 cm
16 27 cm^2
17 147 cm^2
18 251.1 cm^2
19 607.6 cm^2
20 113.04 cm^2

198쪽

21 69.08 cm
22 4 cm
23 14 m
24 153.86 cm^2

연산 노트

연산 노트

연산 노트

풍산자
연산
초등 수학 6-2

풍산자 라인업

중학 풍산자로 개념과 문제를 꼼꼼히 풀면 성적이 지속적으로 향상됩니다

상위권으로의 도약을 위한 중학 풍산자 로드맵

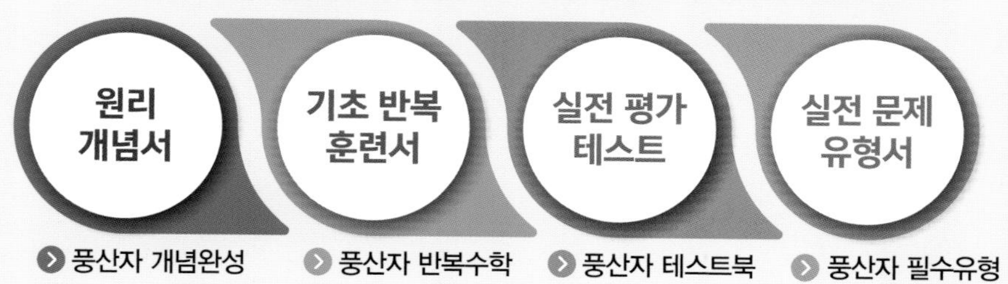

중학 풍산자 교재	하	중하	중	상
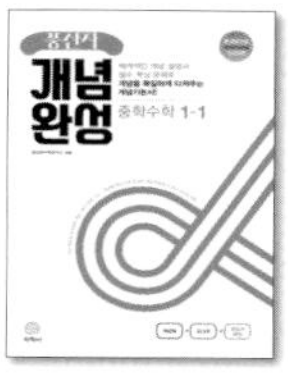 강남구청 인터넷수능방송 강의교재 원리 개념서 **풍산자 개념완성**		필수 문제로 개념 정복, 개념 학습 완성		
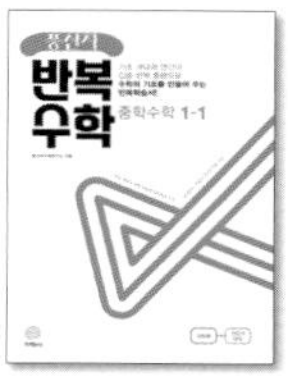 기초 반복훈련서 **풍산자 반복수학**		개념 및 기본 연산 정복, 기초 실력 완성		
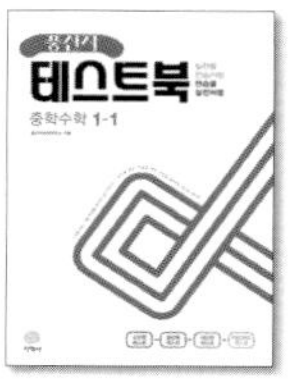 실전평가 테스트 **풍산자 테스트북**			단원별 엄선 문제, 실력 점검 및 실전 대비	
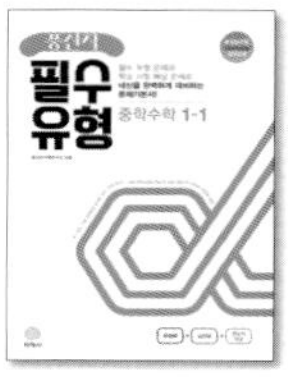 강남구청 인터넷수능방송 강의교재 실전 문제유형서 **풍산자 필수유형**			모든 기출 유형 정복, 시험 준비 완료	

학습의 자신감을 키우고

지학사 초등 국어 자신감 시리즈

공부의 기초 체력을 높이는

하루 15분 즐거운 공부 습관

- 속담, 관용어, 한자 성어, 교과 어휘, 한자 어휘가 담긴 재미있는 글을 통한 어휘·어법 공부
- 국어, 사회, 과학 교과서 속 개념 용어를 통한 초등 교과 연계
- 맞춤법, 띄어쓰기, 발음 등 기초 어법 학습 완벽 수록!

독해력 자신감(총 6단계)

긴 글은 빠르게! 어려운 글은 쉽게!

- 문학, 독서를 아우르는 흥미로운 주제를 통한 재미있는 독해 연습
- 주요 과목과 예체능 과목을 포함한 교과서에서 뽑아낸 교과 지식을 통한 전 과목 학습
- 빠르고 쉽게 글을 읽을 수 있는 6개 독해 기술을 통한 독해 비법 전수